Patrick de Friberg

MOMENTUM

Roman

Du même auteur:

Le Représentant, nouvelle longue, revue Alibis, janvier 2010
Le Dossier Déïsis, roman, Le Castor Astral, 2009

Sous le pseudonyme de MORNEVERT:

Exogènes, roman, Des Idées & des Hommes, 2007
Homo futuris, roman, Des Idées & des Hommes, 2006
Passerelle Bankovski. Sur le canal
Griboïedova à Saint-Pétersbourg, roman, JML, 2005
(finaliste du prix du premier roman, Paris-Graveil)

Graphisme: Jessica Papineau-Lapierre
Révision, correction: Sophie Ginoux, Élyse-Andrée Héroux

© Les Éditions Goélette, Patrick de Friberg, 2011

Dépôt légal: 2e trimestre 2011
Bibliothèque et Archives nationales du Québec
Bibliothèque nationale du Canada

Les Éditions Goélette bénéficient du soutien financier de la
SODEC pour son programme d'aide à l'édition et à la promotion.

Nous remercions le gouvernement du Québec de l'aide financière
accordée par l'entremise du Programme de crédit d'impôt pour
l'édition de livres, administré par la SODEC.

ASSOCIATION
NATIONALE
DES ÉDITEURS
DE LIVRES
Membre de l'Association Nationale des Éditeurs de Livres

Imprimé au Canada

ISBN: 978-2-89638-909-4

PATRICK DE FRIBERG

MO★MENTUM

Les Éditions Goélette

À Mickael Hickson, pourvoyeur de paradis

« Sachez que nous sommes vos avocats :
nous voulons votre bien et nous l'aurons… »

LIVRE I

LE TRAÎTRE

PROLOGUE

Cuba,
décembre 2002

La goutte de sueur roulait le long d'un sourcil broussailleux. Elle semblait fuir la grosse mouche qui tournait autour du visage cuivré. Elle coula le long d'un nez écrasé de boxeur, avant d'être chassée par un pouce ridé de crasse, à l'ongle décoré et à la peau jaunie par le tabac.

Le vieux Cubain, un fermier du centre de l'île qui n'avait plus d'âge depuis qu'il avait perdu ses dents, cracha sa chique à la limite de la boue séchée et de l'eau du marigot.

Le deuxième homme, un Blanc aux habits immaculés, s'appelait Daniel Bouchard. Il était maçon pour son entourage, tueur par la nécessité d'une mission. Il avait les yeux cachés par une paire de lunettes de soleil de la marque d'un grand couturier. Il observa les environs avec curiosité. À Cuba, il y a l'eau, abondante, éclatante, source de vie tropicale, mais il y a aussi le désert, la mort, l'aride vieillesse de la terre. À Cuba, il n'existe aucun purgatoire.

Un crocodile, plus grand encore que le plus gros déjà présent, un monstre de près de trois mètres, avait coupé en biais le grand marais, avant de s'arrêter. Il attendait avant de se jeter dans la curée. Les deux ombres sur le bord n'étaient pas installées pour la fête, mais pour que le message d'une mission couronnée de succès soit bien envoyé à un certain notable de Montréal et Québec, un homme politique à la carrière fulgurante, ce Gilles Drouin qui avait chargé l'un d'eux de la sale besogne. Le tueur terminait la phase de nettoyage qui permettrait à Drouin de devenir premier ministre sans que nul ne découvre jamais d'où venaient les fonds qui avaient permis sa remarquable ascension.

Le Blanc releva son panama vers l'arrière de son crâne pour s'éponger le front à l'aide d'un mouchoir de soie écarlate, puis il cria vers le troisième homme, qui émergeait à peine de l'eau puante :

– Allez ! Nage ! Viens un peu par ici ! Faut qu'on parle ! Ne crains rien, je t'ai promis que les crocos n'attaquent que si je les excite !

Le tueur professionnel cria à nouveau pour que le nageur l'entende.

Le vieux Cubain à ses côtés, les pieds nus et le chapeau de paille aux bords en charpie, laissa échapper un rire de gorge. Il avait plus de compassion pour les bêtes qu'il nourrissait que pour les enfants qu'il avait donnés à ses femmes. Il se rapprochait du tueur par son côté consciencieux pour son travail et par la poésie des chansons qu'il fredonnait tout au long de la journée, après les avoir composées dans son crâne comme on sculpte un amour ou une haine.

Une tête chauve, les yeux effrayés, la bouche recrachant les gorgées d'eau croupie qu'il avait avalées, se tenait maintenant au centre de l'étang. L'homme tenta de nager vers les deux autres, doucement, comme un enfant s'applique à ses premières brasses. Il n'avait pas tout compris de l'enlèvement, des coups et du bain forcé. Il croyait n'être qu'un simple père de famille de plus, l'un de ceux qui sont persuadés que les hommes politiques ont créé ce système de corruption pour mieux faire tourner la machine économique. Il était pourtant un fonctionnaire expert en comptabilité truquée pour «raisons nationales», qui faisait monter les enchères à son endroit en utilisant ses petites fonctions comme une arme de pouvoir.

Le coup de feu lui fit avaler une grande gorgée d'eau vaseuse. Il cracha bruyamment, battit des bras pour revenir à la surface. Le vieux lui lança un quolibet en espagnol, avant de prononcer quelques mots d'encouragement pour ses bébés à écailles.

Le maçon Daniel Bouchard avait dégainé un gros revolver et avait tiré tout près d'un crocodile qui s'approchait de l'agent comptable du Trésor. Le tueur n'avait que du mépris pour cet homme si impliqué dans le blanchiment d'argent. Il pensait que son baigneur aurait dû avoir l'intelligence de refuser ce pot-de-vin de trop, offert pour le compte d'un grand syndicat de la construction de la métropole québécoise. Le comptable ne savait plus repousser les offres, surtout pour un voyage dans les îles agrémenté d'accortes guides locales et de bons cigares. L'assassin aurait pu discourir de vocation avec sa victime. Mais l'histoire nous enseigne qu'il est imprudent de ne pas diversifier ses clients quand les orages de la crise économique menacent. Il avait été décidé en haut lieu que dans la perspective d'une commission d'enquête lancée à l'automne par le futur premier ministre, il était temps de faire le ménage parmi les fragiles et les imbéciles qui pourraient un jour avoir à témoigner sous serment contre leur propre camp. Le fonctionnaire n'était pas le premier à voyager. Il y avait eu cet ancien député, foudroyé par une crise cardiaque à Venise. Il y avait eu cet accident de la circulation à Miami, dont avait été victime cet ingénieur en bâtiment, expert en évaluation de travaux, ainsi que cet autre incident impliquant un architecte qui avait eu l'idée ridicule de prendre son scooter des neiges pour traverser le Saint-Laurent lors d'un redoux. Toute une année à improviser à temps plein une mélodie jazzy pour des meurtres en catimini. Bouchard pouvait jouer des chutes de balcons et des noyades, des assassinats de la main de junkies ou causés par des balles perdues, des empoisonnements au poisson japonais, mais aussi des chutes d'ascenseur emportant des hommes soûls, au milieu de la nuit.
Le tueur aurait pu raconter encore d'autres mésaventures et accidents dont il était l'unique et divin initiateur. Un virtuose entraîné il y a si longtemps dans les écoles spéciales du KGB.

Il visa de nouveau, mais ne tira pas. L'homme allait sentir les premiers coups de nez qu'assènent les crocodiles à leurs proies pour vérifier qu'elles sont en bonne santé, bonnes à croquer. Le criminel plaça ses mains en porte-voix et reprit sa discussion avec son « curiste ».

– Je te le demande pour la dernière fois : Il est où, cet ordinateur que tu tenais si serré quand tu es monté dans l'avion ? Allez, dis-moi tout ! Le bain n'a que trop duré ! C'est mauvais pour la peau, et puis, regarde autour de toi ! Ils ont faim !

Le comptable hurla, soulevant ses petits bras hors de l'eau. Il donna entre deux sanglots le numéro du coffre d'un hôtel où il avait laissé ce sauf-conduit qui l'avait maintenu en vie jusqu'au dernier voyage. Il le répéta jusqu'à ce que le tueur lève la main en signe d'apaisement.

– Ha ! Quand même ! Tout ça pour un petit numéro ! Pas fin, le comptable ! Tu dis quoi, encore ? Ar-ti-cule !

L'autre avait hurlé quand le premier crocodile, presque un bébé, était venu lui goûter une oreille. Le vieux rigola et cracha une autre chique qui atterrit, cette fois, si près des chaussures en daim immaculées du tueur qu'une tache immonde y fit son apparition. Pour l'assassin, l'abject n'était pas l'humain qui se débattait dans l'eau devant lui, il s'incarnait dans l'outrage causé au cuir de ses mocassins. Bouchard recula d'un bon mètre, au bord de la nausée.

Deux fesses roses apparaissaient à chaque mouvement désordonné du crawl de la victime. Celui qui avait truqué les comptes des appels d'offres de la ville, en faisant croire à une réelle concurrence, tentait dans un défoulement d'éclaboussures et de coups de pied de rejoindre la rive, obliquant en apercevant un reptile, repartant, tournant, pleurant et gargouillant.

– Il aurait mérité l'or aux Jeux olympiques. Catégorie pathétique.

Le Blanc sortit un cigare d'un étui de cuir qui dépassait de sa poche de poitrine, il le huma, le fit tourner entre ses doigts, l'air concentré. Le vieillard lui proposa un briquet à pétrole et haussa les épaules, fataliste, devant l'expression boudeuse de son client.

Le plus gros des crocodiles, celui qui patientait à l'écart, avait disparu. Lentement, il s'était enfoncé, aspiré par le génie du fond, celui qui chante la nuit, quand les chauves-souris sont en maraude, quand la lune réveille les fantômes, quand le sexe et la peur entrent dans les cases créoles, en même temps que tombe la tiède moiteur.

Sa gueule ouverte réapparut soudain pour se jeter dans la mêlée sans que les deux hommes, debout sur le bord de la lagune, n'aient vu un seul de ses mouvements fluides traverser l'eau. D'un coup de queue puissant, il propulsa dans les airs le petit mâle qui l'empêchait d'approcher. Enfin, dans une dernière torsion musculeuse, il plongea, le corps arc-bouté. Avant que les autres animaux, venus par dizaines, n'aient le temps de se défendre de son intrusion, dans un bouillonnement de sang, de chair et de boue, il arracha le tronc de la victime, laissant tête et jambes aux moins forts des prédateurs. Tous plongèrent alors pour s'emparer des morceaux de viande.

Bouchard observait, concentré. Il ne savait pas que les reptiles, grands écorcheurs, mais pauvres experts de la mastication prédigestive, emportaient leur repas sous l'eau pour un festin de bonnes bactéries, cuisinières de la putréfaction. En quelques secondes, après une dernière vague, le calme après-midi torride reprit son cours, les crapauds-buffles s'appliquèrent à se battre au concours du chant romantique. Au loin, une sirène d'usine annonça la pause obligatoire à la manufacture de cigares.

– ¡Cena con el diablo[1]!

---

1. Un festin avec le diable!

– Il a crié, je crois. J'ai cru le voir se réveiller avant que le gris ne le croque.

– *No se, capitan, no se. El diablo habla antes de salir[2].*

Le vieux pêcheur s'était rapproché du bord pour vérifier que rien ne remontait du «festin du diable», comme il appelait le repas de ses crocodiles, cette unique espèce des Antilles, protégée et en voie de disparition. Il continua:

– *Voy a hacer una cancion. «Gritó antes de ser comido, clamó porque quería el diablo[3]».*

Il avait chantonné d'une voix grêle une paresseuse bossa nova. Puis il se tourna vers le grand touriste, ce Canadien si bien habillé. Il avait aussi entendu le cri, juste avant que le crocodile n'ait resserré sa mâchoire dans un craquement horrible. Un «pitié, pitié» en français. Mais il ne comprenait que l'espagnol de Cuba, incapable également de traduire les monologues de son client. Celui-ci se retourna vers les marches qui le ramèneraient à l'air climatisé du 4x4, à la piscine de l'hôtel, à la proximité d'un concierge qui pourrait faire réparer l'outrage qu'avait subi sa chaussure gauche. Il avança en boitant presque, les mains dans les poches, les yeux sur la tache.

– Il a parlé en français. Il n'a pas compris que je ne plaisantais pas quand je lui ai proposé de participer au repas des crocodiles de ta ferme. Vingt secondes. Tu parles d'un festin.

– *¿Puedo vender la ropa[4]?*

L'homme lui répondit du signe paresseux d'un index négatif.

---

2. Je ne sais pas, mon capitaine, je ne sais pas. Le diable parle toujours avant de s'en aller.
3. Je vais en faire une chanson. «Il a hurlé avant d'être mangé, il a crié parce que le diable le désirait.»
4. Puis-je vendre les habits?

– Tu vas brûler ses fringues devant moi, je te donnerai de quoi en acheter d'autres et t'offrir tous les cuba-libre dont tu rêves. Sens-tu la douceur de la fin d'après-midi? Quand l'alizé revient, alors l'âme est enfin au repos. Rien ne vaut un verre bien frais ainsi qu'un cigare de qualité après une journée de travail bien remplie.

Il ne traduisit pas sa phrase, remarquant qu'à son signe le Cubain avait commencé à brûler les habits. Il compta les billets en devise américaine, les tendit à l'homme tout sourire, puis partit simplement, sans un regard.

Le grand nettoyage allait se terminer. Gilles Drouin allait pouvoir devenir premier ministre du Québec. Dans huit ans.

1

Le long du fleuve Saint-Laurent,
Québec, hiver 1985

Dans le silence de la forêt boréale, le toit du manoir s'anima comme un vieil homme qui se réveille. Il craqua, trembla, et une dernière plaque de neige dévala la pente de bardeaux de cèdre, dans le grondement sourd d'un lointain tonnerre. La couleur rouge de la couverture du manoir apparut, cicatrice dans le manteau d'hiver. L'avalanche ne fit qu'ajouter quelques centimètres supplémentaires au banc de neige déjà impressionnant qui traversait le chemin gelé. Le rempart blanc cachait aux curieux de l'avenue Royale, non loin de la capitale du Québec, l'étrange transaction qui s'opérait derrière les fenêtres du manoir ancestral.

L'édifice aurait quatre cents ans en 2008 et avait vécu l'histoire de l'Amérique du Nord depuis l'arrivée de Champlain sur le continent. La bâtisse sentait, dans la brise venue du grand fleuve, que l'hiver peinait à tenir son rythme. Bientôt, la première fleur percerait le dernier centimètre glacé pour laisser naître la nouvelle saison. Tous attendaient les premières migrations des oiseaux, annonçant le redoux.

Dans le salon, près du feu dans la grande cheminée de pierres, deux convives étaient tournés vers le jardin. Ils fumaient un cigare et sirotaient à petites gorgées le cognac rapporté de France par l'un des deux.

Ils savouraient cet instant hors du temps. Ils souriaient parce qu'ils venaient de trahir ensemble, ici, si près de cette ville de Québec qui serait, plus tard, le lieu de leur forfanterie.

Le premier des hommes, les lunettes remontées sur son front, les lacets desserrés et un pan de chemise sorti du pantalon, venait de rejeter l'ordre qu'il croyait établi.

L'autre, les jambes allongées et les sourcils blancs froncés en une expression sévère, ne croyait plus en rien. Ni en cet ordre socialiste qui devait mener au paradis éternel et communiste, par la confrontation dialectique des classes, ni en cet équilibre darwinien que devait créer le capitalisme pour mener l'humanité à la démocratie américaine universelle. Il ne croyait plus qu'en lui-même et en cet étrange personnage qui lui promettait d'écrire, simplement, leurs pages personnelles dans l'histoire du monde.

Les verres s'entrechoquèrent. Il n'y aurait jamais une trace écrite de leur contrat. Dehors, comme l'annonce d'une nouvelle vie, un vol d'oies sauvages pointilla l'horizon. Les oiseaux, dans leur route, tournaient autour de la Colline parlementaire de Québec, siège du bureau du premier ministre.

Leurs pensées étaient les mêmes, celles qui frappent tous ceux qui vivent un premier hiver au Québec. L'ombre bleue sur la neige était éclatante.

● ● ●

École supérieure du KGB,
Moscou, Union soviétique, août 1986

Mon carillon figea les acteurs. Aigre, vif et cependant mélodieux, son écho laissa flotter dans l'air la trace éphémère des célébrations orthodoxes, sans l'odeur de l'encens et les ors des anciennes iconostases. Il annonçait solennellement, presque liturgiquement, que la pièce de théâtre était terminée et que se clôturaient ainsi trois longues années d'études à l'École supérieure du KGB, à Moscou.

Dans le silence retrouvé, je posai sur une patène brillante le manche en ivoire sculpté et surmonté de la petite cloche de bronze qui m'avait permis de signifier la fin du cycle.

Je devais faire attention à ma mise en scène. Je plaçai bientôt l'ensemble sur le guéridon au côté d'un flacon d'alcool doré et d'un ciboire en argent ouvragé. Tout le fatras qui habillait le décor de ma classe avait été accumulé au cours de mes virées dans les réserves que le KGB s'était constituées en pillant les églises et les monastères de la grande Russie impériale. Nous aurions pu reconstituer le décorum d'une basilique, mais je voulais plutôt apporter à mon œuvre pédagogique le caractère iconoclaste que j'essayais de deviner chez mes étudiants trop sérieux. J'attendis encore – je suis le maître –, puis je bus une gorgée dans le vase sacré. Les filles de la classe me surveillant, je rotai et profitai de l'écho renvoyé par l'excellente acoustique du lieu. Il était temps que je prenne la parole, sinon mon assemblée allait s'endormir.

– Êtes-vous au fait de la différence fondamentale entre votre future condition d'espion d'élite et la si piètre représentation que vous me fîtes de ce texte génial ?

J'étais installé sur mon club de cuir fauve, un véritable Chesterfield tobacco colored, râpé et centenaire, dérobé à l'ambassade du Royaume-Uni à Moscou lors d'un défi donné par les anciens à des bizuts de première année. Mon trône appelait mon corps. Je régnais dans mon théâtre comme le monarque sanguinaire de Shakespeare.

La scène, installée au cœur de l'école, aurait pu rivaliser avec celle du Bolchoï par ses moyens techniques et la renommée de ses professeurs.

Parfois apparaissait un deuxième observateur, plus secret, plus important aussi, nimbé de mystère par un jeu d'ombres le rendant anonyme. Durant cette année 1986, il n'avait pas manqué une seule des représentations importantes, surtout quand il était de retour de Leipzig. Il y dirigeait la Maison de l'Amitié germano-russe, la plus importante concentration d'agents soviétiques sur le territoire de l'Allemagne de l'Est et pourtant si proche du Berlin ennemi. Il y avait été muté deux années plus tôt pour y préparer la plus importante mission qui lui avait jamais été confiée. Aucun élève n'avait jamais vu son visage.

    – La peur ? Je veux dire : ne s'agirait-il pas de la peur, camarade professeur ?

    Au premier rang, au milieu de ses congénères qui sursautèrent, étonnés de l'initiative de leur camarade, une jeune fille avait levé la main pour répondre. Blonde, la poitrine provocante dans une robe du XVIIIe siècle. Je ne savais pas encore quelle note je lui donnerais ; trop effrontée, pas assez effrayée par les pièges de son futur métier. Elle serait destinée, peut-être, à se marier avec un prince saoudien ou avec un riche Américain. Je la fis, d'un mouvement du cigare, se lever, d'un tour de la main, lui fis faire la révérence, puis, d'un dernier coup de fumée, lui ordonnai de s'asseoir. Tous rirent puis se turent aussitôt devant l'éclat des verres du maître brillant au-dessus de la cicatrice qui traverse ma joue droite. La réponse de la jeune femme était un classique. Le fantasme du futur espion. Aurai-je peur ? Trahirai-je ?

    – Intéressant, mon enfant. Seule l'innocence a peur dans l'œuvre de Shakespeare, c'est étrange, ne trouvez-vous pas ? La faute originelle effraie et pousse toujours vers le Mal. Le coupable, lui, ne craint rien, il se complaît dans l'action. Non, la peur n'est pas cette différence remarquée dont j'attends de vous la définition. Un quinze sur vingt pour notre adorable et courageuse Lady Macbeth. Bonne chance, chère camarade Irina, dans vos nouvelles fonctions.

    Au nouveau murmure, je balayai l'écho de la réponse d'un revers de cigare, et la cendre tomba sur mon gilet tricoté, gonflé par ce ventre qui faisait ma comique renommée. Je n'y prêtai aucune attention tant mes habits étaient déjà maculés par des années de scène. Je tenais à proroger le plus longtemps possible, dans l'esprit de mes étudiants, le sentiment de révolte qu'offre la vue de la toute-puissance d'un être sans la moindre envie de devenir le modèle d'un jeune homme ou le fantasme d'une future espionne. Pour appuyer l'événement, je me mouchai entre les doigts et les femmes détournèrent leur regard, écœurées. Toutes, sauf notre parfaite Lady Macbeth. Elle souriait. Je la soupçonnais d'avoir découvert mon autre facette derrière mon jeu d'acteur.

— La scène de l'action, je veux dire l'espace, ici strictement délimitée ?

Le lieutenant du KGB se leva après avoir auparavant salué la dépouille de Macbeth, un genou à terre. Le costume anglais avec chausses, justaucorps et bas lui donnait une allure trop musculeuse, trop apprêtée. Il était ridicule dans son habit, pourtant parfaite réplique historique. De lui, j'avais décidé en fin de trimestre qu'il ne serait qu'un mauvais illégal, dangereux pour le service, mais avais demandé qu'on le garde pour qu'il soit muté à l'ambassade de Paris ; il gérerait l'administration des ressources ou servirait de tueur d'appoint quand l'occasion se présenterait. Il n'était pas digne de faire partie de mon équipe, il ne serait qu'un pion que l'on jette après l'avoir utilisé, un soldat qui ferait carrière en écrasant ses concurrents. Il m'avait répondu dans un anglais parfait, mais je le surpris, encore, à son habituelle paresse d'élocution. Il ne parvenait pas à donner une origine ou une identité géographique à sa langue. On hésitait entre le nord de Kensington et la lenteur de Cambridge. J'avais l'expérience des interrogatoires menés par les spécialistes du MI5 et j'étais convaincu qu'il aurait été vite grillé, lors de la première épreuve de questions, avec le premier linguiste anglais rencontré. Les lunettes brillèrent dans la direction de la voix. Nous en étions à la fin de l'année scolaire, je ne l'aimais pas, je décidai de ne lui donner aucune chance de se relever.

— La scène, l'espace ? Vous parlez ainsi de votre futur terrain de manœuvre ? Du respect pour le Grand Jeu ! Vous divaguez, monsieur l'aspirant espion. Recouchez-vous, camarade. Vous laissez s'endormir l'intelligence qui sommeille en vous.

L'écho de mes paroles résonnait d'ironie et de mépris. Je sortis une blague à priser des poches latérales du fauteuil et je reniflai bruyamment avant d'éternuer. Tous les participants avaient sursauté, craignant de recevoir une goutte immonde de mon expansion. Je regardais le jeune homme fixement et il comprit, à la forme du silence marqué par l'éclat des lunettes, qu'il devait quitter les planches pour rejoindre ses camarades. Hors de mon royaume. Tous s'étaient concentrés sur ma dernière phrase et avaient remarqué que je n'avais pas donné de note à l'élève, le rejetant volontairement dans les limbes du classement trimestriel. Il serait éjecté de mon groupe d'élite. Nul, en revanche, n'avait vu le solitaire et second spectateur se rapprocher du bord de sa loge. Attentif.

– La schizophrénie de l'acteur, la paranoïa de l'espion?

L'homme avait parlé couché. Le tyran Macbeth était censé être mort, transpercé par la grande épée, symbole de la faute originelle ou du pardon de tous les péchés, tué par un Macduff penaud qui avait déjà été éliminé de cet autre Grand Jeu, cette fois-ci par son professeur. Lui, le roi de la pièce, je le réservais à Poutine. Il serait la pièce principale de notre jeu d'échecs grandeur nature. Brun, nerveux, de grande taille, la mine d'un étudiant d'Oxford et le sourire ironique, il se remit sur pied en portant sur le bout du doigt l'arme censée l'avoir poignardé ou décapité. Il la plaça en équilibre sur le bout de son index et, avec une révérence, la fit tourner élégamment dans l'air pour qu'elle se plante entre mes jambes écartées. Dans l'assistance des élèves, un murmure se fit entendre, vite avalé. Un silence parfait l'avait remplacé. Le maître ne bougeait pas. Il avait juste rallumé son cigare à la flamme d'un faux pistolet, accroché par une chaîne à son gilet. J'avais maîtrisé ma réaction, connaissant la précision des jeux de lancer de l'élève, l'un de mes préférés, mon choix pour la grande mission que nous préparions alors.

– Vous chauffez, Macbeth, vous chauffez. Vous seriez cependant renvoyé à vos chères études si cette question avait été choisie pour votre examen final. Je vous salue pour votre mort héroïque et pour votre folie meurtrière et assassine. Votre jeu transpire la culture classique, presque latine ou grecque, votre naïveté face à vos croyances en un destin tracé d'avance est risible Quant à vos embrassades de la nuit dernière avec notre Lady Macbeth, une improvisation pornographique contemporaine? Vous avez bien joué, et je suis tenté de vous garder l'année prochaine pour me ravir une autre fois.

L'acteur me salua d'un chapeau imaginaire en le frottant plusieurs fois sur le sol, puis il se redressa et le porta sur son cœur en une pose exagérée, l'autre main tendue vers ma tête, la jambe avancée et la tête droite. Les étudiants pouffèrent. Je l'observais pour savoir si la main tendue soulignait sa capacité à pointer, entre mes yeux, l'arme interdite qu'il se permettait, pour expérimenter le geste dans la vie réelle, de porter conti-nuellement sur lui, ou un simple et beau geste final pour faire pâlir d'envie ses camarades. Il n'était pas comme les autres. Sa future vie inventée par nos stratèges du KGB, cette nouvelle identité qui lui offrirait une nouvelle vie, était déjà construite depuis des années, très loin vers l'ouest, au Canada. Je le laissai garder la posture, inconfortable, et lui répondis :

– Les Occidentaux ne parlent que du noble métier d'agent de renseignements, presque jamais de celui, vil, d'espion. Ils le considèrent toujours comme la plus basse des professions, en dessous encore de celle d'acteur de théâtre. Rappelez-vous comment l'Église refusait à l'artiste de scène de reposer dans les cimetières des croyants ! Quant au schizophrène, il ne sait pas son texte, il transcende ses fantasmes pour les vivre. Un seize sur vingt à notre Macbeth équilibriste dans ses gestes et ses paroles. Retournez-vous vers vos camarades et n'oubliez pas votre arme. Vous autres, osez, que diable ! Je vais vous aiguiller. Ne me parlez pas de stress, l'acteur en subit autant que vous quand il entre en scène avec, à l'esprit, l'espoir de remplir la salle du lendemain et le couperet du bide mondain. Vous, jamais innocents, vous ne craignez plus la mort, nous vous en avons désinhibés. Alors ? Faites jouer le même acte de Shakespeare par cinquante acteurs et vous obtiendrez cinquante représentations différentes : l'acteur comme l'espion vit son jeu et, quand il est bon, ce qui n'est pas le cas ce soir, il en est habité. Réfléchissez ! Un vingt sur vingt à la bonne réponse !

– Le respect du texte original ?

La voix douce nous était parvenue du balcon. Un son aigu, avec un accent anglais pouvant faire penser, seulement avec ces uniques syllabes, que l'homme avait appris la langue quand il galopait dans les jardins d'un cottage de Johannesburg. Sons rauques et chantants. Gutturaux, presque allemands. Soleil et gouaille de la campagne, voix habituée à commander les serviteurs noirs. Les lunettes brillèrent. Je ne tournai pas la tête vers l'ombre, auscultée par une vingtaine de paires d'yeux curieux. Je fis un geste large d'acteur tragique vers le personnage caché, puis je soupirai face aux vingt élèves qui bientôt me quitteraient. Une nouvelle promotion, toujours plus jeune, les remplacerait, avec une ardeur que je casserais d'abord pour faire sortir de ces âmes l'art nécessaire à la parfaite dissimulation. Peu d'entre eux seraient élus, certains seraient tout aussi simplement éliminés. La routine d'une école qui gouvernait le monde, dont l'élite allait servir Vladimir Vladimirovitch Poutine. Un nouveau professeur me remplacerait bientôt pour me laisser peaufiner ma nouvelle mission au Canada.

– Le texte, en effet. Un auteur comme celui dont vous venez de jouer les lignes ne vous donne jamais toutes les explications et clés du texte. Il vous livre son œuvre pour que vous dispensiez ses mots et racontiez l'histoire comme il l'a pensée, pas pour que vous compreniez parfaitement son pouvoir sur les âmes pourtant volontaires des spectateurs. Le vôtre ne sera pas plus compliqué, il sera juste plus court, plus synthétique, plus spécifique à la réussite de vos missions. Votre texte aura été écrit par des auteurs qui auront des visées plus larges et plus lointaines que ce que vous vivez. Même le meilleur des espions devient un jour incapable de vivre avec lui-même s'il n'a pas compris qu'il joue le texte d'une pièce dont il ne connaît pas tous les acteurs. Vous aurez à l'étudier pour ensuite l'enrichir et le développer. Si vous sortez trop de votre texte, si vous le jugez, ou si vous l'oubliez, vous mourrez. Prenez notre blond Malcolm qui, malgré sa lancée, presque à la dernière scène, a hésité.

Le torse tassé sur le ventre, le menton reposé sur les bajoues ornées de poils de barbe mal taillés, j'aspirais mon cigare qui s'était de nouveau éteint, le mâchant et le malaxant de mes lèvres jaunies par le tabac. Je les observais, imprimant leur visage dans ma mémoire, vérifiant, pour chacun, les qualités et les défauts qui nous avaient fait les choisir pour une vie de service sans identité. Je repris le cours de ma dernière séance, cette fois-ci en russe.

– Prendre le texte à la légère est une preuve de nonchalance qui pourrait perdre l'un de vos hommes en pleine mission. À tous, je ne vous confierai qu'un secret avant de nous quitter. Sachez votre texte et jamais n'en dérogez. Il en va tout simplement de votre liberté.

Le regard, protégé par les verres cerclés d'acier, avait jeté un éclair. Je me levai lentement, poussant sur mes bras trop courts pour m'extirper de mon trône. J'enlevai mes chaussons marqués du blason des armes de la couronne britannique et enfilai de courtes bottines à la semelle trouée. Le cours était terminé, le rituel de la conclusion offert pour résumer toute une année. Les élèves se retirèrent sans un bruit et quittèrent la grande salle de théâtre. Sur le balcon, le visage de Vladimir Vladimirovitch Poutine, se penchant sur le rebord du balcon, me sourit.

La lumière s'éteignit soudain dans l'écho du claquement du disjoncteur. Personne n'aurait pu le remarquer quand Poutine avait quitté son poste d'observation. Je soulevai mon gilet tricoté, enlevai mon ventre postiche et redressai la tête, faisant apparaître dans la petite glace de ma loge un cou puissant surmonté d'un menton volontaire. Il ne me restait plus qu'à remplacer mes lunettes rondes par une paire rectangulaire aux épaisses montures de plastique. D'un geste précis, avec un peigne en argent, je coiffai mes cheveux laissés gras et libres auparavant, pour prendre l'allure rigoureuse et soignée d'un chef du KGB. Le gilet et le pantalon rejoignirent les autres accessoires dans le placard, fermé par un gros cadenas. Le major Igor Vitovitch Grychine était attendu. En compagnie du jeune et brillant commandant Vladimir Poutine, le protégé du vieil Andropov, j'allais dîner, le soir même, dans la salle à manger de travail avec les plus intimes conseillers du chef du Kremlin.

2

Rivière Cazeau,
Château-Richer, Québec, 1962

La rivière était gonflée des eaux de l'étang du père Hémon, dont la profondeur était savamment gérée par l'écluse hydraulique du petit barrage du plateau. Les deux adolescents en connaissaient parfaitement le mécanisme. Quand un orage éclatait, loin dans la montagne, les ruisseaux déversaient dans la rivière leurs eaux bouillonnantes, leurs poissons et leurs grosses grenouilles, d'abord dans la pièce d'eau naturelle, puis, pour les plus gros ceux qui pouvaient sauter le barrage de retenue, vers la petite vallée. Ces jours-là, surtout au printemps, étaient suffisamment rares pour que l'on évite de les laisser passer. Les enfants étaient prêts.

Penchés en haut de la chute de Maison-Rouge, ils se tenaient au bord du torrent, l'épuisette entre les mains, criant, dans le vrombissement du courant, leur excitation à chacun des sauts des truites saumonées. Ils étaient déjà bronzés comme des coureurs des bois. Un blond et un brun. Des inséparables. Un orphelin aux origines inconnues et un fils de bonne famille, un aristocrate hongrois qui n'était plus sur cette terre qu'un fils d'émigrant miséreux, dont les membres de la famille parlaient encore entre eux le hongrois des plaines, le plus pur, loin de la langue mâtinée de russe d'un Budapest soviétisé. L'autre, sombre, les yeux noirs, en apprenait tous les mots, toutes les intonations, les proverbes et les tics de langage. On disait de lui qu'il était un véritable perroquet et, à l'école, il pouvait tout réciter, par cœur, avec une nonchalance qui énervait l'instituteur qui n'hésitait jamais à lui donner, sans raison, un coup de règle de bois. Tant de facilité gâchée qu'il aurait fallu réserver à la seule religion, au séminaire et à la prêtrise. Mais l'enfant avait d'autres projets que de suivre la tradition québécoise des années 1960, ceux déjà connus de lui et de quelques pontes et officiers à Moscou et à Leningrad. Un secret, un trésor, une histoire à écrire en lettres d'honneur et de fidélité à une statue de la place Dzerjinski, qui montrait d'un doigt de bronze l'Ouest exécré.

Les deux jeunes garçons couraient ensemble les forêts et les rivières. Ils étaient les meilleurs élèves de l'école buissonnière, trappaient, chassaient, cavalaient devant l'ours des terres du presbytère ou s'aspergeaient de l'urine d'orignaux femelles pour avoir le plaisir de se faire charger par un grand mâle en rut.

Ils étaient de toutes les bêtises, de tous les défis, et ils s'aimaient.

Le blond et le brun. Le Hongrois et le sans-origine. Il venait peut-être de Toronto, au dire de son oncle qui l'avait recueilli après qu'un notaire lui avait notifié une commission d'accueil familial qui marquait ce jour comme une punition divine. Un mioche de plus, dont il n'avait même pas hérité après un coït d'ivrogne. Un enfant sans dot et paresseux à la ferme qui était arrivé après la mort d'un frère qu'il n'avait jamais vu, ni rencontré non plus.

– Une famille d'inconnus parce que papa, avec les blondes, n'était pas la moitié d'un tapaneur, tabarnouche! C'était un crisse de queutard de première, un comme moi! Et je ne connais que la moitié des douze enfants que ma mère lui a pondus! aimait-il beugler quand il se soûlait le jeudi de la paye, entouré de sa cour d'ivrognes et de prostituées aussi misérables que lui et autant attachés à oublier la misère, l'hiver et les Anglais.

Le petit brun avait vite retenu la première leçon dès son arrivée. Il se cachait dorénavant pour ne pas recevoir les coups de cet oncle désigné par la volonté d'un bureaucrate de

Moscou, qui ne croyait pas en la fratrie du sang mais à la rente que lui versait un notaire de la ville.

L'enfant se tenait à l'écart des pieds de ses cousins et des griffes des filles de la maison. Il n'était en paix que dans le coin de paille de l'étable, qui lui avait été affecté comme chambre. Il puait, mais avait chaud l'hiver, tout près des bêtes. Il savait, lui, qu'il aurait pu tuer son oncle et ses enfants, facilement, au lieu de subir leurs coups en levant le bras pour s'en protéger ou en les esquivant par la fuite.

Il était le «sans-nom». «Elle est t'y où, ta blonde de ruskoff?» disaient-ils en désignant dans un crachat son amitié avec le Hongrois, quand ils voyaient ce dernier arriver à l'école, avec ses sabots rapiécés et ses pantalons troués. Plus tard, quand l'enquête commencerait, on ne se souviendrait plus que de l'histoire du blond.

Le petit brun, l'inséparable du petit blond, serrait les dents et se faufilait sur son banc sans broncher.

Il connaissait déjà la hiérarchie sociale québécoise. D'abord, il fallait exclure, par moralité chrétienne, l'autochtone, pas encore rebaptisé homme des Premières Nations, mais déjà fort bien colonisé. Ensuite, au bas de l'échelle, on le trouvait, lui, à moitié anglais, venu de l'Ontario, cette province que neuf Américains sur dix pensent être un État de la bannière étoilée. Le sans-père, le plus pauvre. Ensuite venaient les Hongrois calvinistes, soupçonnés de tous les maux, de sorcellerie comme de communisme, de vols et de pratiques sexuelles interdites par le tout-puissant curé de Saint-Hippolyte de Beaupré. Après venaient les Québécois de souche, les pure laine, en ordre croissant vers la richesse et la félicité: les paysans, les fonctionnaires, les policiers, les pharmaciens, les docteurs, puis, si loin, un monde d'argent et de culture, les prêtres et les Seigneurs. Les Cloutier et les Drouin, les Gariepy et les Giguère, les Bouchard et les Hamel, avant les maîtres des manoirs. Il n'y avait pas plus de dix noms différents dans sa classe de cinquante garnements. Pourtant, lui, il savait, mais n'en parlait jamais, qu'au-dessus, loin, vers Montréal, tous ces gens-là restaient les porteurs d'eau des Anglais. Encore un palier supplémentaire de l'ordre social, auquel seul lui pourrait, un jour, revendiquer l'accession.

Son meilleur ami partageait son secret. Il n'avait pas hésité à lui raconter, un soir où ils s'étaient encore battus avec les garnements de la basse ville. On partage un secret quand on partage une grande victoire. Quand il avait rapporté la scène, inquiet, à son mentor du KGB, lors d'une de ses rares rencontres qu'il appelait sa confession, l'homme ne l'avait pas réprimandé, au contraire, il lui avait souri.

– Tu as eu raison de te confier, mon jeune camarade. N'hésite pas à confier des secrets à ceux qui te sont attachés. Tu t'offres ainsi l'opportunité, plus tard, de t'affranchir de tes sentiments bourgeois pour tester ta foi.

Le petit brun n'avait pas compris le sens de la phrase, repoussant le sentiment étrange ou l'excitation morbide à l'idée que la lumière viendrait un jour, comme l'on quitte l'enfance pour faire un premier pas dans ce monde des adultes où le meurtre et la félonie sont des armes de guerre.

L'officier traitant était un homme épais dont la couverture construite savamment par Moscou l'avait fait colporteur, passant de village en clocher pour vendre des plats et des ustensiles de cuisine. Il était arrivé la veille au soir, sans aucunes prémices, lui jetant, sans crainte de la foule attirée par ses boniments, juste une phrase convenue et le nom du supplicié.

Le brun avait alors, fébrilement, planifié sa journée. Réveil plus tôt que d'habitude parce que l'orage avait frappé la chaîne de montagnes, course rapide, une main tenant un oignon et l'autre une tranche de pain, de grandes enjambées de sabots vers la ferme de son meilleur ami. Arrivé, à peine essoufflé, il avait jeté une poignée de gravier sur la fenêtre de la chambre des garçons de la famille hongroise. Une tête ensommeillée et ébouriffée était apparue et le blond avait compris. Il avait dévalé l'escalier malgré les cris du père le menaçant du fouet

s'il ne revenait pas se coucher, en prenant juste le temps
d'empoigner les deux épuisettes qu'ils avaient tous les deux
fabriquées. Et ils avaient couru le long de la rivière, la main
dans la main, glissant, tombant, rigolant de leur bonne fortune,
celle de la confiance partagée.

Le blond était devant lui, au bord de la chute. Le brun n'eut
qu'à le toucher pour qu'il tombe en avant. Pas un mot n'avait
été prononcé, ni un cri durant la chute. Juste un oiseau qui
s'était enfui, un gros pic-vert à la voix éraillée. Facile. Le blond
s'était assommé sur le premier rocher, puis noyé dans la piscine
naturelle dans laquelle ils s'étaient embrassés la première
fois, ajoutant un secret à cet autre qu'il venait d'effacer. Son
mentor serait heureux, il lui avait promis qu'après il lui offrirait une nouvelle école, une pension à Montréal. Une bourse
miraculeuse lui permettrait d'intégrer une vraie école bien en
vue, celle des Anglais du vieil argent. Il commencerait alors
la deuxième phase de son intégration, en recrutant dans cette
école les premiers membres de son futur réseau. Mais avant,
il avait un don de vie à offrir à sa patrie, la seule trace d'un
secret trop vite partagé.

Il regarda le corps de son seul ami, roulant sur les rochers,
poussé par le courant sur le dos, sur le ventre, bousculé et tiré
au milieu du filet de sang qui déjà se diluait. Comme les larmes
sur le visage du petit brun. Mort, il n'était plus qu'un objet de
plus, seulement animé par la physique des corps pour suivre le
cours de la rivière vers le deuxième torrent.

Il devait attendre un peu, avant de courir chercher les
secours, que le corps soit pris par le tourbillon de la grande
chute. Ils avaient tous les deux effectué nombre de tests avec
des charognes d'animaux à différents stades de putréfaction,
trouvées dans la forêt ou volées dans les charniers des fermiers.
Le brun savait que le blond ne remonterait du piège que quand
les gaz générés par la morbidité auraient gonflé ses chairs à
les faire exploser. Il n'éprouva rien de plus que l'immense
fierté d'avoir accompli son premier acte de guerre. Il cracha
dans la rivière, puis hurla de rage sur tous ces poissons qui

ne pourraient jamais témoigner, mais qui se régaleraient des chairs et des humeurs de son premier amour. Il se promit de revenir un jour pour tous les massacrer. Par devoir de mémoire autant que pour sanctifier son baptême d'illégalité.

Il était prêt à partir le lendemain pour Montréal, mais il savait que dans dix ou quinze ans, il serait de retour de Moscou, diplômé de l'École supérieure du KGB.

3

Sur le bord du fleuve Saint-Laurent,
aujourd'hui

– Je suis comme votre phare, mon bon Lefort ! J'ai passé ma vie à faire du renseignement. Je suis resté trop souvent dans des bureaux, face à la tempête et le cul au chaud. Mort au'C !

Le grand corps du général cachait la vue du jusant de l'océan perdant son combat contre le courant du fleuve Saint-Laurent. Il s'était soudain levé, énervé, pour se poster devant la porte-fenêtre battue par les embruns de la tempête, une queue de cyclone qui portait en elle les alizés des Caraïbes, au point d'en donner soif de rhum au nouveau retraité et ancien patron de la DGSE. Son juron préféré marquait sa défiance envers cette «Connerie» de l'Humanité qui méritait une majuscule royale. Pour François Carignac, les Cons, en groupes ou isolés, restaient son principal ennemi. Il reprit pourtant, la voix ferme, tournant toujours le dos à son hôte et ancien collaborateur Jean Lefort.

– Le cul au chaud et la face au vent, c'est exactement ça, le «complexe d'un rentier du renseignement». Tout le contraire de votre vie d'officier, le dos au feu, la gueule tournée vers l'enfer. Derrière vous, moi. Devant, le KGB. À votre place, je ne sais pas qui j'aurais le plus haï. J'ai soif, Lefort. Auriez-vous encore une goutte de votre sublime nectar colonial ? Toute cette eau sent la biguine et la peau vinaigrée d'une jeune et jolie Créole. Vous avez une chance incroyable, commandant, de vous trouver ainsi au bout du monde.

Lefort n'avait pas réagi à la mention de son ancien grade. Il tentait de rester calme. Il s'était réfugié au bord du Saint-Laurent quelques hivers plus tôt, en espérant y trouver la force de mettre sur le papier les mots que son estomac cultivait depuis toutes ces années. Jamais repoussé, toujours attendu avec intérêt, jamais intégré. Il avait produit quelques articles dans la feuille de chou locale, envoyé un ou deux de ses romans édités au chef de la municipalité, et s'était fait une petite renommée d'original peu fortuné. Son paradis restait une île dans un continent civilisé, un choix parfait pour tenir endormis tous les souvenirs qui le hantaient.

Carignac gloussa, le ventre tremblant.

– Derrière vous, l'Amérique, devant, rien. J'ai toujours su que les anciens avaient raison. Il n'y a rien après l'Atlantique, seulement ces légendes auxquelles on croit pour survivre encore un peu. La vieille Europe n'est qu'un mirage.

Il découvrait les couleurs de l'automne du Québec, le jeu de la lumière du soleil et du fleuve, des trombes d'eau et des forces mécaniques, presque solides, des voiles de brume aux bras de fantômes, poussés et tirés, entre terre, ciel et mer.

Il bougea en entendant le bruit des verres s'entrechoquant contre la bouteille de vieux rhum. Une simple hésitation suivie d'un coup de menton, pour rester dans sa position et stopper le mouvement qui le priverait d'une seconde du spectacle extérieur. La contemplation des coups de vent le retint encore. Il enleva ses lunettes de ses doigts fins, entretenus, non pas ceux d'un homme d'action, mais plutôt d'un cardinal de cour, un Mazarin se jouant des pouvoirs politiques pour se faire sculpteur ou peintre, façonnant sa création qu'il assimilait à son idée si personnelle de la République. Il puisa dans sa poche de pantalon à la couture largement ouverte et en retira un mouchoir blanc, toujours immaculé, pour le passer sur les verres en cercles réguliers. Lefort savait que le geste préparait une catastrophe, l'un de ces pièges dans lequel il était tombé si souvent. Carignac polissait ses verres pour faire tomber l'humanité dans sa nasse. Un rituel dont Lefort avait appris à se méfier.

– Je viens de voir un navire, au loin, à la limite de la baie. Sans doute le célèbre vaisseau fantôme. Aucune personne sensée ne peut prendre la mer par une tempête de ce calibre. Une bûche dans la cheminée et un verre de rhum à la main. Vous avez choisi une vie de rêve. Vous ne vous ennuyez pas ? Tout de même ? Dites-moi ? Un peu d'action ne remonterait pas un peu votre moral de moine ? Avez-vous trouvé une femme ? Un peu de sexe ne nuit pas…

Le vieux renard, le sournois. Il avait débarqué la veille en râlant, sans prévenir. Les chiens avaient à peine eu le temps d'aboyer qu'il était déjà devant Lefort, cherchant la bouteille de rhum, occupé à expliquer sa colère d'avoir dû débourser cent dollars pour le taxi qui l'avait mené jusqu'au phare, perché sur la côte de Beaupré. Une heure de voiture depuis l'aéroport. Jean Lefort avait continué son déjeuner et avait essayé de ne montrer aucune surprise, parce que l'autre en aurait été trop heureux.

Depuis qu'il le connaissait, il savait que Carignac ne respectait rien. Il arrivait toujours à l'improviste, sans s'annoncer parce qu'il se sentait chez lui chez tous ses amis. Cela faisait partie de l'ordre du monde qu'il avait créé autour de lui. Personne n'avait jamais osé lui rendre la pareille, non par respect pour le général, juste parce qu'il était l'un des seuls espions professionnels à avoir réussi une vie de famille.

Jean Lefort, son bras droit depuis 1987, avait essayé de croire, à peine pendant quelques minutes, qu'il était venu le visiter en touriste. Il avait même tenté de l'emmener en promenade après l'avoir vu sortir, de son sac de voyage minuscule, un appareil photo au cuir vieilli par des années à dormir dans un placard. Cependant, il avait déchanté en observant l'appareil abandonné sur le ventre de son ancien chef. Fermement, Carignac l'avait ramené vers la maison-phare, son ouverture sur le fleuve, sa cheminée ronflante et ses chiens attentifs à tous leurs mouvements.

– Ne mollissez pas sur la dose, Lefort. Un double, c'est pour les snobs et les alcooliques mondains.

Il avala la moitié de son verre en un claquement de langue satisfait.

– Bon, bon, assez tergiversé, Lefort. Vous avez deviné que je n'étais pas ici pour profiter de l'oisiveté honteuse des colonies. J'ai besoin de vous, et surtout de votre place forte.

L'ex-commandant des troupes spéciales faillit en renverser son verre. Il ne s'attendait pas à une attaque directe. Carignac ne demandait jamais d'aide, il amenait ses proies dans une nasse dont l'amitié, la fidélité et le Service étaient les principaux nœuds coulants.

– Je vous avais demandé un vrai double, Lefort. Laissez-moi la bouteille si vous ne savez pas comment honorer vos invités.

Lefort poussa la table à roulettes sur laquelle trônait le flacon d'un millésimé qu'il ne réservait qu'aux grandes occasions et qui allait être sifflé, sans retenue, par l'ancien chef des services secrets français. Carignac attendit quelques secondes et ne put se retenir plus longtemps, énervé comme un enfant devant un tas de bonbons, les mains dans les poches et la voix plus forte.

– Je savais que vous piafferiez d'impatience à connaître la suite de mon récit! Nous sommes devant un choix politique difficile. Un vrai dilemme. Je vais faire court, pour que votre cervelle de militaire puisse comprendre d'un seul coup ma, et maintenant votre, problématique: l'un de nos «Joe», le plus sensible depuis la fin de la guerre froide, a voulu faire défection. Il a essayé de filer en douce. Hum, bon. Le problème s'est posé quand nous l'avons cravaté. Il s'agit d'un fonctionnaire d'un pays ami en possession du passeport «diplo». Nous sommes donc, dans la vraie vie, liés par les accords entre pays, l'ONU et tout le toutim. Ça n'aurait posé aucun problème s'il avait été Soudanais, Iranien ou Coréen. Vous comprenez ça, hein? Il n'y a eu ni femme qui divorce, ni enfants qui font leur crise d'adolescence, ni besoin de fric, et encore moins de dépendance aux drogues ou de maîtresse trop gourmande. Je n'ai rien vu venir. Il a soudain décidé de passer dans le camp si rémunérateur de Vladimir Poutine, sans que nous en soyons avertis par une cassure de son rythme des rendez-vous ou encore par un mot de trop dans les écoutes. Même pas cet habituel sourire ironique qui se pointe sur le visage du «Joe» qui croit soudain disposer de nouveau de sa propre liberté. Nous en avons conclu qu'il devait travailler depuis longtemps avec les Russes. Un comble, quand on se souvient que ce même camp n'avait pas un sous il y a vingt ans et qu'il paye maintenant les informations de toutes sortes bien mieux que tous les services occidentaux. Le secret de la richesse d'un pays qui vend son gaz à tous ces riches Occidentaux assoiffés. Bien entendu, vous me connaissez, j'avais prévu une filature continuelle et discrète, et je l'ai fait cravater en toute discrétion avant son arrivée à l'aéroport de Londres – oui, je sais, en dehors de nos frontières et en toute illégalité, ne prenez pas cet air de jeune dinde effarouchée! –, aéroport, disais-je, d'où il s'apprêtait à nous fausser compagnie, avec faux passeport et protection d'une équipe du si russe FSB[5], dirigée par le Conseiller.

Lefort sursauta à l'évocation d'Igor Vitovitch Grychine, auquel le surnom de Conseiller avait été donné après qu'il eut résolu la crise libanaise des années 1980, celle des otages russes. Il avait alors pratiqué le même marchandage que les terroristes, mais à un niveau supérieur. Pour chaque Russe enlevé, il faisait disparaître deux, puis trois, puis quatre religieux, qu'il renvoyait aux rançonneurs coupés en morceaux.

---

5. FSB: Service fédéral de sécurité de la fédération de Russie.

On ne connaissait pas grand-chose de Grychine, seulement qu'il était le fidèle bras droit du premier ministre russe actuel, Vladimir Vladimirovitch Poutine.

Carignac avait le regard perdu dans la tempête.

– Merci, Lefort, il est bon, votre nectar. Vous savez que je n'aime pas les trahisons, mais, dans notre métier, nous ne serions rien sans le paradigme de l'infidélité. C'est notre sang, nous vivons des retournements et des doubles pavillons, des agents triples et des grandes promesses de fidélités apostasiées.

Lefort retint son souffle dans l'attente du point d'orgue de cette déclaration. Le général Carignac expliquait toujours par l'Histoire les méandres de la psychologie de l'espionnage, avant de vous déposer un marron chaud entre les mains.

– Le vrai problème, dans tout ça, c'est que le «Joe» en question n'est pas n'importe quel grenadier-voltigeur. D'où cet appel à l'aide que j'adresse à mon fidèle Lefort.

Son sourire en coin et sa posture de toréro s'apprêtant à transpercer l'animal acculé à la clôture ne disaient rien qui vaille à son ancien adjoint, ancré dans une retraite qu'il avait désirée loin de Carignac et de ses montages. Le vieil homme, les jambes écartées, amarré sur le sol du parquet centenaire, but encore, parut s'interroger sur les différentes amertumes du rhum, puis se retourna enfin vers lui.

– L'homme est l'ambassadeur du Canada en France.

Lefort toussa en avalant la fumée de son cigare. Sa réaction satisfit tant le général qu'il en fut véritablement choqué.

– Vous comprenez ma problématique, mon bon Lefort. Mon gouvernement est aux abonnés absents, et votre premier ministre nous a habitués à refuser toutes les enquêtes et commissions qui pourraient entacher la pureté des conservateurs. Je ne vous parle pas des commissions d'enquête ridicules qui confirment la belle définition de Winston Churchill, qui dit un jour qu'un comité est un groupe de personnes incapables de faire quoi que ce soit par elles-mêmes et qui décident collectivement que rien ne peut être fait. J'ai donc kidnappé le représentant de votre beau pays d'adoption et, pour éviter qu'on aille le chercher sur le territoire français, j'ai pensé vous l'amener avec l'équipe de sécurité idoine. Il se sentira un peu chez lui, le temps que nous l'interrogions. Et puis, il était plus facile de pratiquer l'exfiltration en avion privé de Londres jusqu'à votre bout de terre oublié. Bienvenue aux affaires, Lefort! Je salue votre retour! Parce que la commission ne viendra pas. Je me suis institué comité à moi tout seul. C'est beau, hein?

La lumière des lampes vacilla et la tempête redoubla d'intensité. Lefort n'aurait pas été étonné d'entendre un coup de tonnerre. Il n'arrivait pas à desserrer la mâchoire, figé dans une tentative de retenir le chapelet d'injures qu'il s'était promis de déclamer à Carignac s'il venait un jour tenter de le récupérer. Les chiens se levèrent et filèrent vers la porte, le poil hérissé. Un Range Rover se garait dans la cour, caché de la route par un rang épais de cyprès.

Deux hommes en noir en descendirent, et ils coururent sous la pluie. Ils tenaient entre eux, bien serré, un petit homme en imperméable dont les pieds touchaient à peine le sol.

– Voilà vos invités, commandant. Ne vous inquiétez pas pour la logistique, ils sont polis, ils nous ont tout apporté, genre nettoyage à l'explosif C4, avec le brillant de la bonne éducation en sus. Si l'invité principal nous fait un malaise, cœur sensible et artères encombrées, je lui réserve un massage Carignac de ma composition. Nous allons pouvoir enfin festoyer.

4

Sur le bord du fleuve Saint-Laurent,
aujourd'hui

Ils avaient jeté l'homme aux pieds de Carignac, comme un sac de linge sale. Deux guerriers grands et bruns, la barbe rude, une carrure de lutteur et le regard d'illuminés.

En attendant que l'homme se relève, ils chuchotèrent entre eux. En hébreu. Dans le jeu que menait le général, Lefort comprit qu'ils étaient censés être des Israéliens aux yeux de l'ambassadeur, et qu'il devait croire qu'Israël avait quelque intérêt dans l'affaire. L'ambassadeur se releva, calme, enleva son chapeau mou, passa une main sèche pour épousseter ses genoux salis, puis il les salua d'un coup de menton habillé d'une courte barbe taillée en pointe. Il avait les yeux bleus et les cheveux d'un blanc immaculé, coiffés un peu longs, la mèche volontaire et le favori bas.

Carignac se retourna vers la porte-fenêtre, à nouveau préoccupé par le développement de la tempête. Il n'avait été dérangé qu'un instant. Il parla sans se retourner, en français.

— Monsieur l'ambassadeur, asseyez-vous un instant avant d'aller vous changer. Soyez le bienvenu au bout du monde, loin de votre terre et de la mienne. Je suis Joseph, institué commission d'enquête par la grâce d'un Dieu vengeur et un peu borné. L'ahuri, là-bas, avec son chandail de marin troué et son cigare à la bouche, c'est Marie, le taulier. Les deux Jésus qui vous ont mené ici depuis Londres sont quasi muets, mais ne les prenez pas pour des saints Innocents. Ils assureront notre sécurité et votre entière coopération, le temps de votre interrogatoire, de ma délibération et de votre mise en accusation. Ils ne parlent pas votre langue, mais vous pouvez essayer l'allemand, le russe ou le hongrois, l'une de vos spécialités. Ils l'ont appris quand notre gouvernement les a chargés d'éliminer les nazis qui cherchaient à se faire oublier. Enfin, je veux que vous sachiez que je ne rends de compte à personne, que je suis le seul juge ici, que je suis de mauvaise humeur quand je n'ai pas un bon alcool sous la main et que les côtes d'Irlande sont suffisamment inhospitalières pour qu'on puisse vous laisser tomber du haut de l'un de leurs rochers et faire oublier notre bavure, s'il y en a une. Je vous prie d'aller maintenant passer un vêtement plus chaud et sec, et vous invite à nous revenir, pour goûter du cognac et de la cheminée.

Un ordre abrupt avait été prononcé, et les deux gardes du corps avaient montré du doigt l'escalier et la chambre qui avait été réservée à l'otage. Lefort réalisa que les deux tueurs connaissaient parfaitement la maison. Il en conclut amèrement qu'ils l'avaient déjà visitée. L'ambassadeur n'avait pas lâché un seul mot ni desserré la mâchoire. Son expression ne laissait paraître aucune contrariété. En passant devant Carignac, il s'était arrêté un instant, le dardant de son regard intelligent.

– Eh bien, nous y voilà. La tempête ne peut que se renforcer.

La voix de Carignac résonna. La nuit était tombée. Des rafales capturaient la lumière venue de la maison comme des feux-follets. L'ouragan secouait la façade, et la structure de bois craquait comme un vieux bateau. En temps normal, c'est-à-dire loin de Carignac, Lefort serait monté en haut du phare. Il aurait laissé tourner en boucle un disque de jazz, les lunettes sur le nez et un bon roman entre les mains.

Ils faisaient face à la fureur du fleuve quand il se marie à l'océan. Les vagues montaient jusqu'à eux pour les cacher d'un monde normalisé dans lequel on ne kidnappe pas pour son propre intérêt les ambassadeurs du Canada afin de les soumettre à la question.

– Impressionnant. J'avoue que je suis tombé sous le charme de votre cottage. On est à la fois rassurés et envahis de crainte devant l'affrontement entre l'édifice et les éléments. Une parabole de notre vie d'espion, non ? Nous sommes toujours seuls au milieu de la tempête de l'Histoire, à diriger notre barque parmi des vents contraires. Asseyez-vous, je vais vous raconter une histoire. J'ai besoin d'un écho, celui de votre proverbial sentiment de pureté combattant contre les forces du Mal incarnées par le diable Carignac. Je suis l'accusateur, l'ambassadeur sera son propre avocat et vous serez mon juré principal. Que cela vous plaise ou non, parce que je vous connais comme je vous ai fait, sans fioritures ni orgueil de ma part, soit dit en passant. Je sais reconnaître vos rictus de haine ou de compréhension. Je n'aurai qu'à vous regarder pour connaître la vérité.

Il leva ses verres sur son front pour frotter les traces rouges laissées sur l'arête de son nez. Carignac avait le profil d'une statue de consul romain, le nez cassé et le front découvert, le menton pointé vers la personne qu'il assassine de son regard d'acier. Les joues parsemées de poils blancs, il n'était pas rasé de plusieurs jours.

Pas un bruit ne leur parvenait de l'étage. Ils n'étaient encore que tous les deux, dans cette bulle de confiance que Carignac créait toujours autour de lui et qui restait le meilleur des pièges de son savoir-faire d'interrogateur chevronné.

Ils sursautèrent à une rafale plus forte qui frappa les vitres comme une claque sur une joue. Carignac se tourna légèrement vers un Jean Lefort renfrogné.

– Vous savez pourquoi j'ai choisi la carrière du renseignement ? Parce qu'il n'y a pas de budget. Pas de sous. On fait avec des riens et on est habitués à aller quémander en jouant la savante partition de la terreur, le «je voudrais cela parce que je sais ceci». Les politiques ne savent pas vraiment ce qu'ils nous ont octroyé et croient fermement qu'ils survivront à nos saloperies parce que nous cachons nos actes sous les couvertures opaques de la raison d'État.

– Je comprends…

Lefort pensait le contraire. Il en profita pour poser la question qui le rongeait.

– Et si, après cette «commission», il s'avérait que notre ambassadeur soit coupable ? Quelle serait la sanction suprême, et qui sera le bourreau ?

L'ancien commandant n'osait réfléchir à cette situation dont il connaissait si bien les conséquences, non écrites dans le milieu de l'espionnage, celles issues de l'acte de trahison ou du simple geste d'héroïsme. Il y avait eu tant de compagnons abandonnés aux mains du KGB, jetés du haut du toit de la Loubianka, torturés à mort, quelquefois perdus dans des camps sans nom avec ou sans leur famille, au hasard d'une décision d'un obscur petit fonctionnaire zélé. Jean Lefort savait – et cela l'avait toujours effrayé – que Carignac ne croyait pas en la justice des hommes, en la peine capitale infligée par des jurés. Il craignait en revanche que l'ancien directeur général de la DGSE fasse trop confiance à sa propre justice.

Celui-ci s'arrêta un instant de jouer avec son verre tenu par une serre d'aigle, blanchie par l'effort de préhension.

Un bruit dans l'escalier évita à Lefort de le regarder dans les yeux et de lui confier toute l'amertume qu'il éprouvait face à ce genre de vendetta venant d'un monde qu'il pensait disparu. Carignac ne profita pas de cette faiblesse.

– Vous craignez que je prononce une peine de mort ? C'est cela votre crainte, Lefort ? Plus importante dans votre cervelle de romantique que de connaître la vérité sur… tout ça ?

Il montra d'un coup de menton le fleuve et la tempête. Lefort aurait pu rétorquer que l'ambassadeur avait peut-être commis moins de trahisons que ces premiers ministres ou ces chefs d'entreprises qu'ils avaient croisés, cette engeance qui vend son âme contre des commissions de ventes d'armes ou sa fidélité comme produit de laboratoire pour intermédiaires richissimes. Depuis qu'il était sorti du Grand Jeu, il regardait ce monde avec le dégoût de l'indigestion et repoussait toujours le temps de réfléchir à ses propres actes au combat.

L'escorte descendit. Entre eux, l'ambassadeur portait un smoking élégant. Il semblait détendu, en paix.

Carignac grogna. Il n'attendait aucune réponse de la part de Lefort, il était déjà concentré sur sa proie. D'un geste vague, il demanda doucement à son ancien adjoint d'aller se changer avant de se retourner vers son prisonnier.

– Monsieur l'ambassadeur, il n'est pas encore dix-huit heures. Vous voudrez bien, les prochains jours, respecter notre civilité. Le tuxedo n'est requis qu'à mon invitation, sinon vous nous désobligeriez. Mais puisqu'il en est ainsi, et pour fêter votre arrivée, soit, suivons le cours de cette soirée, servez-vous de cette cave. Je sais que vous appréciez le bourbon. En attendant que nous revenions, rafraîchis et en forme pour commencer la cérémonie.

Carignac s'était éclipsé en bougonnant. Lefort fit un signe aux deux gorilles par crainte que le diplomate, trop calme, ne comprenne la tension qui s'était créée pendant sa courte absence. À sa place, il aurait tout tenté, jusqu'à se jeter par la fenêtre pour se lancer dans le vide, préférant se noyer dans une mer démontée que de subir la torture de l'implacable Carignac.

L'un des deux gardes du corps comprit sa crainte. Il se déplaça et se tint près de la fenêtre. Le mouvement avait fait sourire le vieil homme, qui s'assit en face de lui, profitant de la vue sur les éléments déchaînés. Il était toujours aussi calme, mais Lefort décela un infime tremblement des doigts qui saisirent le verre que l'un de ses geôliers lui avait servi.

5

Sur le bord du fleuve Saint-Laurent,
aujourd'hui

– Je voudrais tout d'abord préciser mes règles en termes d'interrogatoire. Ici, je suis la commission d'enquête à moi tout seul. J'ai tous les droits. Je vous interroge, et je vous mets en accusation s'il y a lieu. Je serai aussi le bourreau. Pour le calendrier des jours qui viennent, j'aimerais montrer de la civilité mariée à un brin d'autorité. Je ne crois pas à l'efficience de la torture, bien qu'elle puisse être de temps à autre nécessaire contre la folie humaine. Mon expérience personnelle m'a montré qu'un homme torturé perd de cette fiabilité si essentielle dans notre métier, et puis, plus techniquement, je suis un mauvais bricoleur. Je risquerais de me blesser. Avec les voyous, j'use parfois du fusil de chasse, parce que son tir est brouillon et ma myopie, proverbiale. Le seul risque entre ces murs, c'est donc mon second, ici présent. Notre homme est fils de colons. Il a le crâne parfois aussi dur que celui d'un Wisigoth. Tenez, il me vient à l'esprit quelques anecdotes dans lesquelles il s'est emporté, toujours contre l'opprimé – il est naïf –, l'aberration des actes d'un joug totalitaire opprimant encore plus le faible et l'orphelin. Je crains que son rôle de témoin ne dérape si vous ne dites pas la vérité. Ma femme, cette sainte, me répète qu'il faut se méfier des grands calmes.

Carignac avait fait asseoir confortablement l'ambassadeur du Canada en France dans un fauteuil de cuir aux coudes élimés. Il avait peut-être senti que c'était le siège préféré de Lefort et qu'il portait dans ses ressorts l'histoire particulière d'un compagnon de réflexion, souvent tiré sur la terrasse, à l'extérieur, quand le temps le permettait.

En face du diplomate, il avait fait installer une petite table, un magnétophone et son micro. L'un des deux malabars prenait des notes en abrégé. L'ancien chef de la DGSE se tenait légèrement de côté, un regard sur la baie vitrée, l'autre sur son prisonnier. Lefort avait pris place un peu en retrait et gardait une attitude concentrée mais hostile.

Chacun des deux principaux acteurs avait un guéridon à ses côtés, sur lequel trônaient un verre, et une bouteille entamée. Cohabitaient avec la boisson, pour le Canadien, une paire de demi-lunes à montures d'or et, pour l'autre, le faux Israélien, un épais dossier. Personne n'avait encore dormi et personne ne s'était encore révolté devant l'état d'irréalité que le général avait provoqué.

– Vos nom, prénom, diplômes et spécialités. Nous commençons par l'identité du prévenu.

Dans un cliquetis léger, le magnétophone s'était mis à tourner. Le deuxième gorille avait disparu, sans que personne ne l'ait vu bouger.

– Je parlerai, bien que vous violiez toutes les règles des nations civilisées. Je veux vite en finir, et puis vous m'amusez. Je pense que je serai vite délivré. Je suis Jean-Guy Huard-Harrington, né le 24 janvier 1935 à Toronto. Enfant unique de parents décédés. Marié et sans enfant. J'ai suivi le séminaire, puis ai été diplômé par l'Université Laval, en droit des affaires internationales. Docteur. Diplomate depuis 1958. Le Caire, Berlin, Rome, Madrid, New York, Moscou, et maintenant Paris depuis cinq ans.

La voix était claire, un peu tremblante pour la déclaration, presque timide, acceptant le déni de régularité et de légalité de la séance par une pirouette linguistique. Lefort aurait préféré qu'il s'énerve, s'offusque devant le gros Carignac.

Carignac avait repris son rituel. Il avait sorti son mouchoir et enlevé ses lunettes pour les nettoyer. Dehors, les premiers rayons de soleil perçaient entre des nuages déchirés par le vent du nord. L'ambassadeur poursuivit.

– Je porte le nom de ma mère, mais mon père était allemand. J'ai passé ma vie à servir le Canada, exclusivement. Peut-être que mon état de fils d'émigrant me portait. Je voulais sans doute démontrer que mon service serait le plus fort, parce qu'il me fallait démontrer, sans arrêt et en détail, tout ce qui crée la fidélité, avant la fierté. Je n'ai pas été militaire, ni n'ai de hobby en particulier. J'ai un peu publié... Un livre sur l'art baroque, un autre intitulé *L'héritage de l'art soviétique*, un dernier sur mes convictions démocratiques, une sorte d'hymne un peu niais sur l'exemple universel du fédéralisme canadien. Comme la dernière couche d'un homme âgé, pour me sentir aussi naturalisé qu'un «pure laine» ou qu'un vieil Anglais.

– Mais, si je ne m'abuse, vous avez laissé aussi vos marques politiques comme conseiller, j'ai noté la confiance de plusieurs premiers ministres, en particulier des libéraux.

– Mais aussi, mon cher «Joseph», ou qui que vous soyez, nombre d'hommes de droite, de Clark à Campbell en passant par Mulroney. Je n'ai pas de préférence, parce que le service au pays ne nous offre ni le temps ni le loisir d'afficher nos camps préférés. N'est-ce pas la même chose pour vous?

Carignac sourit. Lefort connaissait son horreur pour les camps et les familles politiques. Il se serait engagé comme grognard d'un Bonaparte, lancé sur les routes la baïonnette pointée, pour promulguer par le sang la démocratie révolutionnaire dans l'Europe des rois et des empereurs, comme il aurait refusé de voter la mort de Louis XVI, parce qu'il refusait l'immolation d'un bouc émissaire sur les charniers des idées. Carignac honnissait les partis et leur force de compromission.

– Je vois. Le serviteur zélé, le confident des princes, l'homme cultivé. L'autre jour, en lisant votre dossier, c'est l'image principale que j'ai retenue. Et pourtant, voilà que vous fuyez, un faux passeport dans la main et le vol de l'Aeroflot au bout du quai. Terminé pour ce soir, nous allons nous reposer. Lefort, vous nous ferez un peu de tambouille et peut-être un café?

Il s'était soudain retourné vers l'ancien commandant et scellait ainsi les premières minutes de l'interrogatoire. Tous, dans la pièce, en furent étonnés.

6

Sur le bord du fleuve Saint-Laurent,
aujourd'hui

Le général Carignac les avait tous envoyés se reposer, alors que le soleil pointait et que la tempête se calmait. Lui ne dormait pas dans un lit. Il avait pris une douche et il ronflait sur son fauteuil, qu'il avait tourné vers le large. Les grands goélands tournaient devant lui, suivant les courants, désœuvrés.

La tactique employée était celle du manuel d'interrogatoire. L'ambassadeur, s'il connaissait vraiment tous les secrets des experts de l'espionnage patentés, percevrait le geste non pas comme un cadeau, mais comme la première phase de la maîtrise de l'esprit de l'interrogé, celle de l'horloge corporelle désorientée.

Lefort n'avait pas dormi, essayant de comprendre ce que l'ambassadeur pensait de s'être fait enlever au seuil d'une liberté rêvée depuis des années, pour être aussitôt accusé sans pouvoir se défendre. Après s'être tourné et retourné sur son lit, Lefort avait pris les chiens avec lui dans sa voiture, pour descendre à l'épicerie du petit village. Le prétexte pour se retrouver seul un instant avait été tout trouvé dans la nécessité d'acheter du bon café et de quoi faire boire correctement ses invités.

– Dites-moi, my Lord, vous avez donc des invités ?

La voix forte du tenancier le fit sursauter. Un géant, un accent français d'Acadie, souligné des sourcils broussailleux d'un bûcheron du Lac-Saint-Jean.

– Salut ! Tu as raison. Mon oncle, l'évêque défroqué, je t'en ai parlé ? Et trois de ses amis. Ils m'ont fait la mauvaise surprise de me déranger, hier, en pleine tempête. Ils sont en route pour un tour du Canada. Il faut croire qu'ils ont du courage parce qu'ils m'ont réservé la première étape. Du rhum en quantité et un peu de café ?

Le commerçant sourit à constater son envie de dépenser. Rien n'est plus doux à l'oreille d'un épicier que de savoir que la dette de son client va enfin augmenter.

– Sur l'ardoise ?

– J'ai des piastres ! Sinon tu vas encore m'arnaquer sur les intérêts !

Dans un grand éclat de rire, le marchand partit vers l'arrière-boutique d'où, malgré la place restreinte, il pouvait tout vous ramener, même du rhum et un café en grains arrivé tout droit des îles, ou bien volé dans un container échoué.

Sur la première page du journal posé sur le comptoir, la photographie de l'ancien ministre de la Justice s'étalait en toutes couleurs. L'homme d'État dénonçait les manipulations d'argent sale du Parti libéral et la corruption dont il avait été témoin, jusque dans la nomination des juges. L'ambassadeur enfermé dans le phare gardait la première place dans les pensées de Lefort, et celui-ci comprenait l'urgence que Carignac avait ressentie au cœur d'un système au bord de l'explosion. Plus loin dans le texte, un entrefilet commentait la disparition de l'ambassadeur du Canada en France. Le texte sentait la patte de Carignac, jusqu'aux expressions qu'il employait lorsqu'il dictait des mémos à ses subordonnés. Le diplomate était «en congé forcé et subit, conséquence d'un accident vasculaire sans gravité». Les autorités françaises, sous la demande amicale du Canada, avaient fait leur possible pour que sa volonté de calme soit respectée.

Lefort, dans un vieux réflexe de professionnel, profita de ce répit pour observer la rue du village qui commençait à se réveiller. Une femme, robe noire et casquette de baseball, partait en poussant son vélo, un chien pissait sur la roue du camion du laitier, un enfant le houspillait mollement de la fenêtre, la morve au nez et les yeux mi-clos. Il reconnut le commis, un garçon qu'il avait déjà ramené à la limite de son domaine en lui interdisant d'y poser des collets. Soudain, au coin de la grand-rue, parquée à la limite de sa vue, une voiture noire le fit se rejeter en arrière.

– Ils sont arrivés ce matin, au lever du soleil. Pas de questions, deux hommes, cheveux courts et muscles entraînés, cartes et GPS. J'en ai connu, des malfrats, mais ceux-là sont diablement bien éduqués. Tu es inquiet ?

Le commerçant était derrière Lefort, le regard de pirate allumé par une étincelle amusée. Il lui reprit le journal.

– Ne crois pas tout ce que les journaux racontent au sujet de cette commission qui arrive pour soi-disant faire du nettoyage avant les élections. Je suis le représentant local de la Fédération de la construction et je n'ai jamais entendu parler de tout cela. Notre candidat, Gilles Drouin, fera lui-même le ménage. Tu as peur de quoi, au juste ?

– J'ai mon passé qui revient quelquefois et qui me pousse à réagir trop vite. Toujours d'anciens réflexes. Tu connais les hommes de la voiture noire ?

Il était satisfait de la réponse du Français. Le géant à la barbe d'ogre avait ses fidélités et il n'aurait pas supporté un mensonge, même pour se protéger. Il posa ses victuailles sur le comptoir et commença doucement à tout emballer.

– Chacun vit avec ses secrets, qui n'intéressent personne tant qu'ils ne dérangent pas la communauté. Ici, on sait que tu es venu pour oublier. Un phare abandonné, pas de femme, tu travailles dur sur ton toit, tu aimes ton voilier. Tu n'envahis pas la communauté avec des leçons de savoir-faire français ou bien de conduite de bon Anglais. Non, pour répondre à ta question, je ne les ai jamais vus par ici et ils ne sont pas Canadiens. Pas touristes, pas policiers, pas Américains. Ils sont venus observer le coin. Ils ont peu bougé. Mais rien à ton sujet. S'ils sont intéressés par toi, ils reviendront pour se renseigner, ici en premier.

Un homme, jeans et blouson noir, était sorti de la voiture et regardait autour de lui. Il jeta un regard vers l'épicerie avant de bouger. Dans l'épicerie, Lefort comprit qu'il venait vers eux.

— Ils vont venir jusqu'ici...

— Ne t'inquiète donc pas. Regarde le ciel.

Les nuages avaient rejoint le toit des maisons. Le chien avait disparu, ainsi que la femme et son vélo. Dans la camionnette du laitier, le commis s'était rendormi, la joue écrasée sur la vitre. Il sursauta quand une première goutte de la taille d'une grosse olive frappa la tôle; les suivantes s'y lancèrent à un rythme saccadé. L'homme à la démarche souple du tueur entraîné regarda dans leur direction, puis fit demi-tour pour se réfugier dans son véhicule.

— Pour l'instant, pas de danger. Mais passe quand même par l'arrière-boutique, je vais chercher ta voiture.

Lefort le retrouva dans sa petite cour, chargeant les paquets et caressant au passage les chiens qui le reconnaissaient comme celui qui leur donnait toujours une gâterie. Lefort le remercia et le paya. L'autre recompta. Même au cœur d'une bataille, il serait resté commerçant.

– Le compte est bon, mon ami. Fais attention à toi tout de même. S'il y a des développements, je les jetterai à la mer et je te préviendrai. Ici, on n'aime pas les curieux, et encore moins les voyous aux grosses voitures américaines.

En remontant par des détours vers le phare, qu'on pouvait facilement protéger contre une armée d'assaillants, l'idée d'une manipulation du vieux Carignac s'imposa dans les pensées du jeune retraité des services secrets.

Bientôt, au Québec, serait élu un nouveau premier ministre, un proche de l'ambassadeur prisonnier.

Lefort jura, cria un «Mort au'C», l'injure préférée de Carignac, avec un grand C pour la connerie de toute l'humanité. Les chiens aboyèrent dans le coffre. L'imitation était mauvaise, Carignac était inimitable. En montant le long chemin qui menait au phare, il savait pourtant qu'il ne dirait rien à ses invités concernant les hommes du village. Il avait décidé de préparer seul la défense de sa seule véritable fortune, sa tranquillité.

⌐

Sur le bord du fleuve Saint-Laurent,
aujourd'hui

— Eh bien, mon ami! Mort au'C! Nous avons failli vous attendre pour commencer! Notre invité va s'ennuyer!

Le général était debout, radieux, un coin de sa chemise sorti de la ceinture de son pantalon. Il regarda avec intérêt les sacs de papier de l'épicerie et fouilla des deux mains pour en sortir une bouteille de rhum qu'il déboucha aussitôt pour en humer les arômes avant de la reposer sur la vieille table de chêne. L'ambassadeur avait les yeux gonflés de fatigue, la mine pâle. Il avait réintégré son fauteuil comme un prisonnier regagne sa cellule, sans espoir de la quitter.

— Vous êtes tout pardonné, Lefort! Je sens que mon sang antillais d'adoption respire l'alcool colonial et le grain de café. Un litre pour moi, après vous servirez l'assemblée. Le chef d'abord, les pièces rapportées ensuite, les chiens auront les restes! Notre invité a mal dormi. Votre literie, je suppose!

Les sacs des achats disparurent sous les bras d'un des hommes de main qui désigna une chaise à Lefort. Carignac avait dû le briefer pour qu'il reste concentré sur son rôle de témoin à charge. Le général sautillait d'une jambe sur l'autre comme un sportif qui s'échauffe.

— Vous savez quoi? Après une nuit, disons une matinée de repos, rien ne vaut l'air de l'océan. Moi, en me réveillant, j'ai tout de suite compris que l'endroit était sacré. La grandeur de l'accouplement des mers et du fleuve, sur lesquels voguent des cargos en toute sécurité, battant pavillon de Zanzibar ou bien de Konkouré. Ça me rappelle cette histoire de pétrole, la Chine, la Russie, et puis des manœuvres bien ficelées. Vous rappelez-vous, monsieur l'ambassadeur, cette année 1992 ? Si, si, vous ne pouvez l'oublier, c'est dans votre dossier. Vous étiez en charge d'un poste de premier conseiller, auprès de votre premier ministre, un progressiste-conservateur, dont seul l'héritage de l'Angleterre peut arriver à faire comprendre la famille politique.

L'ambassadeur ouvrait de grands yeux étonnés. Tous, dans la pièce, s'étaient attendus à la reprise de sa biographie, avec ces détails et ces mensonges qui forgent la légende de tout espion. Carignac poussa ses lunettes de son index d'homme de cour, le long de son nez cassé de boxeur.

– Je vous installe le décor : une société pétrolière est créée depuis rien grâce à l'influence de vieux lords aussi forts en Europe que sur le continent. Votre parti y dépose un jour les intérêts de ses commanditaires et s'en sert pour cultiver ses amitiés en toute discrétion. Intérêts louables s'il en est puisque alors identiques dans vos esprits à ceux de votre grand pays. Mais, en cette fin de guerre froide, nous avons tous fait face à l'arrivée de la Chine auparavant accusée de tous les maux contre la démocratie, mais acceptée dans le concert des nations. Bien entendu, sous le prétexte économique de financer au bon moment la dette que votre grand voisin américain a accumulée aux temps des crises capitalistes. On oublie le massacre de la place Tianan men, pour éviter celui des grandes banques. On comprend que les taux d'intérêt maîtrisés de l'emprunt de la première économie mondiale valent bien quelques compromissions. Vos bons lords, employés en nouveaux lobbyistes, montrèrent à tous que ces bons Chinois qui entraient dans l'ère du capitalisme offraient de soutenir les industries en panne, les recherches en pétrole, les désastres des décolonisations et les bonnes œuvres des partis... Qui aurait pu me dire, dix ans auparavant, que le péril jaune deviendrait, sur des terres occidentales, des petits Chinois si performants, vos, nos, nouveaux alliés économiques que nos intellectuels ne nomment plus hordes jaunes, mais *the* marché économique d'avenir. Les économistes nous apprennent soudain que le peuple de Mao n'est plus envoyé pour mourir dans les grands chantiers, mais qu'il consomme. Le vilain mot est lancé : « consommateur ».

Carignac dardait son regard gris au-dessus de la monture fine, l'air gourmand. Il chercha dans la pile de dossiers, les feuilletant rapidement, pour en sortir une note dactylographiée. L'ambassadeur gardait la bouche ouverte.

– La voilà ! Tout est là ! Votre signature en bas de la page, beaucoup de blabla, de chiffres, de promesses et de devoirs, attendez... Voilà ! Contresigné par un certain Robert Huang. Il est, d'après nos dossiers, l'un des pseudonymes recensés de notre célèbre Igor Vitovitch Grychine, colonel du KGB puis du FSB, susdit le Conseiller. Vous le connaissez ? Un grand de l'espionnage, un maître en manipulation et retournement. C'est celui qui, dans les mêmes années, a calmé définitivement en quelques semaines les ravisseurs de Russes au Liban. Le disciple de Trotski. Il a suivi ses préceptes d'idéologue du terrorisme sans jamais tomber dans l'amateurisme brouillon des factions qui se partageaient Beyrouth. Un théoricien de la terreur, l'inventeur de la matriochka terroriste : Tu me prends un citoyen, je t'en découpe deux. Tu me prends un diplomate, je te libère d'une poignée de religieux dont tu ne retrouveras que le scalp.

Carignac avait levé les yeux au ciel, songeur. Il finit par s'asseoir et reprit.

– Bon, Igor est, à la mode russe, un actif, un artiste méconnu. Ce n'est pas un dilettante du métier, c'est un excessif, un hyperactif, un sale môme diablement bien entraîné. Reprenons la lecture de ce document si intéressant. Chine populaire, ministère de la Santé – je pouffe –, contre-valeur de trois pour cent d'un contrat de cent mille tonnes de pétrole, du M100 – je re-pouffe –, pour aide à la négociation – par semaine, bien entendu, on tape dans l'industriel, pas dans l'artisanat. Acheteur final, un négociant japonais, que nous savons n'être qu'un prête-nom du non moins célèbre KGB. Il y a quelque chose qui ne va pas dans ce contrat. D'abord, le mazout – le M100 en question n'est que de la boue de pétrole, juste bon pour quelques pays sous-développés – se retrouve à Shenzhen. Le coup est bien joué. Mais mon problème vient de son transporteur. Après vérification de mes hommes auprès de la Lloyd's, il s'agit d'une flottille misérable, héritière des coutumes de la guerre de l'opium. Nulle présence dans ses rôles de capitainerie d'un seul des supertankers attendus. Seulement trois ou quatre petits cargos sentant bon la contrebande. Un seul de ces bateaux est marqué par les douanes comme transportant ledit pétrole, mais son tonnage ne permettait que le transport de quelques fûts en fond de cale. Vous avez dit Corée du Nord ?

L'ambassadeur n'avait pas prononcé un seul mot. Seul le vent frappant la porte-fenêtre répondait au général qui continua, tel un acteur de théâtre, avec un grand mouvement circulaire de ses doigts de cardinal. Lefort alluma un long cigare.

– Je résume pour notre auditoire. Tromperie sur la marchandise et les assurances, accords commerciaux internationaux déjoués, commissions et frais divers reversés au ministère de la Santé de la République de Chine, pour les bonnes œuvres d'un parti politique fédéral au Canada, présence du Conseiller et de monsieur l'ambassadeur, vous. Quelques fûts sont partis de Vancouver grâce à votre signature. Ils sont arrivés en Chine un petit mois plus tard. Ils sont enfin repartis par cargo de façon certaine du port de Shenzhen pour une destination inconnue.

Reste à savoir ce qu'ils contenaient. Vous en dites quoi, de cette mystérieuse affaire, monsieur l'ambassadeur du Canada à Paris ? Vous étiez alors dans la force de l'âge, jeune marié et déjà adulé par vos confrères. Un intouchable, déjà si riche.

Le papier que tenait le général entre deux doigts avait volé, poussé par son souffle vers l'homme fatigué qui le rata, le poursuivit et le rattrapa sur ses pieds. Carignac avait fait signe à Lefort de s'asseoir, alors qu'il avait fait mine de vouloir le ramasser. Dans la cuisine, les hommes chuchotaient et une odeur de café fraîchement torréfié leur parvenait. L'ambassadeur sortit une paire de lunettes de sa poche de poitrine, une élégante monture assez féminine. Il parut étonné de découvrir les tremblements de ses doigts.

– Je – mais c'est absurde de vouloir vous en dissuader – n'ai jamais signé ce contrat, ni même n'en ai entendu parler. La signature a dû être imitée.

– J'en ai d'autres, de ces documents. Pour plus tard. Mais la corruption de votre parti, les marchés truqués à coups de milliards par année, la nomination des juges dont les listes sont signées en dehors du circuit légal, les décisions des juges de la Cour supérieure prises pour servir les ordres et les puissants, tout cela ne m'intéresse pas. J'ai une réputation à protéger : je ne fais que dans la destruction massive. J'ai un ami avocat qui vit de ces petites déceptions. Il m'a dit, un jour qu'il répondait à ses clients qui se plaignaient du montant de ses honoraires : « Nous voulons votre bien et nous l'aurons ! »

Carignac s'était approché de l'ambassadeur, et sa taille, son ventre et son regard d'acier entraînèrent un sursaut de défense de l'autre, comme s'il attendait un soufflet d'une des deux mains, pourtant si paisibles, celles d'un cardinal, pas d'un bourreau, aux longs doigts fins et à la peau diaphane qui n'avait jamais porté d'anneau ni de bijou. Le général montrait les dents.

– Je vous fais peur. Continuons. Le produit financier n'a pas payé une datcha au bord de la mer Noire, ou alors on y aurait construit une cité. J'ai fait remonter la piste de la rétro-commission. Au fil des semaines, aucun argent n'a été versé directement, comme le prévoyait pourtant le contrat. Aucune contestation, ni lettre de rappel de la part de vos associés. Aucun avocat n'en a réclamé le solde. Ni avant ni après, jamais. Cela nous a étonnés, et moi, de l'étonnement, je passe rapidement à la suspicion maladive. C'est la nature de mon intelligence étriquée, celle qui fait de moi un bon détective, un peu soupe au lait. J'ai donc lancé une équipe spécialisée dans l'histoire locale des vieux cargos maquillés. Mes enquêteurs ont fini par trouver l'intermédiaire japonais, celui qui était le plus délicat à maîtriser, parce que la seule pièce de ce beau plan à être installée au milieu du dispositif. Il était peut-être le seul à pouvoir tout comprendre. Mais nous déchantâmes vite. Le pauvre homme n'a pas résisté à la joie de réussir son bon coup, puisqu'il a glissé, et les hivers sont rudes en été, sur une plaque de glace, ou bien d'huile, enfin l'équivalent de la traditionnelle peau de banane. Il a été retrouvé par la police de Tokyo, les vertèbres rompues sur un coin de rue, entre poubelles et détritus, les poches pleines de billets, muni de ses papiers d'identité, les poignets ceints de gourmettes en or et d'une montre de grande marque. La démonstration d'un meurtre crapuleux dont personne n'a cru un instant à l'hypothèse. Quant aux Yakusas, les mafias traditionnelles, elles font dans le rituel, avec doigts coupés et scalps garantis, quand ce n'est pas l'émasculation avec absorption des parties pour la décoration. Affaire classée comme crapuleuse, sans aucune piste. Quand le susdit pétrole arrivait, du Rotterdam Platt sans discount, des fûts étaient débarqués pour passer en direct sur le petit cargo. Fûts d'acier et cartons ensuite acheminés vers l'Irak, alors en grandes difficultés. Mais là, vous allez rire, l'Irak dément, nous pouvons aujourd'hui contrôler les livres de douanes irakiens sans avoir à effectuer d'autre procédure administrative que celle d'appeler, avec un accent texan, le MP du coin. Les ports n'ont jamais accueilli en douane un cargo de ce type. Je n'arrive pas à m'enlever de l'idée que l'Iran, diablement proche de l'Irak, était à la recherche de saloperies à cette même époque, que ses émissaires acheteurs traînaient un peu partout, jusqu'à Djibouti. La belle démocratie islamiste payait avec du bon vieux pétrole tout échantillon pouvant permettre l'éradication de son voisin irakien ou l'extermination du grand Israël. Là aussi, nous avons fait chou blanc. Vient, enfin, la réponse tardive de la Lloyd's. Le relevé de l'assureur nous annonce que le navire a fait la rencontre, subreptice et quasi inadverte, d'un tsunami providentiel pour disparaître sans laisser de trace. Vous voyez, vous pouvez souffler un petit peu, je ne pourrai vous accuser d'avoir voulu vous enrichir. Mais, pour parler richesses et libéralités, je pense que les cales transportaient de l'uranium enrichi ou une saleté de bombe bactériologique rejetée par les laboratoires de votre beau pays. Je peux prouver que le stock de fûts a été transporté par les mêmes cargos jusqu'en Chine. Là, on change d'alliance, destination finale, l'Iran, pas l'Irak, et pour l'un d'entre eux, en dérivant un petit peu, la Corée du Nord. Pas le Japon, même en profitant d'un surf de raz de marée. Ça paye mieux, les pays qui ne signent aucune charte internationale. Pas beau, pas beau. Cela s'appelle, en expertise des mécanismes financiers, «la banque chinoise»: on fait apparaître de la richesse sans transfert, en troquant des valeurs contre d'autres, au sein d'une même entité familiale. De l'uranium apparaît en Iran et un banquier suisse hérite d'un nouveau compte. Un nouveau type d'anthrax est stocké en Corée et un Chinois tout sourire dépose une valise de dollars dans les caisses d'un parti politique au Canada. Un baril de saloperies roule sur le quai d'un port iranien en même temps qu'un enturbanné barbu, en costume trois-pièces, vient vous remettre les clés de son coffre à la RBC de Toronto. Pas de douanes, pas de contrôles, de justifications, ni un seul premier payeur. Ici le KGB, devenu depuis FSB, a tout contrôlé. Aux yeux du monde, si le dossier sortait – il y a tant de journalistes en quête de sensations fortes –, seul le Japonais décédé serait inquiété. Pas facile d'interroger un squelette disparu de la morgue de la police, sûrement dissous par l'acide, lui-même recyclé en produit de beauté.

L'ambassadeur avait les yeux verrouillés sur le petit feuillet. Des colonnes de chiffres alignés par couleurs, montrant des quantités inventées de barils de mazout livrés à un destinataire fictif. Il essayait de comprendre comment et où Carignac les avait trouvés, ou bien il cherchait à se justifier. Il était si blême que Lefort pensa un instant à l'attaque cardiaque.

Carignac reprit d'une voix plus douce, après s'être assis. Il regardait vers l'océan.

– Bon, je vous l'accorde, personne n'est vraiment responsable. Une société a bien fait son *content* de *trading*. Elle a livré son produit commercial, a reçu une instruction claire et justifiable devant ses autorités administratives. Mais, à près de vingt pour cent d'intérêts, vous comprendrez que la somme fait, au final, une montagne de bonbonnes et quelques centaines d'années de traitement de petites bombes sales aux mains de fous de Dieu qui n'attendront pas une nouvelle connerie d'Israël pour frapper. Tiens, moi, là, je prendrais bien du café.

Carignac mima une explosion en écartant brutalement les bras au-dessus de sa tête, ce qui sortit l'ambassadeur de sa torpeur. Le général lui lança un regard dégoûté avant de s'asseoir, les jambes vers l'avant. Sa voix était douce, après avoir été celle d'un orateur de prétoire.

– Mais, dans toute affaire rondement menée, il faut le commercial. Grychine est l'exécutif, vous êtes la marque commerciale, son sauf-conduit. Nous avons donc travaillé dans cette direction, poursuivant l'identité de celui qui faisait le voyage entre la Russie, l'Asie et le Canada. Votre messager, votre représentant. Ce fut une mauvaise surprise. Ce personnage peu reluisant, votre principale recrue, ou soldat, le bras armé du colonel Grychine est, en ce moment, à la tête d'une liste libérale formée par vos affidés, cachés sous le vocable du nouveau parti populiste. Il est dans la course pour devenir premier ministre du Québec. Vous allez me dire, tout de go, que vous ne le connaissez pas. Mais, dans cette vulgaire histoire d'empoisonnements et de massacres de population, dans laquelle traîne la pire des nations condamnables, il s'avère que nous avons des centaines et des centaines de relevés d'écoute, de photographies de rencontres officielles, même trouvées sur le Web, qui montrent que vous le managiez de si près qu'on aurait pu croire, si vous me permettez cette triviale association, que vous vous enculâtes de concert en nous préparant un bébé politique de premier plan.

Le noble ambassadeur était blême, le visage liquéfié, le regard perdu d'un coupable qui va être pendu. Lefort en fut horrifié.

D'une petite voix, le prisonnier essaya de prouver à l'assistance qu'il n'était pas le responsable de cette machination. Carignac souriait. Il semblait l'avoir déjà condamné. Seul Lefort, encore, l'écoutait.

8

La limousine était venue me chercher à la porte du théâtre. Mon chauffeur traversa Moscou dans la nuit pour se rendre sur la Place Rouge dans une tentative très soviétique de vouloir faire rivaliser le déplacement d'une Tchaïka avec la vitesse d'un missile intercontinental. Le syndrome Spoutnik, en quelque sorte.

J'essayais de garder l'esprit concentré malgré la conduite sportive du jeune fonctionnaire. J'emportais avec moi le dossier complet de la mission que j'espérais pouvoir faire accepter par les plus hauts dirigeants du système soviétique. Comme l'examen que je venais de faire passer à mes élèves, c'était aujourd'hui la dernière étape d'un long parcours consacré à étudier des scénarii divers et à tenter de déplacer les pions de l'échiquier du temps pour évaluer les retombées d'une machinerie imaginée sur plusieurs décennies. La plus délicate aussi des réunions, un dernier cran avant la vérité de l'ouverture du crédit spécial du KGB ou du Kremlin m'attendait. Le passage de l'accord hiérarchique à l'acceptation politique. Tout à mes pensées, je lançai soudain un cri quand je fus projeté contre la portière.

C'était un sport très prisé des jeunes chauffeurs de la nomenklatura, protégés par le «MOC» de la plaque d'immatriculation de l'administration centrale. Un jeu d'abrutis hérité de la nostalgie de la roulette russe. Quand il n'y avait pas encore de sens unique pour les véhicules officiels, on débouchait sur la Place Rouge par le sud, empruntant le grand pont de la Moskova, qu'on traversait toujours à ce que le non-initié prenait pour de la pleine vitesse. C'était méconnaître la capacité d'un chauffeur accrédité de faire sortir les derniers chevaux-vapeur disponibles, alors qu'il avait l'impunité du parti, caché derrière son volant. Les voitures prenaient ensuite la voie de gauche, réservée et toujours vide, accéléraient encore et toujours pour prendre tout droit, plein nord, à l'endroit où l'avenue quitte le fleuve, prenant le nom de rue Varvarka, et s'infléchit vers l'est.

J'avais souvent fait la route depuis que Poutine m'avait intégré dans son équipe. Nous nous étions connus alors que nous étions tous les deux en poste à Leipzig, en Allemagne de l'Est, quelques années plus tôt.

Le chauffeur injuria un passant qui avait traversé la chaussée en courant. La voiture n'avait même pas tenté de l'éviter et un léger choc avait marqué la rencontre. Un privilège administratif contre une jambe cassée.

Nombre des invités au palais, ceux qui n'avaient pas la conscience tranquille, avaient dû fermer les yeux devant la bifurcation du pont de la Moskova. Tout droit, on sentait déjà le Kremlin. Vers la droite, vers l'est, on partait en direction de la Loubianka, les portes qui se verrouillent, le gaz qui envahit l'habitacle, la limousine qui se mue en fourgon cellulaire. Le KGB estimait alors que s'ils arrêtaient un traître, c'est qu'ils connaissaient déjà le principal de ses forfaits, c'est-à-dire le seul et unique motif pour décider d'arrêter le fautif ou de le laisser dans cette liberté surveillée appelée démocratie populaire. Poutine avait fui ce métier pour se spécialiser dans la mise en œuvre de missions extérieures. Les deux hommes étaient la face cachée de l'iceberg du KGB, la plus petite et la plus sensible des sections du Premier Directorat.

La voiture fit un bond en avant. Quant au chauffeur, à la vue de la ligne d'arrivée, il baissa les épaules, se cramponna au grand volant de bakélite, montra ses dents en or en espérant qu'un collègue le regarde ou qu'un touriste le photographie, puis, concentré, il appuya comme un fou sur la pédale d'accélération. La grande voiture dérapa sur les pavés mouillés, poussiéreux ou gelés, mais toujours glissants, pour arriver le plus près possible des barrières et des plots de béton délimitant la zone touristique. C'était la conjoncture idéale, celle que les Anglais nomment le momentum, pour donner un dernier coup de volant et faire passer les trois tonnes du bon acier de Carélie dans un quatre-vingt-dix degrés à gauche, l'avant en premier et l'interminable reste de la voiture ensuite. Il y a comme une parenthèse de temps dans l'instant précis de la résolution de l'équation vitesse contre poids, masse voulant rester sur la ligne précédente, si commode, et désir du conducteur de la voir tout de même se rendre au point désiré et seulement imaginé, en un idéal d'ivrogne dans lequel l'Union soviétique est la patrie des ingénieurs. Encore une preuve de l'existence de ce hasard que les croyants appellent Dieu, en considérant que le mouvement qui était engagé ne pouvait être possible à réaliser en terre athée. Les alliages sont mauvais à cause du vieillissement de l'industrie et de la piètre qualité de ses ouvriers. Il casse, l'hiver, et cède à la torsion violente, plus vite que le bras d'un Polonais. Dans cet instant particulier, je n'avais donc aucune raison valable d'avoir autant confiance en la carrosserie d'une Tchaïka qu'en celle d'un Tupolev habillé par notre sidérurgie.

Je parvins à desserrer ma main de l'accoudoir pour m'extirper du véhicule et pénétrai enfin dans le bâtiment le mieux gardé au monde pour rejoindre directement le bureau de Vladimir Vladimirovitch Poutine.

Un huissier le fit entrer discrètement, et un léger mouvement de son chef lui intima de s'abstenir de couper la parole au général Krioutchkov[6], qui était en train d'ordonner la stricte confidentialité concernant l'opération, surtout vers la nouvelle équipe de Gorbatchev. Il décrivit celui-ci comme un traître qui doucement ouvrait l'empire aux fantasmes occidentaux.

---

6. Vladimir Krioutchkov fut chef du KGB de 1988 à 1991, remplacé par Vadim Bakatine pendant la courte période d'août à octobre 1991. Le KGB disparut ensuite pour laisser la place au nouveau service de renseignement rénové, le FSB, réparti en huit services et deux directorats. Vladimir Poutine en prit la direction en 1998.

Après l'utopie socialiste, nous nous enfoncions doucement dans celle de la richesse libérale et capitaliste. Nous oubliions volontairement le stalinisme de Brejnev et ses dommages irréversibles à notre économie.

Je m'assis aux côtés du vieux général en regardant le magnétoscope flambant neuf et la télévision grand format de marque japonaise qui meublaient le bureau du chef du secteur de l'Allemagne de l'Est. Une phrase de Tocqueville, prévenant les dictatures de ne jamais relâcher leur contrôle sous peine de disparition rapide, me vint à l'esprit. Andropov avait compris le monde qui se préparait et le profit que le KGB pourrait en tirer, mais Gorbatchev se voyait comme le chef d'un futur État démocratique, adulé par les médias internationaux. J'appartenais alors à ce groupe appelé « les faucons d'Andropov » qui sentait l'empire craquer et l'économie s'effondrer ; même les enfants de la nomenklatura la plus orthodoxe réclamaient des cassettes des films américains. Mon chef, le colonel Poutine, avait eu la confiance d'Andropov et celle de Krioutchkov, il serait bientôt, je le savais, le chef incontesté du service. Il se tourna vers moi.

– Camarade major, je voudrais te parler d'une mission que nous avons préparée avec le camarade Andropov et notre ami ici présent, le camarade général Krioutchkov. Je connais tes qualités et ton travail en Angleterre, je trouve remarquable ton cours de théâtre, c'est pourquoi je t'ai choisi. Nous avons besoin de ton expertise. Que connais-tu du Canada ?

Il avait présenté le dossier comme l'aboutissement de son propre travail. Il savait que le vieux général ne lui refuserait pas une nouvelle mission. Poutine tenait le KGB en regroupant autour de lui la garde rapprochée. Il tenait les finances et les exécutions. Il plaçait, peu à peu, ses pions jusqu'au Comité central. Je fis, comme on me le commandait, un rapide résumé de l'intérêt stratégique du grand pays, ses réserves pétrolières, sa capacité à fournir de l'énergie et son indépendance de pensée avec l'ennemi, les États-Unis. Plus je parlais, plus je voyais sourire Poutine. Il voulait que le général valide le pari insensé qu'il s'était lancé, et il avait dû préparer cela depuis des mois, intriguant, avançant ses pions sans brusquer le jeu politique du Kremlin. Il avait inclus une invasion pacifique dans son rêve, celui de prendre le pouvoir du grand voisin par un bout de mer gelée et oubliée, le Canada. Un travail de longue haleine, un plan élaboré sur vingt ans. Une œuvre qui porterait son souvenir au faîte de l'Olympe de l'espionnage. J'étais l'arme qui tirerait le coup fatal.

Le général Krioutchkov garda le silence quand j'eus terminé mon rapport. Il demanda un verre de vodka, puis un autre, toujours au milieu d'un silence pesant. Enfin, il éclata de rire et tapota le genou de Poutine, de sa grande main de bûcheron. Poutine, lui, se taisait, attendant la conclusion. Elle ne vint pas en mots, mais le vieux chef riait encore quand il nous invita à dîner dans cette salle à manger qu'il appelait «son club» et à laquelle aucun des plus étoilés de l'Armée Rouge n'avait jamais eu accès. Nous avions gagné.

9

Berlin,
1989

Il avait surmonté cette peur qui suinte de vos pores et vous prend à la gorge pour ne plus vous quitter, à chacun des pas qui vous rapprochent des chicanes, des miradors et des barbelés de la frontière. Il était à l'Est.

Il recevait sur la peau comme une bruine de mer trop iodée, collante, la décrépitude lascive de l'atmosphère sociale. Une ambiance de fin de civilisation qui régnait à l'Ouest comme à l'Est. Des manifestations à longueur de journée, contre n'importe quoi et surtout contre la vie chère. Trop d'émigrés à Berlin ou à Cologne, trop d'Allemands de l'Est passés par la Hongrie et la Tchécoslovaquie et prêts à casser les prix pour trouver un emploi dont on savait qu'ils n'arriveraient pas à assumer les tâches. Les gens de l'Est, après tant d'années de collectivisme, n'étaient que des enfants émerveillés, pas des travailleurs expérimentés.

Il avait encore l'Est dans le nez. Tous ceux qui ont franchi un *checkpoint* vers l'Est peuvent vous raconter la même histoire. Avant le premier regard vers le gris, de l'autre côté du mur, c'est son effluve nauséabond qui vous envahit, l'arrivée dans le monde de la puanteur soviétique, les odeurs de graisse des kalachnikovs et celles du chauffage au charbon qui vous asphyxient. Celles des détergents javellisés et ce léger parfum de fioul de l'essence pas assez brûlée par les moteurs des Trabans. Celle, enfin, d'une disparition des arômes de l'Ouest, depuis les épices indiennes des restaurants orientaux jusqu'aux parfums du jasmin fleuri. Le douanier, un Texan, se tordait la bouche pour parler en français.

– Vous déclarez être monsieur Gilles Drouin? Commerçant? Êtes-vous correctement inscrit à la liste des voyageurs de commerce de votre ambassade?

En cette fin de journée, l'officier avait la voix dure de celui qui termine son service et a passé une mauvaise nuit et la journée de travail qui suit. Il avait subi trois tentatives de passage de clandestins depuis Berlin Est. Trois nouveaux échecs, comme tous ces essais désespérés dont il était le témoin depuis qu'il avait pris son poste, pour sortir des USA et gagner ainsi la double paye des soldats expatriés. Trois cadavres, dont un adolescent, reposaient maintenant dans la morgue militaire en attendant d'être remis aux familles éplorées. La routine d'un poste de sécurité de Berlin. Les vopos les avaient tirés à la mitrailleuse alors qu'ils parcouraient les derniers mètres vers la liberté, juste pour s'empaler en haut de la clôture sécurisée. Comme l'usage le voulait, si une partie du corps passait à l'Ouest, le droit de tuer devenait automatique. Les tireurs faisaient exprès de tirer à la dernière seconde, pour que l'exemple de leurs morts soit relayé du bon côté du mur. L'officier, un Américain élégant, connaissait les regards et les cris de victoire des hommes et des femmes qui croyaient avoir atteint la liberté, juste avant d'être fauchés. Il avait déjà demandé plusieurs fois sa mutation.

Devant lui, l'homme n'était pas clair. Il transpirait sous un faux sourire et un léger tremblement de la lèvre supérieure. Il le noterait dans le livre de sécurité.

– Je suis inscrit sur les listes de l'ambassade du Canada, monsieur l'officier. Je suis porteur de toutes les autorisations, les visas et une mission des Nations Unies pour l'Aide à la faim de la population de Berlin Est. Vous pouvez vous renseigner.

Dans un sens, l'officier s'en fichait. Vouloir passer à l'Est, quand on était témoin de tant de tentatives de s'en échapper, relevait de la folie neurasthénique, et l'espion qui trahissait ne prenait pas de billet de retour.

– Ce n'est pas dans mes attributions, monsieur. Vos papiers sont en règle. Il s'agissait juste d'un conseil. Si vous ne revenez pas et que votre inscription n'est pas à jour, nous ne pourrons pas vous rechercher. Avancez, et bon séjour chez les soviets.

Berlin la grise, après Berlin l'Américaine, s'ouvrait devant Gilles Drouin. Au loin apparaissaient déjà des devantures sans couleurs. Sur la droite, à cent mètres, un fleuriste vendait des cactées poussiéreuses. Drouin s'arrêta pour prendre le temps de s'assurer qu'il n'avait pas perdu le sens de la perception des couleurs. Un couple s'éloignait rapidement, pardessus de plastique transparent et chapeaux d'un temps oublié, celui d'un film d'espionnage de série B datant des années 1950. Il fit un pas, chercha son paquet de cigarettes, sortit en tremblant une blonde humide de la moiteur que sa main seule avait laissée sur le tissu de sa poche.

Le panneau de la démarcation, marqué de grandes lettres dans les langues des trois vainqueurs, était derrière lui. Son guide du MVD ou de la STASI devait l'attendre plus loin, au bureau de la douane russe. Il aspira une grande goulée d'air et sentit son tremblement s'espacer. Il ne restait plus que ceux de l'humidité et du froid d'octobre 1989.

Il franchit les derniers mètres en tirant des bouffées de sa Marlboro. Il voulait la terminer avant de rejoindre la chaleur de la casemate. La cendre tacha son manteau, tweed gris et col de fourrure, d'un bon tailleur anglais. Il avait mal au bras d'avoir porté sa valise sans jamais montrer qu'elle n'était qu'un leurre de camouflage, emplie de linge que jamais il ne mettrait. Il n'arrivait pas à chasser cette impression d'avancer vers la mort.

C'était vrai aussi, sans doute, que le monde changeait. Des rumeurs de plus en plus pertinentes rapportaient que l'Union soviétique était en danger, que l'Internationale s'étiolait dans les ronflements de sa gérontocratie. Il savait que la Tchécoslovaquie ne pourrait plus retenir plus longtemps les flots d'Allemands de l'Est qui surchargeaient ses postes frontière depuis que l'Armée Rouge s'était retirée et que les barbelés avaient été coupés entre l'Autriche et la Hongrie. Gilles Drouin, pourtant, n'avait cure de la politique, il n'était qu'un soldat. Seul un cours différent de l'histoire le sauverait de l'emprise de son péché, grâce à une retraite confortable à Moscou ou à Leningrad. Il ne s'était pas rendu compte de son arrivée à la casemate, toujours dans son rêve.

Dans la pièce sans mobilier ni ornement autre que le portrait d'un dignitaire suspendu au mur des années auparavant et sans doute oublié, l'homme du MVD qu'il devait rencontrer était, cette fois, accompagné. L'autre lui souriait. Grand, cheveux gris, yeux cachés derrière de petites lunettes aux verres fumés, légère claudication, la quarantaine passée. Son maître.

– Bonjour, camarade.

– Bonjour, monsieur le Conseiller. J'ai un sentiment étrange aujourd'hui, et vous m'avez toujours demandé de vous confier mes intuitions.

– C'est une grande et belle journée pour le parti. Veuillez me suivre, notre voiture nous attend, ainsi que le réconfort d'une bonne tasse de thé. Avez-vous fait bon voyage? Comment va notre ami très cher?

– L'ambassadeur sera bientôt ici, pour la grande fête du lieutenant-colonel Poutine.

La poigne était ferme, la voix bien posée, aucun accent perceptible. La voiture était confortable et un peu surchauffée, faisant sortir du tweed une nauséabonde odeur d'humidité.

L'officier du ministère de l'Intérieur n'avait rien dit et s'était installé à l'avant de la grande Tchaïka. Je racontai, en russe cette fois, une histoire de coupure d'eau qui avait frappé le Kremlin, la semaine précédente. Une grève de cols bleus, avait-on rapporté. À l'avant, le chauffeur s'esclaffa.

– Les temps sont durs, mon ami. Si la démocratie syndicale commence à atteindre le temple de la liberté ouvrière, nous sommes vraiment condamnés. Ne nous en inquiétons pas excessivement, parce que nous croyons fermement que c'est la dialectique historique qui parle et que nous saurons nous en satisfaire, tant que nous aurons des gens qualifiés, comme vous, qui nous montreront leur fidélité.

Drouin avait bredouillé un remerciement, jeté quelques mots sur le temps, récité son texte comme il le faisait souvent, avec la componction naturelle d'un commerçant bonimenteur. Mais il ne connaissait pas le trajet effectué et son esprit était si concentré à le deviner qu'il en oubliait aussitôt la phrase qu'il venait de prononcer. Toujours la peur de la disparition, de la torture et des histoires colportées sur les coutumes terrifiantes du KGB. Il y avait trop peu de temps qu'il avait, sous sa fausse identité, immergé au Canada.

Il quitterait bientôt son poste de stagiaire aux Affaires étrangères pour entrer dans une entreprise qui cherchait des débouchés à l'Est. Il en serait le nouveau directeur commercial. La guerre froide avait fait naître une économie de dupes. L'Est rêvait d'écouler les produits que la faillite du système rendait hors de portée du plus riche des nouveaux rentiers de la Glasnost, l'Ouest pensait pouvoir fourguer ses rognures aux industries défaillantes du COMECON. Dans les deux sens, tous se fourvoyaient en oubliant que les intermédiaires – seuls à connaître les nomenclatures et les législations locales – n'auraient pas misé un rouble, un cent, ni un penny sur le suivi d'un marché.

– Comment va notre ami, vraiment ?

J'avais soudain changé le ton de ma voix. Il comprit qu'il devait me répondre clairement, l'esprit trop dirigé vers ce toit de la Loubianka duquel on jetait les espions torturés.

– Il est inquiet. Il se demande ce que sera la nouvelle ligne politique qu'il doit promouvoir. J'ai apporté quelques dossiers microfilmés.

– Mais, mon cher, la ligne n'a pas changé, elle sera toujours celle de la vérité ! On ne plaisante pas avec les gagnants de la guerre, les protecteurs de la liberté, les inventeurs du Coca-Cola, même après quarante ans d'histoire, d'oubli des frères et des sœurs abandonnés de l'autre côté. Ça s'appelle la construction de l'Europe. Ne nous inquiétons pas de la route pour arriver au communisme, restons concentrés sur l'objectif. Le temps est au capitalisme utilisé comme arme de destruction massive. Dollars et récompenses à la clé, nous savons remercier les fidélités. Le toit de la Loubianka n'est réservé qu'aux traîtres qui ont désobéi, avec ou sans Parti communiste.

La nuit allait confondre la grisaille et le doute qui doucement l'étreignait. Le Canadien fut soudain encore plus désespéré, par bouffées puisées au plus loin de son passé. Il se souvenait de cette soirée à Venise dans les bras de son aimé, d'une promesse chuchotée qu'un jour tout cela finirait. Il avait toujours été peureux de tout et avait été pris de folie amnésique, celle de l'amour, quand il avait rencontré cet homme qui l'avait tant fait voyager.

1984. Il était alors en stage, hésitant entre la carrière de diplomate et celle de grand commercial. La rencontre l'avait ébloui. C'était une cérémonie ennuyeuse à l'ambassade de Russie, boulevard Lannes à Paris, sous les lustres imposants et les plafonds art déco. Il s'était surpris à admirer la toile imposante du travailleur victorieux, accrochée sur le mur est de la salle de bal. Le dessin d'un jeune homme blond, les yeux bleus tournés vers l'avenir, le muscle saillant, le profil aigu et le geste conquérant. Si le modèle n'avait pas été Russe, alors il aurait pu offrir son profil à une parade nazie peinte à Berlin dans les années 1930.

– École de Sterligov, artiste oublié. Une parabole de la Russie soviétique, pas pour l'œuvre elle-même. Les rafles de Staline, la folie dogmatique, la perversité d'un système de délation.

Le diplomate avait sursauté, dérangé dans sa contemplation.

La voix était calme, le visage lui était complètement étranger. Il fut sous le charme au premier coup d'œil. Il bégaya.

– Je vous demande pardon ?

– J'ai bien connu cet artiste, vous savez. Il s'appelait Ivan Chthtourbiev. Il vivait à Leningrad, disciple de la grande Tatiana Glebova. Il lui a été, comme à beaucoup d'artistes des années 1960, un jour d'hiver, reproché de prôner le modernisme au réalisme socialiste de la grande Russie. Il s'est suicidé avant de recevoir la visite du KGB, passage obligé pour entraîner l'autocritique et l'autodénonciation de crimes pervers et de trahison envers le socialisme. Il n'était pas vicieux ni corrompu, seulement en avance sur son temps. Il avait du talent et un humour délicat, réservé à ses plus intimes amis. Regardez la braguette et la main du travailleur.

Une légère érection, dissimulée par une ombre opportune, la main sur le bras d'un beau brun viril. Drouin rougit et l'homme continua.

– Le tableau aurait été brûlé si les mœurs anticonformistes du peintre avaient été révélées. Je suis heureux que la toile soit

79

maintenant exposée dans la capitale de la culture libertaire, sinon mon ami aurait été vraiment oublié.

L'ambassadeur s'était présenté. Il n'était pas un officiel du monde soviétique, lui avait-il soufflé, juste un amateur éclairé de la culture slave. Un collègue, en quelque sorte, lancé dans la même aventure que l'expatrié. Le premier contact avait donné le ton de leur relation. Culture, échange, loyauté, ouverture et surtout lente évolution de sa pensée par l'apprentissage de l'ironie de la vie. Il avait compris que le Canada gagnerait son indépendance en appréhendant le monde qui l'entoure. Le monde non américanisé, surtout. Leur rencontre avait été suivie d'autres plaisirs. Pendant deux années, ils ne s'étaient plus quittés.

L'avion eut une nouvelle secousse et il resserra encore sa ceinture de sécurité, à s'étouffer. Il avait tout refusé de l'hôtesse, boisson ou nourriture le porteraient au bord de la nausée. Seules les gouttes d'eau sur le hublot, un peu, le calmaient. Il pensait trop au passé.

Ils s'étaient revus ensuite dans le grand loft du petit square du Fürstenberg, au-dessus de la boutique d'un décorateur, aux toiles imprimées de fleurs et de gaieté. Et puis le piège s'était doucement refermé sur l'ambassadeur. La science de ses chefs de Moscou, qui jouaient des sentiments comme ils déplaçaient les pièces d'un jeu d'échecs. D'abord une question anodine sur l'organigramme, un « dis-moi, mon amour, as-tu entendu parler de la vilaine rumeur du divorce du général X ? » puis des questions sur les secrétaires qui avaient accès au dossier COSMIC, « j'en ai besoin pour après-demain ». Puis, enfin, comme une délivrance vers la planète de la traîtrise non masquée, son amant lui avait ordonné d'obéir comme un bon soldat en effectuant la livraison d'un vrai secret.

L'homme n'était pas un ennemi, il travaillait pour la même nation, ce Canada qu'ils voulaient tous les deux si uni contre son grand frère américain. L'homme était son confident, il était son amant. L'ambassadeur était sa chose, il était plus âgé que lui et il possédait son âme et nombre de photographies de leurs ébats, quelques fois accrochées avec art sur les murs du loft, les têtes légèrement floues. Mais à partir de ce moment, la menace ne fut, elle, jamais plus voilée. Il lui avait mis le marché en perspective de son refus de coopérer. L'homme détenait l'information capitale, surtout dans ce temps perturbé de l'après-Maccarthisme, dans lequel toutes déviances des prescriptions du pur traditionalisme sexuel étaient considérées comme un crime. À la moindre hésitation de sa part, sa vie, sa carrière, sa légitimité seraient considérées comme celles d'un criminel de droit commun au mieux, et au pire il serait lâché entre les mains du grand frère américain et de ses débauchés paranoïaques de la CIA.

Vint un jour, le délivrant, l'ultime rencontre sur le chemin de la duplicité, au firmament de sa vie de double joueur, qui ne tenait alors qu'au souvenir de sa promesse de fidélité, à la reine et au Canada auquel il avait toute sa carrière durant été si dévoué. Le diplomate n'eut pas de grand choc, juste la contrariété de savoir que, depuis longtemps, il connaissait la vérité qu'un dernier sursaut, un barrage psychologique, maintenait hors de la réalité. Lors d'une soirée arrosée, Gilles Drouin lui présenta enfin son mentor, un colonel du KGB dont l'anonymat était marqué par les règles immuables du monde du renseignement, de ceux qui se révèlent quand la nasse du chantage vous enserre à vous étouffer. Il lui tapa dans le dos, le félicita, lui fit signer un reçu pour le cadeau qu'il lui avait donné, une montre de luxe dont il avait toujours rêvé. Il comprit que le Conseiller maîtrisait l'offre et la demande, l'information et la soif de son service. Il abreuvait des secrets qu'il créait ou volait lui-même le Premier Directorat.

Son amant s'était désintéressé. Il ne l'accompagna jamais à Moscou ni à Berlin Est, il ne le rencontra plus et pourtant entendit souvent parler de lui. Il était loin maintenant, si haut dans la hiérarchie de la diplomatie, et Gilles n'était plus, depuis qu'il avait quitté l'OTAN, qu'un triste commercial doublé d'un précieux messager. Souvent, pourtant, il avait silencieusement répété que, pour le tenir une fois de plus entre ses bras, il promettait que jamais il ne le trahirait.

Il ne pouvait se douter que l'Occident avait gagné et que sans Vladimir Poutine, il resterait sur le banc à témoigner, avouant qu'il avait choisi le mauvais camp, celui du perdant. Chamberlain contre Churchill, Hitler contre Staline, l'histoire avait toujours lancé ses dés pour élire son héros et définir son Bien et son Mal. Il ne devait pas penser plus loin, ni à quel monde il appartenait, ni vers quelle nouvelle traîtrise le chantage de sa vie le mènerait. Il ferma les yeux. Devant lui, les lumières d'un petit aéroport militaire apparaissaient. Un avion, hélices tournantes, les y attendait. Il était de retour chez lui. Il pouvait tranquillement penser en russe.

Bientôt, une nouvelle mission serait lancée dont aucun observateur extérieur ne saurait qui en serait la cheville ouvrière. L'espionnage est l'art de camoufler et de tromper, quitte à abandonner ses soldats à la sentence suprême.

10

Sur le bord du fleuve Saint-Laurent,
aujourd'hui

— Ne nous fâchons pas tout de suite, monsieur l'ambassadeur. Je tiens à définir les limites de ma prestation à votre endroit. Vous n'avez rien à nous révéler sur les détails de vos saloperies. Vous n'avez qu'à nous confier l'état de votre réseau aujourd'hui, et surtout comment vous allez vous y prendre avec ce Drouin que mon auriculaire me fait soupçonner d'être à l'origine d'un complot à une échelle jamais atteinte dans la duplicité. C'est une nécessité de nos services, à laquelle tient fermement sa rigoureuse administration : nous tenons à mettre en ordre nos dossiers, le plus souvent possible.

Carignac avait posé son doigt au milieu du front du vieil homme qui n'avait pas reculé, simplement avait-il un instant fermé les yeux. Quelques secondes auparavant, le ton était soudain monté entre les deux hommes sur un détail de l'emploi du temps de l'otage pendant le mois de décembre 1988. Carignac avait narré la conversation qu'il avait eue avec Poutine, alors qu'ils étaient à la réception de l'ambassade. Pendant qu'ils étaient à discourir et à boire du champagne français, son équipe avait photographié l'arrière-cour de l'ambassade. Là, ils avaient assisté à l'arrivée d'une fourgonnette de laquelle les gros bras de Poutine avaient sorti un homme cagoulé. Le prisonnier semblait soûl ou drogué. Les photographies jaunies traînaient sur les lattes du parquet ciré. L'ancien ambassadeur ne les avait presque pas regardées, n'avait jeté qu'un coup d'œil dégoûté sur l'agrandissement de celle sur laquelle il apparaissait en retrait, observant la scène depuis la fenêtre du bureau de Poutine.

– Je n'ai rien à vous dire. J'étais à l'époque l'ambassadeur du Canada à Moscou, reçu par le lieutenant-colonel Poutine, homme influent dans la hiérarchie du KGB, qui passait pour le successeur désigné d'Andropov. Je ne me souviens pas de cette scène dans la cour. Il se peut même que je n'aie porté aucune attention à la sortie de cet homme. Je ne l'ai jamais vu.

– Gilles Drouin. Il était alors stagiaire à un poste clé de l'OTAN, celui de directeur des prospectives stratégiques. Première rencontre avec vous, signalée par la CIA à l'ambassade soviétique du boulevard Lannes à Paris, devant le tableau du grand Ivan Chthtourbiev de Leningrad, un disciple de la grande Tatiana Glebova. Nous possédons plusieurs enregistrements de vos rencontres. Un mensonge de plus, monsieur l'ambassadeur, et vous recevrez la première raclée de mes gros bras. Il a fait une jolie carrière ensuite, devenant l'intermédiaire commercial entre le Canada et les nouveaux pays libérés du joug soviétique.

Lefort s'était levé alors que Carignac avait soulevé le vieil homme par le col de sa chemise. Derrière l'ancien commandant, un des gardes du corps s'était rapproché doucement. Au moindre ordre de son chef, il l'aurait assommé. Carignac laissa retomber l'ambassadeur.

– Je propose une pause. Les esprits sont échauffés et nous allons au blocage. Un verre d'alcool nous fera du bien. Ce sera un rhum pour moi. Un glaçon et pas trop de citron vert. Laissez la bouteille de whisky au gros menteur. Il se servira tout seul.

Le ton bougon du général cachait difficilement son contentement.

– Avant de boire, je voudrais rappeler que votre pays était, à cette époque, en plein délire homophobe. L'homosexualité était une cause de renvoi de l'administration, d'ostracisme et de bannissement de votre clan conservateur. Je comprends votre apprentissage du secret par l'application rigoureuse d'un cloisonnement de votre vie privée. Si cette information – je veux parler de votre couple illégitime – était parvenue aux oreilles de votre ministre ou d'un officier de renseignement canadien ou américain, alors vous auriez été promptement éjecté, condamné, déshérité. Grychine vous tenait aussi par les couilles, sans que ce soit une excuse à la trahison.

L'homme avait avalé une gorgée de son bourbon et la gardait dans la bouche, les yeux fermés. Sa déglutition le fit légèrement hoqueter, surpris de la puissance de l'alcool. Il leva son verre vers le dos du général.

– Nous y voilà. Je serais un traître et un «pédé» en même temps. Nous sommes entre professionnels, moi de la diplomatie, vous du chantage, et vous me balancez une histoire vieille de trente ans. Mais vous avez tout à fait raison, du moins en ce qui concerne l'atmosphère de cette époque bénie où nos services vivaient sous le joug de la CIA, sans beaucoup de maîtrise non plus de notre diplomatie. Un dossier comme celui-là, monté avec doigté, était souvent gardé au chaud pour pouvoir faire fléchir une forte tête éprise de justice ou de liberté. Personne n'a jamais sorti le dossier parce que je n'ai jamais gêné, jamais désobéi aux ordres de Washington. Un bon petit soldat avec le doigt sur la couture du pantalon pour éviter qu'on me le fasse enlever pour vérifier si j'étais fait comme tout le monde. Je fus un serviteur apprécié parce que je ne faisais rien sans sentir, avant de proposer ou d'agir, dans quelle direction le vent soufflait à la Maison-Blanche. Il est des carrières qui se réussissent dans la lâcheté et la servitude, sans pour autant mourir dans l'oisiveté. Je fus un excellent travailleur de l'immobilisme et de l'imitation, comme devait l'être notre rôle de cette époque durant laquelle nous pouvions servir de viande tendre aux deux protagonistes de la guerre froide qui nous prenaient en sandwich pour mieux nous dévorer.

LIVRE II

JE SUIS IGOR GRYCHINE, ON M'APPELLE LE CONSEILLER

11

*Riga, province de Carélie, Union soviétique,
novembre 1989*

La neige avait cessé de tomber et la boue remplaçait par
osmose, du pur vers le sale, le sol immaculé.

En Lettonie, province de Russie et pourtant si loin de la
capitale moscovite, il n'y avait guère que l'hiver pour cacher
les travaux inachevés par les koulaks, ces esclaves politiques
et économiques, ces rapatriés des goulags avec leurs proches
si bien surveillés. Partout, des chantiers, ceux des ouvrages
incomplets du port ou ceux des immeubles historiques du
centre-ville. Certains, surtout sur la rade marchande de
Liepaja, étaient encore plus négligés, leur dernier étage ouvert
à la pluie par des fenêtres béantes, yeux morts donnant sur des
sacs de ciment durcis et des immondices entassées. À l'entrée
du port, on pouvait à peine deviner, derrière un mur de brique
rouge, les bâtiments gris, fondus sur un ciel de même couleur,
ceux de la douane et du siège local du KGB, construits de
parpaings bruts et surmontés de barbelés. Ils n'avaient jamais
été revêtus de l'enduit promis et resteraient ainsi, les murs de
plus en plus mal rapiécés par des taches de ciment ressemblant
à des éclats de boue.

Les flaques d'eau apparurent entre les plaques de neige,
l'une après l'autre, au milieu des rues et sur les trottoirs
des quais, construits par les remblais radioactifs des sables
du cimetière des sous-marins de la Flotte. Plus les marées
ramenaient le limon sur le sol immergé de la baie, plus les

dragueuses rejetaient leurs captures infectées sur les bords du mur de blocs de béton, héritage des défenses anti-sous-marines de la guerre froide. La légende locale rapportait que, pour se venger de l'oppression russe, les quais brillaient la nuit pour empoisonner les Soviétiques.

Le capitaine du *MV Aasvik* – port d'attache Bergen –, malgré sa connaissance intime des dérives écologiques de l'Union soviétique, n'en croyait pas un mot. Cela faisait treize jours qu'il attendait en plein vent, au bout du quai numéro cinq du port de Ventspils. Il en avait la preuve, tant sur les figures des dockers lettons maladifs qu'à la vue des filles de joie qui pleuraient leur vodka en exhibant leurs mêmes dents pourries. Le marin, depuis les trente ans qu'il traînait sur ces quais loin de Moscou, n'avait jamais vu aucun Russe parmi les malades et les oubliés du miracle collectiviste. D'un point de vue strictement humanitaire, il ne s'en souciait guère, parce qu'on ne coupe pas la branche sur laquelle on est monté à la force du poignet, qu'on ne critique pas son employeur et qu'on s'enrichit toujours en acceptant la réussite du plus fort. Il savait, parce qu'il vivait du bon côté du mur en gagnant sa vie des commissions versées par l'Est ruiné, que les fonctionnaires natifs des provinces moscovites ou leningradiennes étaient soignés, rapatriés et remplacés à la moindre alerte radioactive. Toute sa peau, soudain, le démangea, à la vue des quelques arbres faméliques qui poussaient dans des niches de cailloux cimentés, décorés de sacs de plastique déchirés, épinglés aux branches noircies par les fumées de gasoil. Les végétaux refusaient par solidarité de supporter les premiers flocons, repoussant encore le blanc pour le gris des écorces luisantes.

Treizième jour d'attente. Un signe funeste pour un homme qui ne comprend pas la magie des nombres, mais qui craint, en marin, les mauvais augures. Le capitaine n'aimait tout simplement pas ce type d'attente et les changements de programme incessants, qui ne pouvaient que désorganiser la filière et mettre en danger son équipage.

Il n'était d'ailleurs plus certain que ces hommes, justement, soient les plus aguerris, ni ne conviennent parfaitement à la nouvelle mission. Leur état de santé se dégradait à mesure que les soirées et les nuits dans les bordels se poursuivaient, et s'ils ne pouvaient déjà plus tenir debout sur la terre ferme, ils n'y parviendraient pas mieux sur le navire au milieu d'une mer démontée. Il doutait même de son lieutenant, qui n'avait déjà plus un kopek et se soûlait seul sur le pont avant, une caisse de vodka frelatée sous ses pieds, pour pouvoir vomir au vent sans avoir à se déplacer.

Le capitaine avait tenté de prévenir son équipage que bientôt ils allaient repartir, mais n'avait eu, pour toute réponse, que des haussements d'épaules d'ivrognes désabusés. Il avait tenté de refuser la course, mais le fonctionnaire du KGB lui avait raconté que tous les navires habituels étaient déjà occupés, sur les côtes du sud de l'Europe, à observer les grandes manœuvres maritimes d'hiver de la flotte de l'OTAN. Le Norvégien, élevé à la dure au fil des campagnes de pêche du Grand Nord, l'avait écouté lui vendre une mission de laquelle il n'avait que peu de chances de revenir. Entre les silences et les crépitements de la ligne téléphonique protégée, il avait compris que la totalité de la flotte illégale du service secret du ministère de la Défense, le GRU, et du KGB était occupée ou en si mauvais état que la main de la malchance l'avait finalement choisi. Il ne pouvait même pas pousser le bateau jusqu'à ce qu'il se coince sur la glace naissante pour attendre le dégel en cultivant, au chaud, ses morpions. L'hiver était trop doux.

Si le Conseiller et, au-dessus de lui, le tout-puissant Vladimir Poutine en avaient décidé ainsi, le capitaine aurait beau jeu de répliquer que son cargo ne faisait plus le voyage en hiver depuis longtemps, parce que la route du nord était fermée par la glace et parce qu'il ne savait pas si son navire pouvait encore supporter une seule tempête de pleine mer. Pas une de celles qui broient les navires pendant l'hiver, là il ne fallait même pas y penser, une petite du printemps, sans trop de vent, quand les courants du Gulf Stream finissent par repousser la banquise au-delà du cercle polaire arctique.

Il avait un peu insisté auprès du coordonateur, parce qu'il pensait que les dieux nordiques l'avaient sûrement abandonné le jour où il avait confié aux communistes son équipage.

Il avait expliqué au fonctionnaire que tous les boulons avaient rouillé, qu'aucun joint synthétique ne tenait plus sous l'assaut de l'iode nucléaire des ports de guerre soviétiques. Les marins devaient tremper des tissus dans du goudron brûlant pour pouvoir colmater les cicatrices quand la mer tordait la vieille tôle d'acier. Même par temps calme, l'ossature tremblait et geignait comme si une mâchoire enserrait la coque, à l'écraser. Il avait plaidé que sans l'abri proche des côtes, il ne pouvait plus rien assumer, ni la survie de son équipage ni celle des agents qu'ils transporteraient. Mais il avait vite compris que, pour l'officier de la place Dzerjinski, il n'était qu'un numéro déposé sur une carte d'état-major, elle-même étalée devant des apparatchiks qui ne connaissaient de l'océan que la douceur qu'ils en ressentaient sur les plages chaudes de leur datcha de la mer Noire. À l'annonce du montant de la prime de voyage, dix fois celle d'un passage d'été, il n'avait même plus pensé refuser le contrat. Ces fonctionnaires étaient fous de payer d'avance un service que son équipage ne pourrait pas effectuer.

Il avait donc accepté le voyage parce qu'on ne refuse pas un pacte avec le diable, en espérant tout de même, par conviction politique, pouvoir ensuite rouler les démons de Moscou. Il avait signé au bureau du port un unique exemplaire d'un document administratif hérité des années 1950 sur l'obligation des moyens collectifs dans la lutte contre l'impérialisme. Il l'avait ensuite échangé contre le sac en plastique gris aussi fin qu'un papier à cigarettes, plein de petites coupures en devises occidentales. De retour à bord, il avait débauché deux chanceux parmi les cinq marins du bord, pour pouvoir caser les futurs invités. Il les avait gravement salués en leur indiquant qu'ils devraient bientôt se trouver un nouveau patron.

Jamais ils ne reverraient l'*Aasvik*.

Aux autres, le capitaine avait donné, selon l'ancienneté et le grade, leurs centièmes de part avant de leur conseiller, pour la première fois, de boire leur solde de campagne avant de partir, signe qu'ils devaient se préparer à traverser l'Helheim[7], encore plus terrible que l'enfer des chrétiens parce qu'on y est seul et aveugle, comme dans la légende du grand maelström.

Une bruine grasse de pollution avait succédé à la neige, et le navire battant pavillon norvégien oscilla à nouveau sous le choc des vagues produites par le passage des croiseurs de la marine soviétique qui entraient paresseusement dans le port. Le petit navire craqua contre les pneumatiques de camion qui le protégeaient du béton du quai. Sur la proue, une paire d'yeux jaunes surmontait une barbe rousse peinte directement sur la tôle. La marque du *MV Aasvik*, l'emblème du commandant. Il était plus long et plus large que ces chalutiers islandais que le capitaine avait manœuvrés pendant les vingt premières années de sa longue carrière de commandant de pêche. Il était cependant l'un des plus petits cargos du port, ramassé et grinçant, l'unique patrimoine du commandant. Il l'aimait comme son propre enfant. Il le détestait, aussi, comme la meilleure de ses amantes ou le plus lointain de ses souvenirs.

La coque était un clin d'œil historique de l'efficacité de la tôle soviétique issue des usines de Vilnius. Elle devait aussi être l'expression du miracle de la métallurgie communiste ainsi exposé aux yeux des deux officiers mariniers en long manteau bleu, fermé en partie par six boutons dorés. Ils portaient la casquette dont la visière démontrait au monde des initiés qu'ils avaient dépassé les cinq années de service dans la marine de guerre. Des combattants aguerris, à en juger par l'éclat parfait du cuir de leurs bottes et la ligne impeccable du pli de leur pantalon.

---

7. L'Helheim, le royaume des morts des traditions nordiques.

Ils étaient sur l'appontement, commentant à haute voix l'état du cargo et lançant un pari sur sa capacité à traverser le détroit, par un jour d'été sans marée ni vent, ni aucun débris de sous-marins dérivant. Le plus jeune mit les mains en porte-voix et cria pour demander aux marins du bord si un banc de morues aurait pu le couler. L'autre lui tapa dans le dos pour le féliciter avant de s'esclaffer à son tour.

Ils hésitèrent à continuer leur promenade et regardèrent encore s'activer les matelots, deux vieillards et un jeune qui devait à peine avoir dépassé les douze ans, âge minimum requis pour embarquer comme mousse sur un navire commercial norvégien. Il s'affairait sur une drisse et se reprit trois fois avant d'en arrêter le nœud d'une demi-clef à capelet grossièrement serrée, qu'il s'empressa de dénouer pour recommencer. Il avait toujours rêvé devenir l'un de ces héros qui vivaient sous l'eau en traversant le pôle Nord par-dessous les glaces, pourchassés par les géants américains aux ordinateurs ultra sophistiqués. Son infirmité le condamnait à tenir le compte des bouteilles d'alcool et des boîtes de sardines bombées de la cambuse, ainsi qu'à nettoyer le carré quand le temps permettait de tenir debout sans avoir à se cramponner. Il était l'enfant d'une mère frappée de botulisme et jamais il ne combattrait. S'il pouvait encore observer les deux militaires avant de reprendre son service dans les cuisines sombres et puantes, il n'hésiterait pas. Il cracha dans ses mains et dénoua encore son ouvrage.

Il reçut une claque sur le haut du crâne, assenée par un géant à la barbe et à la tignasse rousses qui venait de surgir de la timonerie. Il eut le réflexe de s'enfuir derrière l'ogre, dont le pied chaussé d'un lourd godillot ferré lui manqua l'arrière-train de quelques millimètres.

L'homme, le capitaine de l'*Aasvik*, passa sa main dans ses cheveux pour les ramener vers l'arrière. Il les attacha avec un cordon de cuir et posa son bonnet de laine noir, retroussé, sur le devant de son crâne. Ses yeux, une cornée jaune entourant de minuscules billes noires, firent un rapide tour d'inspection le long du pont de son navire. Il semblait se réveiller lentement d'un songe qui l'avait décidé, enfin, à bouger. Ensuite, il prit le temps d'allumer sa pipe et il se pencha sur la passerelle, hurlant en direction du quai et des deux marins soviétiques. Son russe était clair et précis. Il décrivait le bonheur que le gosier d'un marin, asséché par le froid de l'hiver, pouvait éprouver au passage d'une lampée de vodka, autour de quelques moqueries sur l'état de la fierté de la flotte. Les deux marins éclatèrent de rire, vérifièrent qu'aucun officier ne les surveillait et montèrent la coupée en se tapant le dos.

Personne sur le quai n'allait commenter la disparition des deux sous-mariniers. Pourtant, deux officiers du KGB en mission d'infiltration vers le Canada venaient de s'embarquer.

12

Détroit de Belle-Isle,
Battle Harbour, novembre 1989

Ils avaient quitté la Lettonie calmement, portés par la mer grise qui allait bientôt devenir pâteuse, jamais gelée mais écrasée et lourde de neige et de glace. La mer Baltique fut traversée vers l'ouest, au rythme sourd et trépidant de la musique des gros moteurs diesel qui tournaient avec précision sous l'œil unique du chef mécanicien. L'homme, un solitaire, avait toujours une clé anglaise dans une main, comme le crochet d'un manchot, et dans l'autre, un chiffon aussi maculé que la moindre parcelle visible de sa peau. Il dormait, été comme hiver, dans la salle des machines et n'acceptait personne dans son antre, l'oreille aux aguets de la moindre dissonance dans la respiration de sa vieille mécanique. Le capitaine avait fini par le faire manger seul, parce que le chef mécanicien ne supportait pas que l'on parle quand il écoutait la complainte de bielles et de soupapes qui remontait, assourdie, des entrailles du navire. Il devait croire qu'il en avait écrit la partition. Le reste de l'équipage devait alors rester silencieux et l'ambiance à bord s'en ressentait. Le capitaine avait même refusé que son second vérifie l'arbre de l'hélice après la collision avec un conteneur abandonné. Au son des cris et pleurs de son mécanicien, ainsi que des coups de masse résonnant du tréfonds, il savait que personne n'aurait pu mieux réparer la propulsion du navire marchand.

L'homme lui avait un jour avoué être un ancien chirurgien de la nomenklatura, révolté politique, envoyé au goulag parce qu'il avait saboté l'ablation des varices d'un ponte de la Tchéka[8]. Le haut fonctionnaire avait été opéré des deux côtés, et l'ancien médecin n'était sorti des camps que vingt années plus tard, après le décès de son dernier opéré, les mains durcies par le froid et le travail de toute la caillasse qui avait permis l'édification des autoroutes soviétiques. Il était devenu incapable, physiquement et mentalement, d'occuper un poste médical et s'était alors pris d'amour pour la mécanique nautique. Son moteur était pour lui son nouveau et symbolique patient à opérer.

Les lumières de Copenhague dépassées dans le courant de la quatrième nuit, ils avaient continué le long des côtes norvégiennes pour remonter tout droit vers les îles Féroé. Après le détroit, solitaire au milieu de l'étendue d'eau, bordée au sud par l'Angleterre et au nord par l'Arctique, l'équipage avait profité du temps clément pour casser la glace sur le pont et repeindre l'infrastructure. Ils avaient l'habitude du changement d'identité. En quelques heures, l'*Aasvik* était mort et le rutilant *MV Aastum* montrait désormais sa livrée bleue et noire, la proue décorée d'une sirène casquée aux seins protégés, et la poupe marquée par les lettres d'or du port d'attache de Haugesund. Son nouveau livre de bord rapportait un embarquement de pièces détachées de moteurs pour la réfrigération industrielle d'une usine de conditionnement de pêche, et de trois conteneurs de déménagement embarqués au port de Nantes et de Dunkerque en France, à destination de Québec. Soumis à un interrogatoire serré, ils auraient pu certifier que jamais ils n'étaient passés, de toute leur vie de marins, par l'un des ports de la Baltique contrôlés par les Soviétiques. Par souci du détail, les têtes pensantes de la place Dzerjinski avaient coulé le véritable cargo venant de Nantes, qui reposait maintenant à trois mille mètres de profondeur au large des Shetlands. Pendant quelques heures, deux cargos identiques s'étaient frôlés comme une image et un miroir peuvent se rapprocher. Leurs routes s'étaient croisées normalement, et

---

8. Vétchéka ou Tchéka, acronyme pour Commission extraordinaire panrusse pour la répression de la contre-révolution et du sabotage. Ancêtre du KGB.

deux échos radars avaient continué dans l'hiver, rapportant leur marche indolente aux navires et aux centres d'écoute et de surveillances militaires occidentaux. Pourtant, l'une des traces, dans la nuit, celle qui avait pris la place du navire torpillé, s'immergerait bientôt à l'abri des eaux territoriales, juste avant le jour, et retournerait à l'abri du golfe de Finlande, propulsé par ses puissants moteurs nucléaires. Le KGB était passé maître dans l'art de subtiliser les navires en y ajoutant l'empreinte radar d'un sous-marin d'attaque, camouflé par une émission d'échos truquée. Le nouveau cargo, sa cargaison identique à celle vérifiée par les douaniers français, n'était né que pour une mission : infiltrer les soldats de l'empire en territoire ennemi et ravitailler les équipes d'illégaux déjà en mission sur le territoire américain. Après, le capitaine partirait à la retraite ou s'achèterait un nouveau navire, s'il réchappait de la traversée du retour ou s'il n'était pas à son tour torpillé par son commanditaire.

Le sixième jour, après une nuit calme, éclairée par une lune immense et porteuse d'un funeste présage, la tempête les avait rattrapés par les trois quarts arrières, alors qu'ils traversaient le plateau de Rockal au sud de l'Islande, descendant vers le sud-ouest depuis quelques jours pour éviter la dérive des icebergs. Ils avaient vu l'ouragan lever la mer à l'horizon et, avant qu'ils puissent réaliser l'horreur de leur situation, la première vague les avait soulevés. Elle devait être suivie d'une infinité de tentatives différentes et perfides pour les faire sombrer. Ils n'essayèrent même pas de résister, fuyant au vent en un surf permanent, rythmé par le choc du creux et le grincement de l'infrastructure lors de sa remontée sur la montagne d'eau qui suivait. Les plus vieux racontèrent au mousse effrayé par tant de force et de sauvagerie que parfois, en cognant si bas, on pouvait voir les sommets des montagnes océanes et les cimetières d'épaves. Ils ne devaient leur salut, seconde après seconde, qu'aux moteurs, crachant en rythme les milliers de litres d'eau salée qui se déversaient dans la coque et qui déséquilibraient le navire déjaugeant du haut de vagues plus hautes que des gratte-ciel new-yorkais. Le chef mécanicien avait chanté des hymnes jour et nuit dans son cachot au sol inondé. Sa voix était le seul moyen de savoir qu'il était encore en vie. Jamais il n'aurait quitté son poste pour laisser son patient loin de ses attentions particulières. Il était fou, et le capitaine le savait depuis qu'il l'avait surpris en blouse blanche maculée, la tête entourée des sangles d'une lampe frontale chirurgicale des années 1970, à ausculter au stéthoscope le corps de fonte de la grande chaudière. Aucun autre homme au monde n'aurait pu tenir en état un moteur de cet âge pendant une tempête majeure dans l'Atlantique. Aucun dément ne pouvait non plus rester ainsi, enfermé dans son antre, à hurler aux pistons de ne pas s'arrêter et de continuer à chanter avec lui. Le capitaine n'avait même pas exigé de lui qu'il porte son équipement de survie étanche. Quand le Norvégien avait vu arriver sur lui les falaises d'océan, éclairant la nuit de leur écume, coup sur coup, sans fin, sans cadence, bousculant, soulevant, écrasant, il n'avait pas cru en sa propre chance de survivre plus long-temps qu'un soupir dans une mer d'hiver aussi démontée. Il savait que le vieux mécanicien n'aurait jamais abandonné son Volvo qu'il appelait son gros bébé.

Le capitaine urinait sur place, accroché à sa barre pendant toute la tempête. Son second était derrière lui, concentré à transmettre ses ordres à la machinerie. Ses ordres étaient devenus une litanie, une prière à Odin, un poème désespéré. Le commandant du cargo n'avait pas bu une goutte d'alcool jusqu'au détroit de Cabot et son humeur s'en ressentait. Il ne parlait presque plus et grognait ses ordres d'une voix cassée par le tabac mouillé qu'il avait tenté en vain de fumer et s'était résolu à chiquer. Même les deux étranges marins embarqués au port s'étaient abstenus de paraître dans la timonerie assiégée par les murs d'eau se fracassant contre les hublots, à faire tordre la tôle d'acier et à balayer comme un fétu de paille la grande grue du pont avant. Ils n'étaient sortis qu'une fois de leur cabine, titubant et vomissant, pour jeter en pleine mer le baluchon constitué des effets militaires qu'ils portaient en quittant le quai si calme pour embarquer sur le pont de leur cercueil. À les voir ainsi cramponnés, le commandant avait hurlé de rire dans la nuit déchaînée. Il les imaginait, sanglés à leur couchette, attendant la mort sans aucun espoir de sursis. Les illégaux allaient se souvenir, pour toujours, de l'enfer des marins.

Soudain, le huitième jour, la tempête partit vers l'est et le silence donna l'impression aux humains d'être devenus sourds. La mer s'était apaisée d'une seule claque de géant écrasant les éléments. Ils avaient devant eux le Cap-Breton, porte de la terre américaine du golfe du Saint-Laurent. Autour du bateau, une famille de bélugas les dépassa et sembla rire de leur faiblesse face aux fracas divins, pourtant si naturels pour eux. Le bateau avait résisté. Il était blessé, dépecé, mais vivant, son moteur ronronnant de bonheur à l'idée d'abandonner enfin son rythme chaotique. Le capitaine laissa la barre au jeune mousse encore tremblant et partit se laver et se changer. Il alla ensuite frapper à la porte de la cabine des invités pour leur crier que, le soir même, ils boiraient du cognac et fumeraient des cigares. Leur destination n'était plus alors qu'à deux jours de mer.

C'est à ce signal que les deux ex-marins soviétiques, qui parlaient maintenant anglais et français avec un accent canadien, étaient sortis de leur léthargie pour aider l'équipage à manœuvrer. Le mousse avait eu la surprise de voir le plus âgé d'entre eux, un grand brun aux sourcils broussailleux, passer la vadrouille peu avant la montée à bord de l'officier de la douane canadienne en visite d'inspection. Le livre d'équipage marquait précisément qu'ils faisaient tous partie des professionnels habitant à l'année, et ce, depuis cinq saisons, les quartiers nauséabonds de l'étage pont des matelots. Tous savaient que le mousse n'aurait pas résisté cinq minutes à l'interrogatoire du professionnel de la douane canadienne sur l'identité des deux espions. Mais il était sourd et muet de naissance et s'enfuyait quand l'un d'eux s'approchait.

Le capitaine répondit à toutes les questions en livrant les passeports qu'il détenait au sec dans son coffre, au côté de la bouteille de cognac hors d'âge qu'il réservait à ce type de rencontre. Plus tard, il vida le reste de la bouteille, à même le goulot, en regardant le petit canot à moteur débarquer ses deux passagers sur le continent. Ils n'avaient pas échangé un seul mot pendant le voyage et personne à bord ne se souviendrait de leurs visages. Le canot revint quelques minutes plus tard avec deux nouveaux marins qui prirent les places laissées vacantes, aussi silencieux que leurs prédécesseurs. L'ordre du retour était donné. La machinerie, déjà, faisait bouillonner l'eau riche en plancton pour pousser le cargo vers les bancs de baleines de Tadoussac et la remontée du Saint-Laurent. Après le déchargement dans le port de Québec, le navire referait la route inverse jusqu'à croiser celle d'un nouveau cargo et d'un sous-marin nucléaire. Ils connaîtraient alors leur nouvelle identité, habitués à peindre et repeindre la coque rouillée, et rentreraient se soûler dans le port soviétique qu'on leur indiquerait. Deux héros seraient alors rentrés au pays et personne n'aurait pu découvrir comment ils avaient été exfiltrés, ni ne décorerait les marins qui les avaient transportés.

Une femme attendait les deux marins qui venaient de débarquer sur la jetée de Battle Harbour. Le quai était surplombé d'une maison aux parois de planches peintes en blanc sous le toit rouge, tradition de l'île, héritée de la nécessité de retrouver sa route les nombreux jours de brouillard, d'un maire des années 1950, qui avait fait fortune dans le commerce de peinture. La jeunesse et la blondeur d'Irina Vitovna ne provoquèrent aucune remarque de la part des deux hommes, isolés pourtant depuis plus de trois mois hors du monde, d'abord en immersion totale, pour la pratique du français canadien, dans les sous-sols de l'immeuble du GRU sur la Grande Place, au centre de la vieille ville de Riga, puis dans la cabine secouée du cargo norvégien. Ils regardèrent avec curiosité la femme porter d'un bras ferme la sacoche qui lui était destinée et qu'un des deux marins lui avait apportée. La journaliste, avant de vivre sous l'identité d'une Canadienne et d'oublier jusqu'à son premier flirt à Saint-Pétersbourg, avait gagné les éliminatoires de lutte grâce à l'efficacité de ses ripostes à mains nues. La rumeur racontait qu'elle avait tué un instructeur qui avait essayé de la violer dans les vestiaires. Une autre rumeur la faisait la maîtresse du vieux juif tyrannique qui donnait les cours de théâtre de l'académie supérieure du KGB.

Ils dormirent tous les trois à l'hôtel Battle Harbour Inn, occupant les deux seules chambres disponibles de la pension. La femme avait invité l'officier à partager son lit, par réaction de caste et parce qu'ils avaient à définir, déjà, les limites de leur future intimité.

Gilles Drouin, pourtant, dormit sur le sol. Il n'avait pas sommeil, il n'aimait pas les femmes. Le futur premier ministre du Québec était de retour chez lui.

Le lendemain, ils prirent l'hydravion de l'équipe de tournage qui accompagnait la femme. Les deux espions voyageaient à l'œil, comme cela se fait quotidiennement entre les îles et le continent. Ils étaient déjà Canadiens, leur accent français le prouvait. Ils partaient à la recherche d'une identité leur assurant une plus confortable et surtout une plus durable légende. Pour Gilles Drouin, il serait un commercial avisé, confortablement installé dans son jeu d'illégal.

13

Toutes les émissions radiodiffusées ou télévisées, tous les quotidiens des presses canadienne et américaine, et toute la population n'avaient plus qu'un seul sujet de discussion. Le journal *The New Hampton Tribune*, à Hampton dans le Nouveau-Brunswick, le titrait en une. On y apercevait une photographie pleine page du mur défoncé et d'un premier Allemand de l'Est enjambant les décombres pour entrer dans le Berlin libéré. Il était debout en équilibre sur les pierres et les briques, comme ébloui, timide, jetant des regards un peu inquiets autour de lui, serrant au hasard les mains qui l'accueillaient. Il portait des lunettes de comptable, un chapeau à la mode des années 1950 et un pardessus gris en grosse laine qu'on disait «militaire» quand on était à l'Ouest, et «komfort» à l'Est. En cette triste et pluvieuse soirée de novembre, le monde dit libre avait gagné sur le totalitarisme et la folie de l'amnésie léniniste. Le mur de Berlin était tombé, d'un coup, sans prévenir, sous l'assaut de la jeunesse pacifiste allemande, forte de quelques milliers d'étudiants.

À Hampton, l'observateur, la mèche blonde et les lunettes noires sur le nez, ne se rendait pas encore compte, véritablement, de l'impact de la perte de l'Allemagne sur l'équilibre de la Russie soviétique. Il pensait que les chars ou des négociations secrètes allaient régler le problème en organisant une plus grande liberté surveillée autour de l'îlot de capitalisme de Berlin Ouest. Il ne pouvait imaginer un monde sans guerre froide.

Il savait que l'histoire, toujours la dialectique, passait à une deuxième phase du combat entre capitalisme et communisme, qui offrirait toute sa place et le pouvoir total à son monde, l'espionnage. Cela signifierait l'augmentation des forces stationnées, ainsi que celle de l'effectif du KGB, peut-être même, pour lui, une prochaine et agréable mutation avec une barrette de plus sur ses galons d'officier. Il n'envisageait pas que ses chefs laisseraient perdre à la grande famille des pays du COMECON la perle allemande. Il avait pourtant regardé les images de la retransmission de l'événement avec attention. Il avait même éclaté de rire, seul à une table avec sa bière, dans un coin d'un bar enfumé. Il avait reconnu le personnage ahuri, monté sur les gravats, celui qui était apparu aux yeux et sous les vivats des Berlinois de l'Ouest. Il avait souri à le voir, le premier, profiter du passage pour se perdre à l'Ouest. Un major du KGB, un spécialiste des réseaux terroristes qui menait d'une main de maître plusieurs projets de déstabilisation en Angleterre, en France et en Allemagne. Encore une preuve rassurante que l'Union soviétique n'avait pas perdu la guerre, mais seulement accepté un détour supplémentaire par économie de moyens ou par stratégie. L'homme avait été le premier à passer. Il avait ouvert la voie la plus facile de l'histoire de l'espionnage pour s'infiltrer dans le gruyère de l'Occident. En quelque sorte, l'anticipation des attaques terroristes des années 1990.

L'observateur se serra encore plus dans l'ombre, le dos au mur. À sa droite, à vingt mètres à peine, la jeune femme était arrivée et allumait nerveusement une cigarette. La petite vingtaine, une minijupe découvrant de jolies cuisses, un anorak jaune relevant son maquillage criard et ses cheveux mal décolorés. L'observateur savait qu'elle était la caissière de l'épicerie Silby's Select Product, au bout de Main Street, entre Crawford et Keirsteid Road. Il était arrivé à Hampton deux semaines plus tôt, après la traversée de l'océan à bord de l'*Aasvik*. Il l'avait observée, imaginant ses réactions à la disparition de son fiancé, le maçon Daniel Bouchard, sa véritable proie. Il avait vérifié toutes les hypothèses que le dossier de préparation lui proposait. Il ne devait oublier aucun détail. Il connaissait les habitudes de la jeune femme, les petits et gros mensonges qu'elle racontait à ses amants, et toute la peine qu'elle prenait à cacher sa tumultueuse vie amoureuse à son fiancé d'artisan. L'observateur ne savait toujours pas si elle l'aimait ou si l'attrait du mariage promis, libérateur et passeport social pour une vie dans la petite ville la rapprochaient seulement de Daniel. Ils étaient tous deux des solitaires, et le Russe avait conclu qu'elle n'était pas un danger à la substitution d'identité prévue par le Conseiller. Elle vivrait.

La recherche de légende avait été menée avant l'arrivée de l'équipe d'illégaux. Entreprise et étudiée par les stratèges de Moscou, elle avait été approuvée et préparée par une seconde équipe, cloisonnement oblige, qui avait fait les observations préliminaires une année auparavant et s'était ensuite exfiltrée par la filière clandestine chinoise de Vancouver sur la côte ouest du Canada. D'autres groupes opéraient partout au Canada, étudiant les possibilités de légendes pour alimenter la banque de données canadienne de l'équipe de Poutine, un mélange d'officiers du GRU et du KGB. Les têtes pensantes de Khodinka s'étaient mises d'accord avec les décideurs de la place Dzerjinski pour jeter leur dévolu sur une poignée de cibles, et Poutine avait eu la liberté de choisir secrètement l'identité finale. Son doigt avait touché la fiche du maçon Daniel Bouchard, et Grychine, le Conseiller, avait transmis l'ordre.

Bouchard était un homme d'une trentaine d'années, alcoolique, dans une situation suffisamment difficile pour qu'on croie à la thèse de son suicide ou de son décès lors d'un tragique accident domestique. Il n'avait aucune famille proche et n'avait fait ses études que dans le dur apprentissage des petits boulots de maçonnerie. Il n'avait pas de passé, on lui construirait un futur.

Tous les jours, pendant la pause, la jeune femme venait fumer une cigarette pour l'attendre. L'homme arrivait alors par le même chemin, l'embrassait à peine sur la joue et la retournait contre les poubelles de la ruelle. Une fois sur deux, il n'arrivait pas à la pénétrer, et la femme pratiquait alors une fellation. Quelques minutes sans aucun échange de paroles, et puis l'homme repartait, jetant des regards furtifs avant de regagner son bureau, à moins de deux cents mètres de là. Il laissait sa maîtresse remettre de l'ordre dans sa tenue et son maquillage, puis, après une dernière cigarette, les doigts tremblants, elle repartait. L'observateur avait surpris une conversation la nuit précédente entre les deux amants, dans laquelle elle lui apprenait qu'elle devait s'absenter pour deux semaines pour visiter une tante malade. L'illégal russe, qui avait traversé l'océan dans un navire norvégien, savait qu'elle mentait et partait avec un vieil Américain qui l'emmènerait jouer dans un casino de Las Vegas.

L'heure de l'action avait sonné et l'observateur avait deux semaines de tranquillité pour préparer la substitution. Il vérifierait d'abord que la femme s'était envolée pour ensuite agir calmement.

Il connaissait les promesses de Daniel Bouchard à la jeune femme. Les paroles avaient poussé l'espion du KGB à agir sans attendre. Bientôt, le maçon épouserait sa vendeuse, et ils fonderaient un foyer et de véritables relations sociales. Il lui fallait encore un peu de temps pour que son entreprise de maçonnerie rattrape ses erreurs de jeunesse et sa propension à trop bien finir les bouteilles de Bourbon, mais il avait promis de légaliser leur histoire d'amour. Le Russe entendait toutes les conversations depuis que l'artisan lui avait offert de l'héberger dans une pièce de l'entrepôt. Il l'en avait remercié chaudement.

– Je pourrais passer ainsi l'hiver sans crainte d'être expulsé par la police si je ne parvenais pas à retrouver ma carte d'assuré social. T'es un frère, Daniel Bouchard, un vrai chum. Quand je serai patron, j'agirai comme toi !

L'ami en question n'avait pas répondu, lui laissant un sac de couchage et les clés de l'entrepôt dans lequel les machines usées ne valaient pas le risque d'être accusé de vol qualifié.

De sa cache aménagée, le soir, le Russe entendait le couple soupirer et parler de sa vie future, après que l'homme eut joué de l'harmonica pendant toute la soirée. L'observateur ne supportait plus le son du ruine-babines, et pourtant il devrait bientôt savoir en jouer aussi bien. Il s'était pourtant exercé, à Moscou déjà, au sourire et à la voix de l'artisan, était parvenu à trouver sans effort la bonne position des épaules et le rythme chaloupé de la démarche. Il était prêt à prendre sa place. Le Conseiller était certain que le meilleur des élèves de son théâtre, ce Macbeth génial, était l'officier le plus apte à jouer le rôle de sa vie.

Il quitta son poste et suivit le maçon. Il savait que l'homme retournerait à l'entrepôt pour avaler un verre de whisky en cachette. Avant de se remettre au boulot de fin de semaine et à la lecture et au contrôle des factures, ainsi qu'à la préparation des liasses de tickets de caisse pour la banque.

Deux heures plus tard, après s'être assuré du départ de la femme au bras de son Américain, l'observateur était de retour dans l'entrepôt. Un seul et rapide coup sec d'une chaussette remplie de plomb, et il put à loisir installer un sac plastique fermé par un élastique sur la tête de l'artisan. Après quelques secondes, un dernier soubresaut lui indiqua que l'homme avait suffoqué. Il le traîna dans le local transformé en chambre, lui retira ses affaires pour lui enfiler les siennes, lui enleva son dentier de mauvaise qualité et le laissa allongé au milieu de la petite pièce. Il pouvait maintenant ouvrir l'alimentation du gaz. Le petit dispositif d'allumage ferait le reste et se consumerait avant que les pompiers n'arrivent à arrêter l'incendie.

Le brasier fut d'une force terrible, embrasant plusieurs maisons voisines en quelques minutes. L'observateur avait prévenu les secours après avoir sauvé une famille entière, et il avait aidé à combattre les flammes jusqu'à ce qu'un des professionnels du feu ne remarque l'état de son visage, horriblement brûlé. Quand il se rendit au bureau de la police, le surlendemain, la tête presque complètement bandée, pour signer une déposition, il signifia qu'il ne pouvait plus continuer à travailler dans le lieu même de la mort de son employé.

Il partit sur-le-champ avec les économies et le camion du maçon. Il était maintenant muni d'une identité et d'une somme d'argent qui lui permettraient de revenir au Québec. La mission pouvait commencer. La jolie fiancée, à son retour deux semaines plus tard, avait été informée du départ de son Daniel. Contre une partie de sexe avec des compagnons de poker, vainqueurs d'une partie acharnée, le vieil Américain avait promis de l'épouser. Elle avait déjà presque oublié Daniel Bouchard, comme le vieux Texan, sa promesse.

14

Québec,
22 décembre 2002

Je fus déçu de quitter la boue londonienne, si parfaite pour les roues à rayons de mon Aston. Je le fus plus encore de m'enfoncer dans celle de Montréal, dans laquelle je ne pouvais qu'envisager de salir un de ces *trucks* américains qu'ils appellent camions, construits pour traverser les ponceaux des rivières enneigées. J'avais rêvé d'immensité et du blanc neigeux de l'hiver. J'aurais voulu trouver en descendant de la passerelle de l'avion cette buée qui blanchit les barbes et gerce les lèvres. Mais, pour ne pas me dépayser, il pleuvait sur le Québec en cette fin de décembre autant qu'à Piccadilly. Les femmes maculaient leurs talons plats et leurs chaussettes hautes, et les enfants, la ceinture sur le bas des fesses et les Nike montantes ouvertes, le lacet défait, sautaient dans les flaques en ondulant comme les rappeurs de Harlem. J'avais marqué une pause en haut de la passerelle de l'avion, n'osant pas me précipiter. La bruine ne me souhaitait pas la bienvenue dans mon nouveau pays, et je sentais, dans une trouble pensée, que j'avais traversé l'océan pour retrouver le même nuage. Ma déception saisonnière était peut-être la conséquence de mon prochain retour en Russie, celui promis par Moscou quand notre mission aurait bouleversé l'équilibre du monde. J'aurais donc voulu m'imaginer, un peu, en Russie et n'étais déjà plus en Angleterre. Une dernière mission après une carrière à ne jamais être réellement Igor Vitovitch Grychine. Après, je devrais apprendre à me regarder vieillir comme un pensionné.

Pour le monde qui m'entourait, je revenais au pays. Pourtant, je n'y avais jamais mis les pieds. Mon statut d'orphelin de bonne famille canadienne, affilié par la naissance aux meilleures des loges maçonniques britanniques, m'ouvrait les portes de l'ancienne colonie, mieux que la foule des francophones que j'avais côtoyée faisant la queue dans les couloirs de l'ambassade alors que j'étais pour ma part reçu directement par le consul.

Les ordres de Moscou étaient d'accélérer mon intégration pour rejoindre Gilles Drouin, et je n'avais pas eu le temps de me forger une nouvelle identité.

Dès l'arrivée de l'avion, j'étais déjà dans le monde parallèle de l'aristocratie anglaise des colonies. Associé depuis Londres à un important cabinet d'avocats du Vieux-Montréal, je venais y prendre les fonctions de président après plusieurs années de collaboration transocéanique. Le bureau avait anticipé ma venue en prenant mon billet de première classe. Le grand maître de la loge écossaise du Canada et principal actionnaire du bureau m'avait accordé le luxe d'éviter les couloirs menant aux guichets d'immigration pour sortir directement sur le tarmac, sous une pluie battante, afin de rejoindre les bureaux de la firme sans m'occuper des formalités douanières. Je savais qu'elles avaient déjà été prises en main par l'un de nos avocats stagiaires.

Au bureau, nous bûmes un honorable sherry en compagnie de la garde rapprochée du vieil homme, discutâmes un peu du confort dans lequel mon voyage s'était déroulé, et beaucoup des affaires qui secouaient la métropole, en pleine tourmente électorale.

J'appris qu'une commission anticorruption était en préparation, menée par le jeune et brillant politicien, Gilles Drouin. On m'indiqua, sous la promesse de confidentialité, que la décision finale de ma venue à la firme était la conséquence de la disparition d'un de ses membres éminents, auquel j'allais succéder. Parti à Cuba en compagnie de son ami de toujours, un fonctionnaire et comptable du Trésor, ils avaient tout bonnement disparu, avec quelques centaines de milliers de dollars du compte de fiducie du cabinet. Je leur rétorquai que les vacances sont source de dangers et signes avant-coureurs de permissivité. Au hochement de la tête de mon hôte, je compris qu'il m'avait adoubé.

Vers cinq heures de l'après-midi, il fut temps de tester la cave à cigares, en smoking et nœud papillon. J'avais quitté Londres depuis moins de dix heures et me retrouvais dans les confortables clubs d'un salon victorien, habillé au détail près comme un membre de la famille royale, et pourtant déposé par l'histoire dans l'hôtel particulier d'une avenue du Vieux-Westmount. J'avais imaginé et m'étais préparé inutilement à trouver un monde de coloniaux se défendant des Indiens et des Français à coups de lois et de brimades. L'arrogance et l'humour naturels, le détachement génétique face aux déficiences intellectuelles du camp français ne conduisaient nullement aux répliques des combats déjà gagnés sur les champs de bataille. Ce ROC[9] inamovible suffisait à les confiner dans le ghetto qu'était devenue cette province francophone. Je compris en observant les regards, en contemplation silencieuse de la cendre de leurs cigares, qu'ils avaient perdu la guerre, qu'ils le savaient et s'accrochaient à un dernier fantasme en refusant de devenir, tout simplement, des Américains. Mes hôtes saluèrent ma notoire faculté de parler de nombreuses langues sans accent et me demandèrent poliment de cacher le mien, un peu trop colonial à leurs oreilles exercées. Tout, dans cette courte et efficace première leçon, me convainquit que si je pouvais être celui que je prétendais devenir, je devais devenir l'expert du bon dosage entre le fantasmé « Je me souviens » et la réalité du Speak White.

Plus tard, légèrement assoupi par le cognac, la douceur du feu de bois et les chuchotements politiques des invités,

9. *Rest of Canada.*

je fus pleinement rassuré sur ma capacité à m'intégrer quand je découvris que la jeune épouse de mon vieil associé portait des bas sombres et qu'elle me faisait du pied. Je sus dès le premier soir de mon arrivée au Canada qu'elle aimait mordre les fesses des hommes jusqu'au sang et ne détestait pas se faire fouetter. À me voir dans le miroir de la chambre, dont les reflets cuivrés avaient vécu les derniers instant d'un ancêtre de mon hôte, mort à Trafalgar, je me demandais, en lui faisant l'amour, si nous fêterions Wellington le jour de l'anniversaire de la bataille de Waterloo plutôt que Champlain ou Jacques Cartier. Je voulais me croire aux Amériques, mais je dormais dans les mêmes draps de lin amidonnés que ma logeuse repassait directement sur le lit de mon appartement de Chelsea. Je devais convenir des années plus tard que quelques jours seulement après mon arrivée, le Canada me rapprochait déjà, et de plus en plus, de la nostalgie européenne, m'éloignant d'autant du rêve de retraite dans une datcha de Moscou.

Je devais me concentrer sur le financement de mes futures activités, lancer l'histoire d'un ambassadeur entre les serres d'un général français de la DGSE pour qu'il se jette un jour sur le leurre que je lui avais préparé. Il me fallait, d'urgence aussi, terminer le commerce que mon prédécesseur brouillon avait initié avec la Chine. Le temps était venu. La meilleure partie du Grand Jeu commençait, celle de la conquête du pouvoir.

15

Russie, au large du Kamtchatka,
aujourd'hui

Le cargo roulait et craquait. Il avait été aperçu tôt dans la brume du matin. Il dérivait en suivant le courant, poussé nonchalamment entre les petites îles d'Ostrov Morozhovyi et les falaises volcaniques du continent.

Comme ils avaient été les premiers sur place, le vaisseau leur appartenait. La loi de la mer. Ils avaient vite abandonné l'idée d'une journée de pêche pour s'empresser de poser le pied sur le pont et ainsi, par la tradition de la fortune de mer, marquer leur propriété.

Le canot et ses deux occupants attendirent une houle plus forte, et le plus jeune sauta sur l'échelle rouillée, presque à la moitié de la coque.

Il avait treize ans, il était vigoureux et agile. Il avait affronté, aux côtés de son père et de ses oncles, des orques et des ours blancs, ainsi que le froid de l'immensité gelée. Il avait apprivoisé maintes fois sa peur du dieu tempête, qui frappait sans prévenir, pour toujours leur rappeler qu'ils n'étaient au monde que par le bon vouloir des dieux du vent et des diables de l'océan. L'adolescent s'appelait Tranh, il aimait l'homme vers lequel il se retourna, son idole, son père, le pouce levé devant un sourire auquel il manquait déjà nombre de dents, puis il grimpa sur le pont. Le vent s'était calmé, et le ciel bleu éblouissait, comme seul l'Arctique sait offrir sa clarté brutale. La météo annonçait le printemps, signe qu'ils auraient bientôt le zéro degré en ligne de mire et du froid sec, toujours mieux que les quelques terribles tempêtes de neige des semaines passées. Cette année, elles avaient rejeté sur la banquise les tonnes de détritus habituels, les épaves, les conteneurs explosés ainsi qu'une bonne quantité de dépouilles d'animaux sauvages gonflées de sacs de plastique ou de résidus chimiques contaminés.

Les familles habitant les quelques villages qui restaient de la grande migration vers les villes étaient de plus en plus malades à cause de la pollution, comme si l'Arctique ne devait bientôt devenir qu'une grande poubelle à ciel ouvert, condamnée à pousser au bout du grand courant, celui que les Blancs appelaient le courant nord-pacifique, et leur peuple, les Aïnous, appelait la veine du monde, le Oya Siwo qui arrive avec le printemps puis, quand l'hiver s'installe, descend vers le Japon. Partout, les traces immondes et indélébiles de la civilisation entachaient la pureté de l'Arctique.

Tranh haussa les épaules et entra dans la cambuse ouverte, en tapant par inadvertance dans un vieux seau rouillé qui déversa sur le pont les restes pourris d'une serpillière emmanchée. Il songea un instant au nombre d'hivers et de printemps qu'il avait fallu à cette chose pour pourrir de la sorte. Il imagina quelle urgence aurait pu permettre à un marin d'abandonner un seau et son balai, mais l'odeur de l'eau saumâtre lui rappela surtout celle de la jeune baleine qu'ils avaient tuée la veille et que le vétérinaire leur avait demandé de rejeter parce qu'elle était trop marquée par les cancers et la contamination des métaux lourds. Le médecin, un militaire russe, faisait des prélèvements sur tous les phoques, orques ou baleines qu'ils chassaient. Tout ça depuis que le village voisin avait été empoisonné et que les fonctionnaires de la capitale avaient pris peur devant la perspective d'un nouveau scandale sur l'abandon, par Moscou, des populations autochtones du nord-est de la Russie. Le verdict ne s'était pas fait attendre. La viande était empoisonnée, et son père lui avait fait promettre, une nouvelle fois, de ne rien dire au docteur. Fidèle à son héritage traditionnel, l'homme s'était goinfré d'une partie du foie encore chaud dès que l'animal avait été remorqué jusqu'au petit port.

Le fils se doutait des conséquences. Il avait remarqué les premiers symptômes du cancer chez son père. Les clignements des yeux purulents, la main droite presque paralysée, les jambes gonflées et les urines qui rougissaient la neige de la banquise. Une simple dysenterie, avait déclaré le paternel, en se vidant vingt à trente fois par jour. L'adolescent savait que son père devrait bientôt quitter le village pour rejoindre le grand hôpital vers lequel tous étaient envoyés, de force pour la plupart, poussés dans les camions par ces mêmes soldats qui portaient auparavant la faucille et le marteau sur la chapka. Il sourit encore à ce petit homme qu'il aurait voulu serrer contre lui pour lui affirmer qu'il était fier d'être le fils du meilleur chasseur-pêcheur du Grand Nord. Il sortit pour vérifier qu'il était toujours présent, non loin de l'épave. L'autre lui hurla de continuer son exploration, sans attendre.

Sur le pont du navire, tout était rouillé et marqué par la lèpre de l'abandon. Il fit un signe à son père qui s'était levé à sa barre franche pour mieux l'observer et qui lui fit à nouveau un grand geste pour lui intimer d'avancer, comme il aurait poussé les chiens des traîneaux en avant. Tranh se décida enfin à entrer dans la cambuse, parvint à son extrémité et s'y prit à deux fois pour ouvrir le loquet de la porte menant aux entrailles du cargo.

Le calme. Un véritable vaisseau fantôme, abandonné aux craquements sinistres et aux mouvements désordonnés d'une mer apaisée. Une fois qu'ils l'auraient ramené au port, ils récupéreraient les pièces du moteur, découperaient le cargo et tireraient une véritable fortune de ses plaques d'acier. Une aubaine dans ce désert, si loin des usines et des ferrailleurs. Il avança encore.

L'odeur lui coupa la respiration dès le premier pas. Voulant se retourner, il glissa et tomba en arrière, se blessant à la main sur la tôle rouillée. Une sorte de lait bouillonnant recouvrait le plancher et coulait vers l'extérieur. Quand les vagues frappaient contre la coque, quelques litres d'eau de mer parvenaient à laver un peu de cette masse de bulles, la projetant vers l'océan en coulures nauséabondes. Il s'habitua à la pénombre. Au milieu de la pièce, un cadavre rongé jusqu'à mi-corps, pendu par une corde à l'anneau de la lumière centrale, le regardait. Le mouvement du bateau lui redonnait vie, tournait la bouche sans lèvres de l'ombre à la clarté.

Il n'eut le temps que de se relever et de reculer devant l'horreur. Il n'avait qu'une idée, celle de revenir vers le soleil, de fuir vers son père. Mais, alors que son cerveau lui ordonnait encore de courir, il ne voyait plus rien. La bile mélangée de sang remonta dans sa gorge. Il s'étouffa avant d'avoir pu hurler.

Il y avait un autre monde, loin de ces bactéries qui le dévorait. Il y avait cette voix, celle de son père, qui lui criait de revenir. Le vieux marin paniquait. Il tournait autour du cargo en criant le nom de son fils. Le vieux ne voyait rien et ne pouvait l'expliquer, mais comme à la chasse à l'ours blanc ou à l'épaulard, il avait senti le danger. Un goéland voleta sur la proue avant de tomber, foudroyé, sur le pont. Il alertait, trop tardivement, le vieil homme.

Le cerveau du jeune chasseur ne répondait plus. Il s'effondra en suffoquant sur un autre cadavre vieux de cinquante ans à la chair rongée pour nourrir la bombe bactériologique. Tranh fut le premier à entrer directement en contact avec le germe de la super shigellose qui avait muté en présence de tous ces fûts qui contenaient des produits chimiques si dangereux que leur étude avait été abandonnée par le laboratoire canadien. Le parasite intestinal ne se voulait pas mortel quand un laborantin spécialisé dans la guerre bactériologique l'avait créé.

Il n'avait été mis au point que pour affaiblir les combattants ennemis en les clouant sur leurs toilettes. Une idée saugrenue qui avait fait le tour des cantines, soumise à toutes les blagues de la part de ces humains sans moralité qui voyaient dans cette œuvre le moyen le plus pacifique d'éviter une guerre. Après quelques mois, le projet n'était plus une urgence et le financement manquait. Ils purent stabiliser le germe avec des produits lactés qui lui valurent le surnom de «dysenterie du lait». Comble de malchance, en plus des difficultés comptables, les premiers essais cliniques furent désastreux, tuant en quelques minutes, par hémorragie interne, les quelques rats auxquels on avait fait boire un peu du lait contaminé. Après une mort douloureuse, ils avaient été rongés jusqu'aux os. L'ordre d'arrêt logique des recherches arriva rapidement, et les histoires drôles se perdirent parmi celles, plus nombreuses encore, concernant la qualité des repas servis au restaurant de la collectivité. Quant aux chercheurs, ils furent vite éparpillés sur tout le continent après que le laboratoire fut acheté à l'État canadien par un groupe d'investisseurs privés, liés au Parti conservateur et vivement intéressés au développement des recherches autour du génome. On oublia et on effaça le passé. Les souches furent entreposées pour destruction.

L'un des associés, ambassadeur, financier exigeant doublé d'un politique influent, combla les derniers financements en revendant à un laboratoire chinois installé à Vancouver les études et les projets abandonnés. Une simple signature ministérielle permit alors aux fûts, au lieu d'être détruits, de partir pour un long voyage sous la protection du KGB, motivé par la volonté cachée de financer un grand projet politique sur lequel le Parti conservateur n'avait plus aucun contrôle.

16

Chine continentale,
1980

Voguant par une nuit étoilée, le cargo portait sur son livre de bord et sur sa poupe le doux nom exotique de *Fleur de Mai*.

Le navire avait quitté deux jours auparavant la ville chinoise de Shenzhen, prenant plein sud, dans le détroit. Il avait traversé Deep Bay, puis, tous feux éteints, il avait suivi sa route en évitant le détroit de Macao, jugé par les contrebandiers trop bien surveillé par les marines chinoise et britannique.

Le capitaine poussa un peu plus la vitesse du double diesel, et il apprécia le ronronnement régulier du moteur. Le navire était entretenu à l'extérieur pour donner l'impression qu'il pouvait sombrer à la moindre vague ou tempête, mais sa structure et les moteurs auraient pu rivaliser de vitesse et de performance avec ceux du meilleur des vaisseaux des douanes anglaises de Hong-Kong, ou encore avec ceux des navires de guerre chinois dont il croiserait bientôt la route. Il connaissait toutes les passes, Mong Hau Shek, Wong Shuk Hang, le passage de Stanley pour traverser le Tathong Channel, les horaires des bâtiments militaires et ceux des pirates, comme la limite précise des marées lui permettant de passer au large d'une flottille marchande ou d'un train de sampans en repérant un éventuel suiveur qui se serait immanquablement ensablé.

Il avait calculé et repensé sa route, maintes fois, pour se donner l'espoir de survivre sans trop de stress aux soixante-douze premières heures. Après, ils seraient en sécurité et ils pourraient sortir une bouteille d'alcool de riz pour fêter leur richesse.

Ils devaient remonter lentement le détroit de Formose, jusqu'à la mer Jaune, puis ils pousseraient doucement les diesels vers la Corée. Ils auraient déjà plusieurs fois changé d'identité en traversant de nuit les frontières maritimes. Le *Fleur de Mai* serait vite oublié, et c'est un navire hollandais, puis coréen qui parviendrait à destination pour la livraison finale.

Un voyage de plus, la routine aussi, si celui qui menait l'opération restait aussi précis que le meilleur joueur de ma-jong de Macao ou Guangzhou. Deux jours dans le détroit, puis trois en mer de Chine les avaient fait remonter vers le nord. Le bateau avait roulé doucement, avançant sans crainte, chacun à son bord vaquant aux occupations quotidiennes d'une longue traversée, sans imaginer une seconde qu'ils voguaient vers la vague de ce tsunami qu'aucun météorologue n'avait prévu.

Le capitaine ne pouvait savoir, en allumant sa pipe dans le calme de la nuit étoilée, que de l'autre côté du monde, en Californie, il y avait déjà des centaines de morts, qu'à Hawaï la vague qui s'avançait vers lui avait inondé et emporté maisons et familles, et qu'au Japon on avait enregistré une hauteur d'eau de six mètres frappant les côtes à trois cents kilomètres à l'heure. Le séisme avait fait disparaître une montagne sous-marine à trois mille kilomètres au sud des Aléoutiennes, créant une dépression de plusieurs centaines de mètres en plein courant du Nord Kamtchatka à l'ouest et de l'Alaska à l'est. Les cercles de l'écho marin se dispersaient à la vitesse d'un bombardier.

Mais, s'il avait su que le raz de marée l'atteindrait par la proue et le trois quarts arrière, il ne se serait pas inquiété. Les vagues imposantes, portées par le souffle de l'effondrement, ne mesuraient plus que trois à quatre mètres de hauteur avec une régularité d'amplitude maîtrisable par un moteur en bonne santé. Après le reflux du mascaret, cette tempête sous-marine alimentée en surface par un vent soutenu poussa vers la côte sa fureur sans troubler témoins et scientifiques qui l'observaient. Il n'y eut aucun décès dans les villages côtiers, depuis Hong-Kong jusqu'en Corée.

Si, encore – les probabilités devenaient alors de l'ordre de la rencontre d'un astéroïde avec le vol Conakry-Konkouré –, le capitaine avait reçu l'appel général que sa radio aurait crachoté – volontairement déconnectée pour ne pas être retracée par les triangulations d'ondes des stations militaires chinoises –, il aurait alors tout de même souri, estimant que les dieux lui étaient favorables et lui permettaient de voguer ainsi, seul, dans la nuit orientale vidée, par le tsunami, des prudents et des peureux. Pas de quoi faire peur à un capitaine endurci aux typhons et tempêtes de mer de Chine, menant le gouvernail d'un navire à la pointe de la technologie navale, avec dans sa cale une fortune non assurable comme dernier argument de ténacité.

Ce qu'il ne pouvait savoir ou croire, parce que cela serait découvert plus tard, c'est que l'analyse linéaire de l'amplitude des vagues était une aberration scientifique de plus. De celles, communes, créées pour et par les assureurs en quête de méthodes de calcul des primes actuarielles, dans le seul but de trouver les cas exceptionnels qui permettent de ne jamais rembourser les bénéficiaires.

L'une de ces vagues folles suivit le tsunami, s'en nourrissant.

Cette nuit-là, vers trois heures du matin, l'amplitude et la régularité ennuyeuse du chapelet de vagues créèrent en son sein, en un point précis de l'océan, juste derrière le *Fleur de Mai*, un monstre boulimique d'énergie qui grimpa à trente-quatre mètres et creusa devant lui un abîme de cinquante de plus. La montagne d'eau correspondait, comme des sœurs se ressemblent, aux observations de la mer du Nord qui entraînèrent les calculs de l'équation de Schrödinger. En pleine nuit, alors que le diesel ronflait aussi fort que les marins relevés de leur quart, le cargo plongea par trois quarts arrière sous les eaux, comme un bouchon. Quand la tragédie les souleva, ils n'étaient plus qu'à quelques heures de leur objectif. Ils hurlèrent et ne purent rien faire que se tenir à la première surface boulonnée de la coque, pour attendre la fin. Mais le bateau, qu'une masse d'acier semblait avoir écrasé, n'avait pas sombré. Les hommes louèrent les dieux de leurs pires ennemis pour leur avoir épargné une mort brutale. Ensuite, ils comprirent qu'ils avaient parcouru des centaines de kilomètres, emportés vers le Grand Nord comme une bouteille de naufragés.

Les commanditaires ne retrouveraient jamais la cargaison si bien arrimée dans la cale. L'opérateur secret de la mission, un Canadien, futur ambassadeur en France et conseiller particulier de nombre de premiers ministres, profitant de sa position dans l'administration diplomatique et obéissant aux ordres de ses mentors soviétiques, en fit disparaître toute trace, en espérant que les conséquences possibles de l'échouage des fûts sur les côtes chinoises soient considérées par les autorités communistes comme l'effet de leur propre négligence mélangée à la fureur de la nature imprévisible d'un tsunami, pourtant minime.

Dans la folle odyssée de la grande vague, un fût avait été écrasé, un autre suintait, un troisième commençait à gonfler comme une bouteille de soda fortement secouée. Au contact de l'eau coulant jusqu'à la cale, les contenus s'évaporèrent doucement, goutte à goutte, pour dévorer tout ce que le navire contenait d'organismes vivants. Le mélange était parfait et allait répandre sur le continent un super germe depuis longtemps abandonné par les scientifiques militaires du projet canadien, par crainte, justement, de sa terrible instabilité.

17

Kamtchatka, non loin du cercle arctique,
aujourd'hui

Le pêcheur avait hurlé, debout à l'arrière de son canot. Il avait vu comment le deuxième, puis le troisième goéland avaient été mordus par l'air vicié quand ils avaient plongé vers le pont. Les oiseaux avaient eu le temps de s'élever de quelques mètres, emportés par leur élan, pour s'effondrer aussitôt, raides, sur le pont, au milieu de cette masse qu'ils avaient cru n'être de loin que de la boue de sédiments. L'Inuit savait que ce que les oiseaux avaient confondu avec du nutriment était la masse en putréfaction des animaux touchés par le poison. Des centaines de cadavres suintants, protégés des vagues à l'avant du cargo par la haute proue d'acier.

Il tourna encore une fois autour du bateau fantôme, sans plus espérer que son fils n'apparaisse encore, par miracle ou grâce à la robustesse de sa constitution. Il aurait voulu le voir une dernière fois, pour le saluer, garder un dernier sourire dans sa mémoire, pour accepter l'ignoble perte. Il se décida à virer de bord pour donner l'alerte. Une nouvelle tempête s'annonçait et il ne voulait pas laisser la dépouille de son seul fils à une tombe marine anonyme, sans que la famille et le shaman n'aient au préalable tenu les rituels sacrés.

Il attendit la vague suivante pour plonger la proue de l'esquif vers le sud, le moteur du hors-bord à pleine puissance lui faisant frapper l'eau brutalement, de saut en saut, comme ces poissons volants dont un marin lui avait décrit les bonds sous des mers dans lesquelles on se baigne même l'hiver. Il allait mettre une heure, au plus, pour rejoindre les quais du chef-lieu, quelques minutes pour obtenir la ligne des garde-côtes de la base navale située à quelques kilomètres de là. Dans moins de trois ou quatre heures, son fils serait dans un cercueil, en route pour l'incinération. Dans moins d'une demi-journée, le mal serait éradiqué avec la délicatesse des Blancs : ils allaient faire décoller l'un de leurs gros hélicoptères pour que disparaisse en fumée le navire fantôme, comme ils avaient brûlé les villages qui s'étaient révoltés quand l'Union soviétique avait disparu. Là encore, il avait accepté la fatalité du déséquilibre des forces, hélicoptères de combats, commandos suréquipés contre harpons, flèches et quelques fusils. Sa mentalité et sa culture animiste lui avaient révélé que les chasseurs ne seraient jamais assez nombreux pour revendiquer une quelconque indépendance.

Il pleura en voyant s'éloigner l'ombre flottante. Il savait qu'il était lui-même gravement atteint par le mal mystérieux. Il savait que les doses minimes qui transpiraient des croûtes rouillées avaient contaminé la côte. Ce bateau était la cause de l'épidémie. Concentré dans la cale du navire, ce démon créé par le Blanc n'attendait que quelques coups supplémentaires de l'océan pour s'échapper de la coque affaiblie par l'acidité émanant des fûts. C'était déjà un miracle que le poison ne soit parvenu qu'à exhaler quelques gouttes pour empoisonner doucement quelques villages côtiers. Il grimaça encore sous la douleur qui ne le quittait plus depuis une semaine, depuis qu'il avait perdu ses dents, depuis qu'il se cachait de sa femme pour ne pas l'effrayer avec les plaies qui apparaissaient sur tout son corps, depuis qu'il évitait tout contact avec un être vivant de peur de lui transmettre ce mal incurable qui vous mange de l'intérieur, cette punition divine qui ferait disparaître la tribu comme elle tuait déjà les plus robustes des baleines.

Il pleura plus fort, cria le nom de son fils en maudissant les Koughas, ces esprits malfaisants dont les plus puissants, les plus malins étaient ceux des Russes, voleurs des traditions.

Il ne retenait plus ses larmes en pensant au sourire de ce fier chasseur qui avait failli tomber à la mer en se retournant vers lui pour le saluer, avant de passer l'échelle de coupée en riant. Il hurla à la mer et aux embruns que l'homme est bon, malgré les missionnaires barbus et à moitié fous qui avaient fait irruption pour leur expliquer qu'une religion vieille de quelques générations portait plus de vérité absolue que leur tradition, malgré les psychopathes communistes qui avaient débarqué de camions venus de nulle part pour leur apprendre que des terres qui ne leur avaient jamais appartenu devenaient la propriété d'un parti dont il n'avait jamais entendu parler du siège et de la Place Rouge.

Il croyait autant à la force naturelle des saisons qu'à cette humanité qui aller continuer l'Histoire, parce que les orques revenaient chaque année, que les ours donnaient naissance en pleine hibernation et que le village existait encore, malgré la supériorité des esprits malins étrangers sur ceux des îles aléoutiennes.

Il s'accrochait à cet espoir comme à son gouvernail, malgré les soi-disant médecins venus tester des vaccins sur des femmes qui ne donnaient ensuite que des enfants attardés ou malformés, malgré les courants qui ne ramenaient plus le saumon mais des sacs en plastique, et malgré ces grands bateaux qui lâchaient leurs pets de pétrole au large de la grande baie.

Depuis que le Blanc avait posé le pied sur la terre sainte du Grand Nord, la mort étendait son haleine puante sur la banquise.

Le navire solitaire disparut derrière une dernière vague, en même temps que le promontoire glacé apparaissait devant lui. La mort, la vie, l'urgence de prévenir et celle d'offrir un sanctuaire à ce fils qu'il n'avait pas assez connu et qu'il retrouverait bientôt pour chasser éternellement. Il renifla. Il savait avant d'entendre l'hélicoptère derrière lui en station à contrevent. Un MI24, sans immatriculation, le ventre camouflé aux dessins des nuages gris, le dos aux couleurs bleutées de la glace.

Le vieux avait le sourire aux lèvres quand le missile le propulsa dans les airs. L'intuition du chasseur de la banquise. Celle qui lui avait expliqué que le temps était venu de rejoindre ses ancêtres et surtout son fils empoisonné. Il le savait, avant que la mort ne le frappe, comme la brise du matin apporte toujours les odeurs du temps qu'il fera, qu'il pourrait enfin lui expliquer qu'il trichait en posant son piège à phoques, un truc qu'il avait appris de son père, un poison trouvé dans le foie d'un poisson de profondeur, qui paralysait quelques instants avant de disparaître. Il n'avait pas eu le temps de transmettre à son fils le secret qui leur conférait, depuis des générations, l'honneur d'être les meilleurs des chasseurs, «ceux qui endorment les animaux».

Une autre vague fit disparaître les dernières traces du canot sous l'hélicoptère de combat. L'engin de mort continua sa route vers le signal radar du navire fantôme. Les deux pilotes avaient reçu l'ordre de lancer une bombe incendiaire pour faire disparaître toute trace de ce *Fleur de Mai* qui aurait dû finir sa route dans un port coréen vingt ans plus tôt, pour n'y débarquer sa mort qu'en fûts proprets. En agissant ainsi, les militaires ne pouvaient imaginer qu'ils avaient changé l'histoire de l'humanité.

18

Sur le bord du fleuve Saint-Laurent,
aujourd'hui

Le *K263 Del'phin* les avait expulsés par le tube lance-torpille, en douceur, le temps que se rétablisse l'équilibre de pression bouillonnante et que s'effectue la sortie par la trappe. En quelques coups de palmes, le commando avait atteint la zone des vingt mètres de profondeur, en ordre de marche, binômes maintenus par un filin de vie, le premier la main sur le compas, le second légèrement en retrait, profitant de l'effet d'aspiration de son chef de palanquée.

Ils ne purent s'empêcher de jeter un dernier regard sur l'ombre imposante du sous-marin d'attaque nucléaire, spécialisé pour les combats navals dans l'Arctique. Par la pensée, ils lui adressèrent presque une prière, un dernier salut anonyme à un protecteur qu'ils ne reverraient sans doute jamais. Sans bruit, celui-ci s'était enfoncé et ni son commandant, le vieux capitaine Sergueï Spravtsev, ni aucun de ses officiers, officiers mariniers et marins ne pensaient déjà plus aux ombres silencieuses qui s'éloignaient de la coque. L'officier de renseignement du bord y veillerait. Personne ne les avait vus monter, leur barda sur l'épaule et le visage encagoulé. Personne non plus ne parlerait d'eux à une petite amie ou à un journaliste. Tous devaient être concentrés à la seule tâche importante, celle de sortir des eaux territoriales canadiennes sans être vus.

Le représentant du GRU passa rapidement entre les rangs pour vérifier qu'aucun des marins n'était occupé à d'autre manœuvre que celle de l'exfiltration. On perd la mémoire quand le pistolet chargé est posé sur sa tempe par un officier des services spéciaux comme, par le passé, par un officier politique. Les dirigeants politiques avaient changé la dénomination du poste de celui qui avait pouvoir de mort sur l'ensemble de l'équipage, y compris le capitaine.

Les nageurs de combat étaient loin de ces préoccupations. Ils avaient deux bonnes heures d'effort pour rejoindre la petite jetée que leur chef de mission leur avait indiquée sur la carte. Là, un illégal en poste à Québec les attendait, muni de passeports et de légendes qu'il avait lui-même proposées malgré l'urgence de la mission. Les commandos Spetnatz ne connaissaient pas leur cible, mais leur groupe était spécialisé dans les rapides et silencieuses attaques d'élimination. Cette fois, ils sentaient, à la gravité de leur préparation, qu'ils étaient partis pour accomplir une mission dont on n'envisageait, au centre opérationnel du GRU, le célèbre Aquarium à Moscou, aucune possibilité de repli avant l'exécution. Pas de retour avant que le ou les hommes ne soient neutralisés. L'ordre venait du Conseiller lui-même. Ils n'avaient pas intérêt à le décevoir, ou il se chargerait lui-même de les réprimander.

La force de la marée avait été calculée dans le chronométrage de l'entrée dans le territoire ennemi. Elle les aidait doucement à rejoindre le premier point où l'un d'entre eux ferait discrètement surface pour une correction GPS de leur trajectoire. Ils se concentrèrent sur le rythme de leur respiration, ils ne faisaient plus qu'un, étranges animaux qu'aucun prédateur n'oserait jamais attaquer. Ils avaient deux heures, pas une minute de plus. Après, la tempête frapperait les côtes du Québec et ils n'auraient que peu de chances de s'en sortir vivants.

Sans difficulté, le chef du groupe arriva le premier sous le ponton frappé par une pluie lourde venant des tropiques. La grande houle, déjà, arrivait presque à la hauteur du tablier. Il jeta un regard de sécurité et n'en crut pas ses yeux : il avait reconnu l'homme qui les attendait.

Il l'avait rencontré des années auparavant, portant un uniforme d'officier du KGB. Il n'était pourtant, sur ce continent, qu'un simple épicier d'un petit village de la côte de Beaupré. Le commerçant, une capuche sur la tête, lui fit un signe pour lui indiquer que la voie était libre, et tous, se servant de la vague, montèrent rapidement sur les planches de bois pour courir vers l'abri de pêcheur, au bout du quai. Personne ne les avait vus monter.

19

Québec,
aujourd'hui

Quand je m'appelais Igor Grychine, avant que l'on m'affuble du ridicule surnom de Conseiller, aurais-je osé affirmer que j'étais Russe? Un maudit Slave, comme le disent les Québécois? Pourtant, les cosaques de l'École supérieure du KGB m'appelaient «le Français», parce que j'ai parlé comme un gavroche avant de fouler le sol de France pour la première fois. Pendant très longtemps, peut-être parce que mes parents sont morts de chagrin près d'Amiens, en France, je ne supportais plus la francophonie, qu'elle soit parisienne ou canadienne.

Il y a comme une aristocratie culturelle du parler français qui me navrait parce que tellement déplacée dans un monde ouvert, dont la dialectique menait vers un dieu unique, communiste, et une langue universelle, l'anglais. Cette langue des Gaulois me faisait penser à ces châteaux dans un état de délabrement que le blason et l'histoire dissimulent pour toujours de la ruine assurée. La France n'a jamais vraiment été notre ennemie, même au plus fort de la guerre froide, mais plutôt un comparse naïf. Un partenaire complexé par la grande retraite de Russie, inconsistant et involontaire, dont les services rendus ont toujours contrebalancé les succès personnels de quelques-uns des agents isolés du SDECE, puis de la DGSE. Au début de ma carrière, j'ai dirigé jusqu'à une centaine d'illégaux, depuis Lille jusqu'à Nice. J'en ai peut-être abandonné une poignée à la DST, et les autres sont toujours en activité. J'ai souvent montré cela comme exemple à l'École supérieure du KGB à Moscou où j'étais un professeur apprécié, surtout dans la direction du cours de théâtre. Certains de ces agents, les plus nombreux, étaient encore communistes après l'effondrement de notre grande Soviétie. Ils luttent toujours contre le capitalisme en nous abreuvant de renseignements, alors que les roubles changés en dollars américains inondent le pétrole mondial et que notre président prie tous les jours, dans sa chapelle privée, l'âme sanctifiée du martyr Nicolaï. La France ne changera pas, elle est autant de droite que l'était le général de Gaulle, autant de gauche que l'est son élite de la pensée socialiste. Ses gouvernants manipulent les foules en instillant la peur des complots nationaux et internationaux dans l'esprit des intellectuels, pour mieux les embrumer ensuite dans la réflexion démocratique. Ses représentants, de gauche comme de droite, encensent le nouveau président Obama, comme ils se revendiquent tous d'une culture sociale-démocrate. Pour un Russe qui étudie l'histoire de France, jamais ses citoyens ne se sont vraiment révoltés, si l'on considère la révolution française et bourgeoise de 1789 à l'aune du nombre de ses émeutiers, ou si l'on examine l'abolition de sa monarchie comme la genèse de l'histoire napoléonienne qui lui succéda. Ils nous ont reproché le léninisme, mais ont inventé les notions de centralisme républicain et de désinformation extérieure, en propageant le rêve d'un empire par le feu de l'armée révolutionnaire de Bonaparte. Pour nos alliés et pour toutes les rébellions que nous entretenions, nous étions les soldats d'un monde nouveau, face à l'Anglais colonisateur. Nous étions aussi, en Asie ou en Afrique, le camp de la liberté contre l'Américain impérialiste. Mais, face au Français éclairé par Rousseau, Voltaire et Robespierre, nous n'étions que des égarés, critiqués mais aimés par les plus écoutés des intellectuels de gauche. Grâce à ces bons penseurs parisiens, je savais que jamais on ne nous reprocherait nos goulags et nos suicidés tombant du haut de la terrasse de la Loubianka[10]. Il n'y aurait jamais de Nuremberg pour juger nos génocides,

---

10. Siège du KGB dont la terrasse a détenu le record de suicidés, d'après les autorités, des prisonniers s'échappant des mains de leurs geôliers pour se jeter dans le vide.

jamais aucune contrition pour les gagnants de la guerre contre les nazis.

Nous n'étions même pas un diable à chérir ou à combattre, juste un peuple d'éternels opprimés. Nous étions encensés par l'un des plus puissants de leurs partis politiques, élu démocratiquement, un comble en communisme, une farce historique joliment aménagée par nos stratèges en pourrissement de l'Occident et appelée Parti communiste français.

C'est pour toutes ces raisons que j'ai toujours été attiré par le retournement des âmes du monde anglais, par ses mesquineries, par ses ghettos linguistiques et par l'atmosphère déprimante inhérente au climat que son élite cachait sous la belle armure que les brimades scolaires ont forgée également depuis des siècles. Un vivier de proies torturées qui m'attirait comme la maladie attire un médecin, la transgression, un prêtre. En France, j'étais un diplomate qui collectait des renseignements, au Royaume-Uni, je devins véritablement un espion redouté. Expulsé de France par le président Mitterrand et ses ministres communistes, en compagnie d'autres «diplomates» de l'ambassade soviétique, je fus, un temps, envoyé à Leipzig en Allemagne de l'Est avec Vladimir Poutine, puis au Royaume-Uni, sous l'identité d'un jeune avocat canadien dont l'origine familiale remontait en ligne directe à un bâtard du roi Richard. Je vivais une double vie compliquée, entre les missions et les voyages pour Poutine et ma vie dans le cabinet prestigieux de Londres. Ce fut mon premier contact avec la nation qui a engendré Shakespeare. Là, je me transformais en l'un de ces illégaux sous couverture. J'appartenais au premier directorat du KGB, attaché à la préparation du grand sabotage du capitalisme britannique prévu depuis les années 1960. Je faisais partie de l'engrenage subtil qui devait retarder ou empêcher une riposte militaire ou économique des descendants de Winston Churchill, à l'entrée des troupes soviétiques en Europe de l'Ouest. Il est aussi simple d'être officier britannique par le nom et la qualité du pyjama que de servir la cause de l'élite du royaume pour les mêmes raisons. Ma formation de base à l'université de droit de Leningrad, passage royal pour accéder au Saint des Saints du KGB, m'aida à me former dans l'arène des tribunaux du royaume de la reine Élisabeth. Mes faux diplômes et droits de naissance firent le reste, avec la dotation généreuse d'un compte offshore en multidevises. Plus le temps s'écoulait, moins je passais de nuits blanches à potasser les sommes du droit défendant l'habeas corpus et son opposé de jurisprudence.

Mon service m'apportait de riches et nécessiteux clients sous traitement de contraintes, avec lesquels il était recommandé de ne pas faire attention au montant de nos honoraires et de les considérer comme une participation à la paix et à l'établisse-ment de la preuve de leur pacte avec le diable communiste. Mes actionnaires, qui me voyaient gonfler allègrement leurs comptes en banque sans comprendre qu'ainsi je forgeais l'arme qui pourrait un jour les perdre, m'en étaient reconnaissants. Après m'avoir une ou deux fois félicité officiellement devant mes gentils collaborateurs, ils firent de moi, trop rapidement, presque sans mon accord, un associé, assis sur un fauteuil de la grande salle des décisions et pouvant user de la Bentley de fonc-tion de l'entreprise. Je reçus en cadeau de bienvenue une cave à cigares en bois de rose, qu'un majordome en livrée chargeait périodiquement, en même temps qu'il en contrôlait l'humidité, de merveilleux havanes à la cape dorée et marqués de leur propre bague en papier argenté aux armoiries de ma famille inventée. Je vivais et appréciais mon statut qui me permettait les voyages et les retrouvailles opérationnelles. Je suis fier d'avoir survécu à plus de vingt ans de tasses de thé et de crevaisons de mon Aston Martin, une V8 Vantage grondant comme un Riva sur le lac de Genève. Je devins un expert des chaussées détrempées et défoncées des routes secondaires. À réfléchir au moment précis qui fit de moi un Britannique pur sang[11], je

---

11. Un Anglais, quand j'arrivai au Québec, me fit remarquer qu'on disait en québécois
   «pure laine». Il continua en précisant que cette distinction linguistique n'offre pas
   la même noblesse culturelle, quand on compare un peuple monté sur ses chevaux de
   race et celui d'un porteur d'eau, tondant son mouton pour survivre à la froidure de
   l'hiver.

crois que ce fut un jour d'hiver, au volant de la Super Seven d'un ami écrivain, serré dans des vêtements imprégnés des litres d'eau sale dont la voirie m'avait éclaboussé. Je roulais sur l'autoroute numéro 3, non loin de Portsmouth. J'avais déjà compris avant l'accident, inconsciemment peut-être, que l'apparent contraste entre leur hédonisme derrière un volant et celui jamais adapté à leur météo ne fut que le reflet de leur esprit torturé, tourné vers un plaisir égoïste et introverti plutôt que vers la chaleur latine ou slave d'une jouissance luxueuse, prétentieuse, mais toujours extravertie ou trop bien partagée. Je revenais alors de la journée de conclusion d'une semaine laborieuse à faire succomber une lady, femme d'un député de la Chambre des communes. Tôt dans la matinée, après une nuit de soupirs et de verres de champagne millésimé, je l'avais convaincue de partager avec moi, entre deux gémissements, ses secrets de couple et ceux que son mari laissait traîner, en devoirs de vacances, sur les chesterfields de leur manoir.

À l'époque, j'estimais que la seule vision, imposée par le parti, d'une déification radicale de l'homme pourrait sauver l'humanité de ses guerres de religion, au lieu du contraire, le personnage chrétien d'un dieu minablement incarné en notre pauvre condition. Je crus cependant un instant à cette prédestination incompatible avec mon esprit farouchement marxiste et athée, quand ma voiture quitta la route au point précis que cite Len Deighton dans *Horse Under Water*, tout près de Cosham, le long de cette ligne droite qui offre une vue si parfaite de la rade, si souvent perdue dans la brume et sa grise réalité. J'eus, très détaché mentalement de l'événement, la certitude que la direction ne répondait plus, ni le frein d'ailleurs, et n'eus que le temps de penser qu'autant de faiblesses mécaniques produites en même temps n'étaient pas dues aux conséquences de l'assemblage toujours très alambiqué des véhicules anglais. Le bolide avait été saboté.

Il s'envola vers un talus en contrebas après un vol gracieux au-dessus des garde-fous. La ceinture de sécurité avait craqué et le marécage m'avait sauvé, les deux, marques britanniques déposées. Les jambes cassées, attendant l'ambulance après avoir jeté dans une mare le pistolet qui garnissait mon mollet, j'avais eu un éclair avant de sombrer. J'aimais l'Angleterre, son passeport aristocratique, sa pièce de six pence, ses marécages, sa conduite à gauche et son *made in Kingdom*, frappé à froid sur la grosse vis accrochant les ceintures de sécurité à la trop fine tôle galvanisée. Je ne pouvais plus alors me cacher de ce changement d'esprit, et devais reconnaître que j'avais pris goût aux trahisons des fonctionnaires du Foreign Office et à l'amateurisme revendiqué du Cirque[12] qui devenait alors le moderne et encombré Intelligence Service.

Je ne pouvais non plus ne pas assumer mon adoration de la blancheur malsaine des jambes féminines mariées, jamais exposées, ainsi que la facilité que j'avais à les ouvrir pour les embrasser. J'abhorrais les idéaux antieuropéens et antisociaux des maris qui me rappelaient ceux d'une époque stalinienne que certains rapprochent du national-socialisme. Je ne pouvais me passer des ordures que lâchaient leurs épouses sous l'étreinte, libérées par le sexe du carcan de leur société, comme les hommes s'en détachaient par la trahison et l'alcoolisme mondain. J'avais compris le mal qu'elles s'infligeaient à se masturber dans le noir plutôt que de rejoindre leur époux dans la chambre d'à côté, le flegme de leurs services secrets à déshonorer plutôt qu'à faire disparaître les traîtres. Toutes les strates de la société anglaise l'expliquaient comme on lit dans les castes indiennes la logique d'une culture insensée.

Les Françaises m'avaient libéré, les Anglaises m'éduquaient dans le fantasme d'un univers débauché et secret.

---

12. Surnom donné jadis au service de renseignement anglais, peut-être en partie en conséquence de son adresse de l'époque, à Cambridge Circus. Il a, depuis, déménagé sur le bord de la Tamise, non loin de Victoria. J'ai souvent pensé que son nouveau surnom acronyme IS (prononcer à l'anglaise [aïls]), lui avait été donné par des francophones, frappés comme moi par l'odeur forte de cantine qui flotte dans ses couloirs modernes et surchauffés.

Après le sabotage et la destruction de la merveilleuse automobile, je restai cinq semaines entre l'hôpital et la retraite campagnarde du manoir du ministre, à me faire cajoler par la dame et renseigner par le lord. Je trouvai cependant le moyen et le temps de me faire conduire à Londres par ma maîtresse et, alors qu'elle se faisait faire les ongles, j'égorgeai le responsable de mon attentat. Je l'assassinai en traînant mon corps blessé sur mes cannes, si authentiquement anglaises, le tout sans trop tacher une cravate de soie que je venais de recevoir comme une preuve d'amour, du même ton que celles portées par le mari, m'indiqua celui-ci un peu plus tard. Je revins à la voiture épuisé, mais la dame me conduisit pourtant vers les recoins sombres d'un club échangiste où elle aboyait et urinait devant des pairs du royaume, habillés de cuir ou de latex. Mon appareil photographique miniature fit des merveilles, et je reçus une nouvelle décoration de Moscou.

C'est à ce moment – en même temps qu'une anonyme fellation – que je sus que j'avais enfin acquis de façon certaine cette ironie de soi-même que les étrangers nomment la placidité et les Anglais, le flegme, qui évite surtout de trop penser qu'une île a si longtemps pu dominer le monde. Le jour de ce double exploit, j'avais quitté la Russie depuis vingt ans, haï la chaleur des Moyens-Orientaux et m'étais fatigué de l'anarchie des Gaulois. J'avais cependant gagné l'estime de mes condisciples anglais en trichant sur mes origines tout en cultivant la couleur de mes cravates et la soie de mes pyjamas, la qualité du tissu de mes costumes et celle de la crème rénovatrice du cuir de mon Aston Martin.

La noblesse de ma couverture britannique et l'originalité de mon ascendance canadienne étaient la plus solide des protections. Le succès de mes plaidoiries politisées à l'extrême droite devint le plus parfait des sauf-conduits. Ce jour où vos maîtresses vous habillent par amour est, pour l'Anglais, la preuve de l'intégration sociale réussie, alors que cet instant est la preuve, pour le Français, de l'avilissement de l'homme par l'épanouissement de la vie sexuelle.

Enfin, parce que je ne crois pas au hasard, à ce momentum dont l'écho présent change le futur, j'avais petit à petit préparé mon avenir en le rendant aussi parallèle que possible au dessein qu'Andropov et Poutine avaient prévu vingt ans plus tôt, pour que Drouin gagne les élections d'aujourd'hui. Au sein de clubs prestigieux ou de cercles plus discrets, je m'étais présenté comme un anti-Français convaincu et mes écrits avaient souvent traversé l'océan quand la lutte québécoise et séparatiste s'était faite raciste et anti-anglaise. J'étais mainte-nant prêt au retour au pays, vers ce Canada qui était ma patrie, celle voulue par Vladimir Vladimirovitch Poutine, où pourtant je n'avais jamais mis les pieds.

L'héritage britannique qui dévorait mon âme slave m'avait préparé à la mission de Poutine. Sans ces années anglaises, je n'aurais pu comprendre mes futurs concitoyens canadiens. Mon ironie au sujet des Français, ma découverte subite de la disparition du monde anglais, pâle reflet de l'Amérique, décuplèrent mes facultés et la puissance de la légende qui me ferait Canadien. Il ne me restait plus qu'à suivre les traces de mon équipe, déjà implantée depuis des années. Je connaissais mieux mon texte que mes élèves, tout simplement parce que j'en étais l'auteur. Peu à peu, cependant, sans que je puisse maîtriser cette autre écriture qui dictait mes actes, j'oubliais que j'étais Russe.

20

Nouveau-Brunswick,
aujourd'hui

La télévision grésilla, l'image se précisa. La femme ouvrit un œil à l'énoncé de l'interviewé. «Un miracle», fut certainement la première pensée qui traversa l'esprit de la femme qui regardait les informations nationales, à cinq cents kilomètres au sud-est de Québec, dans la banlieue d'Hampton au Nouveau-Brunswick

– Je m'appelle Daniel Bouchard, j'ai un peu plus de quarante ans, stie. Je suis maçon sur la côte de Beaupré. C'est pas pire, tabarnouche! Avis aux femmes: Je ne suis pas célibataire, ma blonde travaille avec moi et je lui ai fait deux enfants. Elle ne boit pas. Je l'aime quand elle pleure en écoutant mes complaintes au ruine-babines. Sinon, j'ai deux chums qui font la job avec moi, un Indien du haut Saint-Laurent et mon chum Régis, le costaud qui est en train de faire le beau derrière vous. Il est le meilleur *breaker* de la compagnie! Je suis entré dans l'équipe de campagne de Gilles Drouin parce que je suis sûr qu'il fera baisser les impôts et qu'il a promis qu'il construira un vrai service d'urgence pour les moins riches de la population du Québec! Votez Gilles Drouin! Vive le Québec autonome! Vive le Nouveau Parti Démocrate du Québec!

L'homme, grand et blond, le sourire éclatant traversant un visage tanné par la poussière de ciment, était assis à l'arrière de son pick-up. La chemise de bûcheron attachée jusqu'au dernier bouton, il avait mouillé ses cheveux et rasé sa barbe de près. Ce jour était l'apothéose de la campagne, il avait laissé de côté tous ses chantiers pour répondre aux journalistes et répandre la bonne parole.

La reporter, une petite brunette au décolleté provocant, l'avait forcé à s'asseoir en position de cow-boy alangui, sur le bord de la plateforme du véhicule, sous le regard protecteur et vigilant de sa compagne. Derrière l'artisan assis sur la tôle rayée d'un énorme Dodge noir, on apercevait la paroi du compartiment décorée d'une enseigne à lettres dorées portant les mots «D. Bouchard, Maconnerie», dont la cédille manquante était la plus grande instigatrice de la bonne humeur dominante.

La journaliste le fit encore parler. Le maçon travaillait dur pour gagner sa vie. Jusqu'aux heures les plus froides de l'hiver, il acceptait l'ouvrage pour rembourser les créanciers qui lui avaient permis de reprendre pied en lançant sa nouvelle entreprise. Il vivait dans la maison héritée d'une tante qu'il n'avait pas connue et dont un notaire lui avait raconté la vie, calme et solitaire, jusqu'à cet accident stupide d'escaliers gelés, en même temps qu'il lui avait lu son testament et indiqué les devoirs qui découlaient de ses dernières volontés. Il héritait de la maison et des terres ancestrales d'un paradis sur le bord du fleuve contre l'obligation d'élever une meute de chiens âgés recueillis dans les cliniques vétérinaires, au seuil de l'euthanasie. Daniel avait tout accepté et hypothéqué le nécessaire pour acheter le matériel nécessaire à sa profession et remplacer la vieille voiture utilitaire qu'il avait rapportée du Nouveau-Brunswick. Des chiens, il n'était rien resté après un seul hiver. Les animaux étaient en sursis, ils avaient été enterrés au fur et à mesure dans le petit cimetière qu'on pouvait visiter sur le bord de la propriété, à l'ombre des grands érables. Les tombes, maçonnées et décorées avec art, étaient un hommage de l'entrepreneur à la mémoire de la tante prodigue, et constituait la meilleure des publicités sur le savoir-faire de Bouchard.

L'histoire de Daniel Bouchard était un autre pied de nez au défaitisme ambiant. L'histoire officielle le présentait comme un orphelin, abandonné très jeune, qui avait dû survivre dans le monde adulte en défonçant les murs au marteau-piqueur. Il était parti de la province en suivant un groupe de Hells Angels et en mentant sur son âge.

Après une dizaine d'années de petits boulots et de brefs séjours dans les prisons, il était revenu au pays, laissant derrière lui une faillite et un suicide raté. À l'époque, racontait-il, des larmes dans les yeux, il était si désespéré et criblé de dettes qu'il avait bu un verre de trop un soir et avait mis le feu involontairement à son bureau avec une cigarette tombée dans un tas de copeaux. Il ne se souvenait de rien et ne fut mis au courant de l'incident que bien plus tard, après avoir repris connaissance à l'hôpital, entouré de policiers et de médecins, le visage brûlé. Son employé, un Acadien du même âge que lui, un pauvre hère qu'il avait ramassé, ivre, après une soirée à vider de leurs poches les derniers sous qui leur restaient, avait trouvé la mort dans l'incendie. Le rapport de police n'avait pas retenu l'hypothèse du meurtre involontaire, ni n'avait trop incriminé Bouchard en lien avec la destruction de cette baraque non assurée, qui était une aberration géographique, selon le maire qui envisageait de transformer la ville d'Hampton pour en faire la plus belle et la plus chic de l'Acadie. Daniel Bouchard ne pouvait savoir que son ouvrier dormait dans un placard de l'entrepôt, qu'il s'était aménagé en chambre suffisamment chaude pour passer l'hiver et éviter d'avoir à trouver et payer une chambre dans un motel sordide et hors de prix. Après avoir repris son destin en main, le maçon aimait raconter la chance qu'il avait eue de refaire sa vie complètement, sur de nouvelles bases.

Avachie sur un sofa défoncé, vêtue d'une robe de chambre tachée, la femme qui regardait le journal télévisé ne connaissait rien aux miracles de sainte Anne sous le soleil d'une campagne trop riche, en face de l'île d'Orléans. Elle n'avait de cette côte de Beaupré que des images de pèlerinages d'autochtones, préfabriquées et retouchées pour des publicités, images qui ne faisaient plus fantasmer depuis longtemps la citadine qu'elle était. Elle vivait seulement dans la crainte de l'expulsion qui la menaçait de toutes parts, des chapardages et des vexations des gangs de jeunes désœuvrés, cloîtrée dans une roulotte à l'ombre d'un grand bâtiment en voie de démolition, d'où elle tirait la cohabitation avec les junkies et les rats, mais aussi l'électricité gratuite, l'eau courante et l'abri des vents d'hiver.

Quand elle ne buvait pas, elle pleurait sur elle-même et sur la misère qui s'accrochait à elle, parmi les coups de vent venant des usines voisines de transformation de viande du Hub Meat Packers. Elle ronflait ou elle regardait les émissions de vente par correspondance, en écrivant sur un petit carnet ce qu'elle achèterait quand elle serait riche. La réception de l'image dépendait de la force du vent, mais elle n'en avait cure. Son alcoolisme lui avait mangé le foie et offert une myopie chronique, mais son oreille restait assez bonne pour entendre les voix des acheteuses qui se pâmaient ou les soupirs écœurants de sa fille quand elle invitait son nouvel amant dans son lit grinçant.

Ce matin, devant elle, dans le petit poste de télévision qui ornait le coin de sa roulotte et représentait son univers le plus cohérent, une journaliste aguicheuse venait de raconter la vie d'un homme qu'elle connaissait de si près qu'elle en avait gardé toutes les affaires, du rasoir aux souliers vernis du dimanche. On venait de raconter l'histoire de la vie de son fiancé disparu, le maçon Daniel Bouchard.

Un sanglot aigu expulsa les années de remords et de questions. Elle n'avait pas eu le temps de régler l'image de la télévision pour se délecter de la vision presque oubliée du visage du seul homme qui lui eut demandé un jour, avec sincérité, de l'épouser. En ces temps lointains, elle, alors sotte comme pouvait l'être aujourd'hui son imbécile de fille, avait préféré s'envoyer en l'air avec un Texan grincheux à la bandaison défaillante, dans l'espoir d'une bonne poignée de dollars vite gagnés. Elle n'était revenue qu'avec des babioles en pacotille et des parasites honteux, fournis gracieusement par l'un des amis de l'Américain qui payait en nature ses pertes au poker.

Là, venant du haut-parleur minuscule de sa télévision, elle avait reconnu l'accent et l'expression favorite de son époux, ce «Je l'aime quand elle pleure en écoutant mes complaintes au ruine-babines». Elle n'en croyait pas ses yeux. C'était le souvenir le plus clair dans son esprit. Son amant jouant, accompagné des cuillères et des chants de ses amis de l'époque, et elle, à peine cachée, se faisant peloter dans un coin de la pièce enfumée par la première main libérée. Elle avait vu son regard amoureux se poser sur elle en même temps qu'un orgasme la secouait.

Elle se sentit assez en forme pour lever son corps engourdi sans devoir crier à sa fille de venir l'aider à remplir son verre de whisky.

– De toute façon, elle doit être partie se faire sauter par les gars du quartier, marmonna-t-elle en remplissant son gobelet.

Sa fille unique, dont elle ne pouvait déterminer avec précision qui était le père, n'était capable que d'ouvrir ses cuisses, au lieu de travailler à nourrir sa mère. La parfaite reproduction de la pauvre vie de cette dernière. Une tare génétique, en quelque sorte.

Peu lui importait. Elle sentait le vent tourner. Son Daniel, ce mari qu'elle n'avait pas pleuré tout de suite, parce qu'à l'époque de sa disparition elle était encore assez jolie et appétissante pour le tromper avec d'autres, avait fini par hériter. Et en plus, d'une garce de tante dont il lui avait, de toute leur vie commune, caché l'existence.

Elle avala jusqu'à la dernière goutte l'alcool dans le bol crasseux, puis directement au goulot, et vérifia encore qu'elle avait bien terminé la bouteille entamée le matin même. Elle se sentait d'attaque pour escalader les quelques marches de l'escabeau qui lui permettait d'accéder au sommet du placard unique de la pièce. Au milieu des quelques documents officiels qui la rattachaient à une vie administrative construite d'aides gouvernementales et de subsides divers, elle rangeait la boîte en métal où elle conservait ses rares économies.

Demain, elle sortirait sa belle robe de fête et prendrait l'autocar pour Québec. Elle irait réclamer sa part de cette chance que proclamait tout haut ce salopard de déserteur, avec qui elle était encore fiancée. Elle lui apporterait surtout la photo d'une fille qui ne pouvait être la sienne à cause d'un décalage de quelques semaines, mais qui ferait bien l'affaire si la négociation ne tournait pas en sa faveur.

21

Les gardes du corps avaient lancé l'alerte avant de mettre un bâillon sur la bouche de l'ambassadeur pour le conduire à l'étage. Un camion roulait doucement sur le chemin caillouteux de la montée vers le phare.

Les chiens avaient senti l'intrus et aboyaient déjà. La sonnette retentit aussitôt.

Par la lucarne de côté, le fidèle épicier souriait de toutes ses dents. Il avait garé son camion près du Range Rover de l'équipe du général. L'air froid d'un matin ensoleillé d'automne envahit l'entrée quand la lourde porte de chêne s'ouvrit devant l'épicier. Lefort l'accueillit d'une poignée de main ferme.

– Comment va monseigneur, le plus pingre des tenanciers?

– Salut, le Frenchy. Je rentre de ma tournée et j'avais un cadeau pour tes invités. Un cuissot d'agneau de la ferme des sœurs de la Charité, tout frais d'hier. Seulement vingt piastres et il est à toi.

Il portait un imposant morceau de viande protégé par plusieurs couches de papier de boucherie. Sourire éclatant et charme habituel de l'homme, qui avait pour coutume de s'arrêter boire un whisky au phare après sa tournée hebdomadaire. La voix forte du général le fit pencher la tête de curiosité.

– J'adore le chevreau ! Si c'est comme cela que vous recevez les touristes dans vos contrées, il va falloir que je prenne un abonnement pour visiter Jean plus souvent !

Le commerçant contourna Lefort et avança vers un Carignac aux yeux rieurs, la main tendue.

– L'épicier du village. Moitié pure laine par le ventre de ma mère, moitié Irlandais par la queue de mon père. J'ai pour première mission depuis un an de vérifier que votre neveu mange toujours à sa faim. Pour deuxième, de finir sa cave assez régulièrement pour lui vendre des bouteilles toujours plus cher, et pour troisième, d'entretenir son isolement pour qu'il ne puisse jamais avoir l'idée de se lier d'amitié avec la concurrence et de comparer les prix. Il doit apprendre que quand on est lié à un Acadien en affaires, on ne peut s'en détacher. Enchanté, monsieur ?…

– Appelez-moi George. Jean, lui, m'appelle l'oncle défroqué. Nous sommes si loin de la civilisation que j'ai tombé la soutane avec délectation. Rhum, cognac ou whisky ? Nos deux autres amis sont partis à la pêche, en une deuxième tentative depuis notre arrivée. Pour revenir bredouilles je suppose, ainsi que brûlés par votre incroyable soleil du Québec.

– Whisky pour commencer, George, ou dois-je dire père George ?

– Jean ! Ton ami va me vexer en me faisant répéter mes civilités ! Mais les mots « pour commencer » me plaisent bien. Vous aurez droit à une deuxième lampée !

Le tenancier avait accepté le verre bien rempli et l'avait levé à la santé du général qui continuait son jeu de séduction.

– Dites-moi, l'homme de l'art. Que nous conseilleriez-vous après cette pause amicale et fraternelle chez notre moine de service ? La descente de la côte pour la grande visite des berges du Maine et du Massachusetts ? La remontée vers les provinces maritimes de l'Est canadien, les îles de la Madeleine et Gaspé ?

Le commerçant s'était effondré dans le fauteuil le plus proche. Il s'installait. Carignac se posa en face de lui et Lefort le soulagea du cadeau de l'épicier. Aucun bruit ne parvenait de l'étage. Lefort avait une impression étrange et il retourna vérifier où étaient passés ses chiens.

– Moi ? Mon point de vue objectif ? Ni l'un ni l'autre. Je vous conseille de vous poser ici et de ne plus bouger jusqu'à votre départ. Nous vivons dans la plus belle région du monde connu.

Les deux hommes rirent en même temps et Carignac versa un autre verre au nouvel arrivé. Dehors, dans le soleil, les chiens tournaient autour de la camionnette.

– C'est peut-être ce que nous allons décider, vous avez raison, on est dans un paradis, le calme en plus, parce que je soupçonne les anges d'être de gros bavards prétentieux. Mais Jean ne supporte plus le monde autour de lui. Si nous restons trop longtemps, il va venir s'installer chez vous ! Un vrai stariets[13], cet homme-là.

– Je sais. On voit rarement un ermite comme lui. Il ne descend vers le village que quand il y est obligé. Mais on l'aime bien, toujours un sourire, une gentillesse. Nous sommes comme cela dans la région, on accueille les nouveaux venus, comme cette terre nous a accueillis il y a quelques centaines d'années : le survivant est accepté parce que la nature en a décidé ainsi.

---

13. Moine et ermite orthodoxe.

Carignac avait changé de position. Il était maintenant bien au fond de son fauteuil et nettoyait ses lunettes consciencieusement avec son grand mouchoir blanc. Ses yeux couleur d'acier regardaient le Canadien avec l'expression naïve du myope.

– Bon, ce n'est pas tout ça, mais on va s'y remettre. Il faut battre le fer quand il est encore chaud. Notre ami Jean écrit ses mémoires et il profite de mon passage pour combler les vides que sa mémoire d'oiseau tombé du nid a laissés de sa jeunesse. Cela fait plus de vingt ans que je le connais, et quelquefois bien mieux que lui-même !

Les chiens aboyaient. Le commerçant se leva, vidant d'une gorgée le verre d'alcool.

– Je vais vous laisser ! Encore deux clients à visiter, donc quatre verres à terminer. Le mardi est une dure journée pour mon foie. Ravi d'avoir fait la connaissance de votre ami George, mon cher Jean, bon courage pour vos travaux d'écriture. Merci, George, de cette agréable rencontre.

Carignac le remercia à son tour chaleureusement et Lefort l'accompagna à la porte. Les chiens s'étaient fatigués, ils se taisaient, mais restaient assis non loin du camion, les oreilles tendues vers l'arrière, le mufle frémissant.

– Sacrés chiens de chasse ! L'odeur de la viande dans la malle les rend dingues !

Quand le commerçant démarra, Lefort réalisa soudain que jamais ses animaux n'avaient ainsi accueilli son ami, ni que ce dernier ne s'était assis pour prendre le temps de boire un whisky. Les chiens ne voulaient toujours pas rentrer et il les laissa renifler autour de l'emplacement où se trouvait, quelques secondes plus tôt, le camion de l'épicier. Carignac n'avait pas bougé. Il semblait concentré.

– Votre péquenot d'épicier, avec son accent d'Acadie et ses airs de capitaine Haddock, sait ce qu'est un stariets. Impossible, sans une solide culture de l'orthodoxie russe. Nous sommes, mon cher Lefort, devant un nouveau problème de sécurité bien ennuyeux. Auriez-vous omis de me livrer quelques informations ?

Lefort garda pour lui la présence des hommes en noir qu'il avait surpris en pleine reconnaissance du village. Son phare était inexpugnable s'il mettait en œuvre ses défenses. Sa colère bouillonnait. Carignac allait devoir rapidement obtenir les informations qu'il attendait de l'ambassadeur et disparaître définitivement de sa vie.

22

Québec, campagne électorale,
aujourd'hui

Gilles Drouin était doté de grandes qualités d'homme politique, en plus d'avoir été le meilleur des commerciaux. Il était l'ami de tous ses clients du Montréal chic et vivait en harmonie avec le Toronto du vieil argent. Un savant mélange qu'admiraient ses collègues et que lui enviaient ses concurrents. Il se vendait mieux qu'il ne présentait ses prestations, parce qu'il estimait que son premier métier restait l'écoute et la juste réponse. Il avait l'opinion précise, le regard limpide et le savoir-faire commercial nécessaire pour faire accepter un refus sans brutalité, afin de recevoir l'estime éternelle de son interlocuteur pour un conseil avisé. Grand, le cheveu rare, la stature d'un joueur de hockey, les dents blanches bien alignées, il aurait pu être la vedette d'un show télévisé.

Le notable était aussi un homme politique en devenir qui briguait un poste prestigieux. Son passé si limpide et sa carrière tout en services et en expertises allait sans aucun doute l'aider à gagner les élections et à devenir, après l'investiture de son parti, le nouveau premier ministre du Québec. Le Nouveau Parti démocrate du Québec n'avait pourtant été créé que quelques mois plus tôt, en se servant de la déconfiture momentanée des deux forces politiques traditionnelles au Québec, le Parti libéral et le Parti québécois Le nouveau venu dans le jeu historique des pouvoirs avait déployé finesse et démagogie en prônant l'autonomie plus que l'indépendance. Un beau succès que personne ne comprenait, mais dans lequel tous les électeurs se retrouvaient en partie. Dans son discours il n'y avait pas de bilans ou d'appels à l'Histoire. Il n'y avait que de la force, de la conviction, cette même aisance qu'il avait acquise en domptant l'humeur de ses clients, lors des crises financières qu'il avait si souvent traversées au cours de sa vie de commercial.

Aux souverainistes, il montrait la richesse de l'histoire québécoise et des premiers textes historiques préparant la Fédération. Face aux libéraux, il avait lancé son «Joe le plombier» canadien, en référence à celui qui n'avait pas porté chance au candidat défait des élections américaines. Son Joe était jeune et diplômé, il était libre d'aller et venir au sein de l'ALENA et, surtout, il était fier de son héritage unique et francophone.

Gilles Drouin n'avait pas de coach célèbre. Gilles le Superbe avait une mémoire prodigieuse et une répartie puisée dans le catalogue des bons mots des humoristes, qu'il avait appris par cœur avant de se lancer dans l'arène. En deux mois, il était devenu incontournable dans les journaux télévisés, en trois, il avait été interrogé sur tous les événements rythmant la vie du Québec, y compris les matchs de hockey ; il connaissait la composition des équipes et les points décisifs des matchs mieux qu'un journaliste sportif spécialisé. Il avait gagné la guerre des médias, il gagnerait celle de la conquête des votes.

Le programme était d'une simplicité scandaleuse, si on le comparait avec les épais dossiers produits par les économistes des partis adverses. Gilles Drouin ne faisait de son élection québécoise qu'une étape. La pierre était jetée dans le camp des souverainistes dépassés et dans celle des fédéralistes radicaux. Le Québec, comme l'Ontario, aurait droit à son autonomie, l'exemple de l'Amérique et de l'efficacité de son libéralisme géré par les États l'avait portée à devenir la première puissance mondiale, la voie montrée par l'Europe non plus ne serait pas rejetée comme des exemples caricaturaux de l'histoire du monde : Gilles Drouin ferait du Canada, les États unis du Canada autour d'un Québec souverain et il le démontrait avec une telle précision et une telle force que le monde l'écouterait. Et puis, Gilles Drouin avait pris le temps de rencontrer chaque intervenant important, chaque homme politique, chaque décideur. Il détenait des dossiers compromettants sur tous. Les plus corrompus se voyaient offrir une virginité, les plus vertueux, la trahison de leurs proches, le déshonneur ou la disparition.

À la veille du début de la campagne, il fut invité en Russie et dîna avec le président Vladimir Poutine. De son passé de commercial d'avant la chute du Mur, il maniait la langue russe avec brio, comme l'anglais et l'allemand, et avait opté pour un savant mélange de québécois et de français quand il avait été invité par le premier ministre de la République française. Les journalistes remarquèrent aussi qu'il se débrouillait honorablement en espagnol et en italien, se plaisant à faire rire ses interlocuteurs avec des rumeurs et des blagues qu'on racontait dans les clubs du sud de l'Europe. L'homme, ce petit directeur commercial parfait d'une banlieue de Québec, montrait une stature de chef d'État sans que personne ne se rappelle vraiment comment il en était venu à entrer en politique. Trois mois seulement avant les élections, son parti n'était qu'un club de pensée perdu au sein d'une loge maçonnique mineure.

C'est en pensant à la genèse de cette fulgurante réussite que le journaliste se rendit compte soudain qu'il s'était endormi. Il pleuvait sur la vieille ville, et la vue qu'observait Marco Lormieux, depuis sa chambre au Château Frontenac, était celle d'un horizon infini, entre le gris des nuages et celui du fleuve Saint-Laurent. Il était Français et avait mis les pieds seulement trois fois sur le sol canadien. Il prit encore une photo avec son long téléobjectif, visant la terrasse en contrebas, puis décida de ranger son matériel. Il n'était pas entièrement satisfait de sa position et il fallait qu'il tente de se rapprocher encore.

Cela faisait une bonne semaine qu'il suivait la femme, sans trop dormir, sans manger autre chose qu'un sandwich ou un cornet de frites[14] souvent abandonné sur la moquette de sa voiture de location. Il savait qu'il ne devait pas laisser passer sa chance. Il en tirerait un scoop, le reportage de sa vie. Il en était persuadé depuis qu'il avait, par hasard, visionné les photos de vacances d'un de ses élèves du club de photographie de sa ville de banlieue parisienne.

L'adolescent avait accompagné ses parents pour un voyage au Québec et en avait rapporté un reportage photographique sans intérêt, fait d'innombrables photos mal cadrées de demeures ancestrales, d'autochtones d'opérette et de ciel montrant des formes qui pouvaient rappeler des êtres de légendes quand on avait trop fumé de pot local. L'enfant avait lu tout ce qu'il pouvait trouver sur les mythes anciens et se figurait qu'il retrouverait les traces des dieux des anciens dans l'expression de leur souffle sur les nuages.

Le journaliste, qui était devenu professeur de photographie pour payer les augmentations incessantes de son loyer parisien, était un chasseur de photos d'idoles, paparazzi réputé. Il s'était pourtant arrêté sur une série de dix photos, prises dans le tas du millier rapporté et déjà numérisé. Au milieu d'une foule de touristes visitant le Village huron de Québec, l'homme avait découvert un visage qui lui rappelait un événement récent. La femme, la quarantaine sportive, échangeait une poignée de main contre une enveloppe épaisse que lui tendait un homme au complet strict. Un échange d'argent dans une foule de touristes. Il ne pouvait s'agir que d'argent sale ou d'un pot-de-vin.

Marco Lormieux était un enquêteur de premier ordre, tenace et débrouillard. Quand il traquait une cible, il ne la perdait que très rarement. Après avoir défini son budget maximum et le temps qu'il donnerait à son reportage, il avait fait une rapide recherche au trombinoscope de son journal et avait découvert l'identité de la femme. Il se rappelait enfin où et quand il avait croisé le regard bleu et les jolies jambes. Il n'oubliait jamais un visage ou le détail d'une photographie. Le mois précédent, il

---

14. Sans que l'auteur n'en soit le responsable, le cornet de frites assaisonné s'appelle, au Québec, une poutine.

avait suivi pendant deux jours la visite officielle du Canadien Gilles Drouin en Europe et surtout en Russie. La femme qui le suivait partout était considérée comme la muse intellectuelle et la conseillère en image de la campagne de l'homme politique. Marco se souvenait précisément l'instant où elle s'était retournée vers lui et avait assassiné du regard l'objectif qui la fixait. Vraisemblablement, elle n'aimait pas les photographies et ne s'en cachait pas vraiment. Le photographe tenait donc, dans le hasard du voyage ennuyeux d'un adolescent, son exclusivité.

Il était parti directement vers le Québec, abandonnant ses élèves à un assistant préparé à ses soudaines disparitions. Il ne reviendrait qu'avec la preuve que le candidat si vertueux, en tête des sondages durant cette élection mondialement médiatisée, était un corrompu usant d'artifices encore plus répréhensibles que ceux qu'employaient ses adversaires.

Il rangea son appareil et serra son sac à dos sur ses épaules, puis, pressé, il fit un rapide tour de la suite qu'il avait empruntée pour quelques heures avec l'aide d'une des femmes de chambre de l'étage. Il avait promis que son passage ne serait pas remarqué et tenait fermement à sa réputation de propreté qui lui permettait d'obtenir de nombreux passe-droits, s'il devait retourner dans un lieu déjà visité. Un rapide coup d'œil dans le couloir, et il sortit en refermant doucement la porte derrière lui. Il fit quelques mètres pour gratter à la porte de la chambre qu'était en train de nettoyer l'employée de l'étage, lui rendit le passe avec un gros billet et un rapide baiser sur les lèvres, la prenant par surprise. Elle rougit, lui rendit son baiser, et il sut qu'il pourrait sans crainte revenir à l'hôtel.

En quelques secondes, il était dans l'ascenseur et pensait déjà à sa nouvelle position de guet. Il fallait qu'il renoue avec la chance, il en avait assez de prendre des photographies sans intérêt qui ne lui indiquaient aucun élément vendable de la vie de la femme. Elle vivait seule, travaillait dur et ne s'adonnait qu'en de très rares instants à des plaisirs solitaires. Marco commençait à trouver la vie de cette aide de camp d'homme politique trop parfaite pour être vraie. Il ne fallait pas lâcher sa filature.

Il bénit sa chance. La femme partait au volant de son luxueux 4x4. Il sauta dans sa voiture, remerciant les rues de la capitale de la province, jamais encombrées, et se mit à filer l'élégante et puissante Range Rover de la directrice de campagne de Gilles Drouin. Il sifflotait, heureux de sa traque. Il n'avait pourtant plus que quelques heures à vivre.

23

Québec, campagne électorale,
aujourd'hui

Le pick-up noir de Daniel Bouchard était garé le long du grand bâtiment gris, coincé entre l'épicerie du centre-ville et le mur du presbytère. Deux étages loués à l'évêché pour les six mois que durerait la campagne.

Gilles Drouin avait gagné son pari de devenir le rassembleur d'un passé religieux rejeté par la Révolution tranquille et d'un futur dans lequel l'histoire devait reprendre sa place pour renforcer l'identité québécoise.

L'agent financier de la campagne électorale, qui avançait dans la ruelle, reconnut la voiture du maçon, cachée en partie dans l'ombre du bâtiment. Il avait toujours peur de se retrouver seul avec Daniel Bouchard. En voyant la voiture, il pensa «modèle passe-partout», sans raison, le véhicule de tous les artisans. Mais Daniel Bouchard ne s'arrêtait jamais dans le stationnement, à l'avant, il faisait le tour pour se garer à quelques dizaines de mètres de l'entrée des fournisseurs. Jamais trop près de la porte non plus.

L'agent comptable s'essuya le front. Il avait été nommé par Gilles Drouin lui-même pour contrôler les comptes de campagne, et il avait travaillé jour et nuit pour former les trésoriers du parti à la pratique légale. Tout le monde reconnaissait qu'il avait fait plus que le nécessaire, ce à quoi il rétorquait qu'une bonne dose de pédagogie avait évité des nuits terribles de vérifications comptables et, surtout, des procès éventuels pour fraude électorale.

L'agent financier officiel de la campagne électorale pressa le pas, il était en retard. Avant d'entrer, il regarda derrière lui, vérifiant que personne ne pouvait le surprendre à travailler si tard à la permanence du parti.

Quand Drouin l'avait convoqué, plusieurs mois auparavant, le comptable venait de se faire prendre dans le traquenard du contrôleur du Trésor de la région. Il avait suffi d'un architecte véreux, d'un entrepreneur et d'un banquier complices pour qu'un gouffre financier s'ouvre autour de lui. Quelques faux témoignages à un juge de la Cour supérieure, sermonné par ses supérieurs désireux de s'assurer qu'il ne prendrait aucune décision risquant de faire jurisprudence autour d'un grand lobby, suivirent une courte procédure. Il perdait tout. Alors, Drouin, en présence du banquier qui l'avait menacé de le jeter à la rue avec sa famille, avait déchiré devant lui le contrat de prêt. Quand ils s'étaient retrouvés seuls autour d'une bière, Drouin lui avait expliqué que son geste n'était pas gratuit, mais que le prêt pourrait réapparaître à tout moment, les intérêts en sus. Pour que la mémoire des ordinateurs soit définitivement effacée, Drouin lui proposa son âme contre la signature d'un document dans lequel le comptable avouait avoir truqué les chiffres des comptes électoraux pour respecter ses échéances. Le papier fut signé en présence d'un juge de la Cour supérieure. Devant autant de pouvoirs rassemblés, il n'avait pas hésité.

Encore un soir de plus, aussi facile que les précédents, et il pourrait rentrer chez lui, les poches pleines de dollars. Un sentiment de puissance et d'invincibilité le fit se redresser. Il était précautionneux à l'excès, et jamais on ne pourrait deviner qu'il puisse gagner de l'argent de façon malhonnête. Son auréole de saint comptable le suivait de près. Il était celui qui donnait les leçons de bonne gestion des campagnes électorales.

Ils avaient choisi le milieu de la soirée pour pratiquer l'échange. La procédure se répétait ainsi depuis le début de la campagne. Le maçon Bouchard arrivait de Montréal ou de Québec, porteur de sacs pleins de dollars. Il les faisait compter par l'agent, liasse après liasse, puis les échangeait contre un reçu destiné au parti qui comptabiliserait les mouvements de caisse et de trésorerie. Ensuite, les deux hommes les remettaient dans les sacs et plaçaient dans le coffre des factures de frais et de dépenses de campagne que l'agent comptable avait au préalable contresignées. Ce dernier avait, tout au début de la manœuvre, été surpris de la qualité de la facturation produite par le maçon. Un véritable travail d'orfèvre qui permettait de rendre les dépenses réelles. Il ne pourrait jamais l'avouer, mais, contre l'avis de Bouchard, il en avait pourtant vérifié quelques-unes, le mois précédent. Il avait eu la surprise de découvrir que pas une des destinations comptables ne pouvait être mise en défaut par une éventuelle commission d'enquête. Il avait pris la précaution de téléphoner aux entreprises, demandant à leurs comptables de lui préciser, sous l'excuse d'un détail manquant sur la note, la destination des travaux ou des fournitures. Pas un seul n'avait hésité, et tous avaient déclaré que les commandes avaient bien été exécutées ou livrées au parti. À croire que quelqu'un dépensait réellement et remplissait parallèlement les caisses du parti. Le blanchiment de l'argent était parfait. Les caisses locales enregistraient des dépenses que le bureau national s'empressait de régler. Seulement, personne n'avait, à la vérité, vérifié l'origine réelle des fonds et le consommé des débours. Des fonds importants et déclarés quittaient ainsi les caisses du parti pour d'officieuses dépenses électorales.

Quand le comptable entra dans la pièce éclairée de tous ces néons, l'artisan était de bonne humeur. Il continua à siffloter tout le long de leur travail de nuit. Il ne recompta pas derrière l'agent financier ni ne vérifia la commission en argent que celui-ci retirait du dernier sac. Il lui souriait, le regardant s'humecter les doigts sur une éponge pour compter et ranger les billets de cinquante dollars.

– Dites-moi, monsieur l'agent comptable, combien votre petite famille a-t-elle reçu de ce bon argent frais et sans trace?

Il s'était penché au-dessus du crâne chauve qui soudain luisait de sueur. La proximité physique de l'homme semblait gêner le comptable. Il se recula un peu trop brusquement, et Daniel en profita pour poser une fesse sur le coin de la table, sa jambe touchant celle de l'autre qui ne pouvait plus reculer, sa chaise bloquée par le mur de la petite pièce trop vivement éclairée par les grandes lumières bourdonnantes.

– Vous le savez bien, monsieur Daniel, vous avez recompté derrière moi à chacun de vos passages.

Bouchard se pencha et redressa la cravate du vérificateur. Un modèle de laine tricotée, avec un gros nœud rectangulaire. La main du maçon était sèche et dure comme la pierre qu'il travaillait. On pouvait imaginer les dégâts qu'elle ferait, comme un gros marteau ou une massette de chantier, sur la face fragile de son interlocuteur, toute en angles et en arêtes.

– Je veux te l'entendre dire, monsieur le trésorier.

Les yeux bleus ne riaient plus, ils ressemblaient à des diamants. La main releva le menton tremblant qui eut de la difficulté à se baisser pour laisser parler une bouche tétanisée.

– Au dernier passage, deux cent cinquante-trois mille cinq cent sept dollars… Aujourd'hui, trente-trois mille de plus… ça fait…

Le pied de l'artisan, chaussé des lourdes bottes ferrées, poussa brutalement la chaise contre le mur, faisant grincer le dossier qui menaça de se rompre en blessant le dos du comptable. Celui-ci essaya de se dégager un peu, mais l'étau ne se desserra pas. Bouchard se délectait de voir la panique s'installer dans l'esprit du financier.

– Mon ami, as-tu entendu parler de ton collègue et ami, comptable du Parti libéral, disparu à Cuba ? On dit qu'il a été dévoré par des crocodiles. N'oublie jamais que ces deux cent quatre-vingt-six mille cinq cent sept piastres ne te permettront pas de payer entièrement la vie de paralysé de ton fils. Il n'a que sept ans et m'a montré l'autre jour, quand je suis allé le voir à la maison, qu'il deviendra un jour aussi intelligent que son papa. Il pourrait en revanche passer toute sa vie dans une chaise roulante, si son gentil papa envisageait un jour de parler de ce qu'il vient de vivre. Si ce n'est pas moi, ce sera l'un des nôtres, je ne suis qu'un petit soldat qui essaye d'aider, comme il le peut, le parti pour contrer le gaspillage des hommes de pouvoir. Ta femme a apprécié mon passage, mais j'ai dû la forcer un petit peu... Ne lui en parle pas, cela pourrait chasser le peu de bonheur qui emplit encore ce foyer si parfait. Comprends-tu ?

Chez lui, personne n'avait parlé de la visite de l'artisan. Il imagina l'homme assis sur le lit, dans la chambre de son fils, riant aux éclats des phrases rapides de l'enfant. Il avait peut-être même passé sa main dans ses cheveux. Il frissonna en coupant les images qui suivaient, celles du lit conjugal souillé par le corps musculeux de l'artisan. Il sentait au même instant la sueur couler entre ses omoplates. Il ne put retenir longtemps son sphincter et il se força à ne pas éclater en sanglots.

Soudain, le pied de Bouchard relâcha son étreinte et le fauteuil gémit encore, secouant l'homme, qui bredouilla une timide et affirmative réponse. Avant qu'il n'ait repris ses esprits, constatant l'état de son pantalon et de la chaise qui le supportait, tous les deux trempés de sa peur relâchée, la porte se refermait doucement derrière le dos d'un Daniel Bouchard silencieux et souple comme un chat.

Le son du moteur V8 du camion résonna enfin dans la ruelle et emporta loin de lui l'artisan qui avait plus l'allure d'un tueur que d'un travailleur honnête. Pourtant, dans le silence revenu, le comptable resta prostré sur sa chaise, n'osant bouger. Il aurait désormais toujours peur à la vue d'un pick-up noir.

24

Québec, campagne électorale,
aujourd'hui

Le voyage en car avait été abominable. Les conditions météorologiques avaient été aussi mauvaises que celles du déluge biblique.

Des trombes d'eau tout le long des cinq cents kilomètres du voyage, que seuls les néons des stations-service entrecoupaient de leurs flashs intermittents, la réveillaient un peu de son coma d'ivrogne. Leur grésillement paresseux était le signal indiquant qu'elle devait se lever de son siège pour aller acheter sa dose d'alcool. Elle avait traversé le Nouveau-Brunswick et le sud du Québec avec une seule bouteille de whisky de réserve et un sac minuscule dans lequel elle n'avait mis qu'un nécessaire à maquillage, une brosse à dents et une boîte de photos la montrant avec Daniel, enlacés sous le flash d'un photomaton, encore heureux. Elle avait aussi apporté plusieurs exemplaires des dernières photographies de sa fille, la face maquillée des couleurs à la mode gothique, digne de films d'horreur, et le sourire torturé par de vrais et faux piercings.
Elle n'avait pas d'autre bagage et n'avait prévenu sa fille que d'un léger et souriant «je reviens vite et nous déménagerons dans un bel appartement». L'adolescente avait secoué ses épaules tatouées, blasée des promesses maternelles, et après avoir poussé le volume de sa petite chaîne audio à faire exploser les parois de ce coin de roulotte qu'elles appelaient sa chambre, elle s'était affalée derrière un rideau pour récupérer un peu du sommeil que la nuit lui avait volé. La jeune fille

ne pouvait croire qu'arrivée à Québec, sa mère retrouverait un mari ou un père qu'elle n'avait connu que sur des photos montrant un gringalet, les cheveux passés à la gomina et le sourire niais. Elle ne saurait jamais que sa mère ferait tout ce voyage pour revenir avec une reconnaissance de dette valant une petite fortune sur les garanties et hypothèques des prêteurs du pays.

Elle achèterait alors ce qu'elle voudrait pour elle et sa fille, ce qu'elle avait toujours désiré, ce que le Daniel Bouchard qu'elle avait connu lui avait un jour promis quand il s'excusait, en pleurant comme une bête, de ne pas avoir la force de l'honorer la fin de semaine.

Elle descendit de l'autobus au milieu d'une foule portant les pancartes et les tee-shirts à l'effigie du candidat Drouin. Ils criaient des slogans pour l'autonomie des provinces canadiennes en chantant aussi *Ô Canada*. Elle ne comprenait plus rien à la politique. Elle était ankylosée.

Elle ne s'alarma pas davantage de l'énorme tache de boue sur son manteau, provoquée par le passage d'un pick-up noir qui l'avait éclaboussée, quand elle descendit la rampe de la gare du Palais, dans le Vieux-Québec. Elle avait froid et faim et voulait retrouver au plus vite son pourvoyeur de richesse immédiate. Elle trouva la solution à ses pieds. L'événement était un autre des signes de l'existence envoyés par un ange protecteur soudain intéressé par sa misérable vie. Le feuillet publicitaire de campagne, sale et marqué des traces des nombreux talons qui l'avaient piétiné, indiquait le lieu et l'heure du prochain rassemblement de Gilles Drouin. Son fiancé serait sans aucun doute présent, et elle lui rappellerait ses promesses. Elle avait deux heures à attendre, et le taux d'alcool dans son sang était au plus bas. Elle se dirigea vers le premier bar visible depuis le quai des autocars, obnubilée par la peur du manque. Il lui restait une centaine de dollars en poche, un billet retour et, dans une semaine au plus tard, elle recevrait ses allocations. Elle pouvait dès à présent fêter son exploit d'avoir retrouvé un peu d'espoir de pouvoir finir sa vie convenablement.

Daniel Bouchard ne termina pas la première cigarette qu'il s'était permis de fumer entre deux interviews. Il venait de jeter un coup d'œil à la flaque dans laquelle son pick-up avait roulé quand il avait aperçu la femme dans son rétroviseur. Il se rappelait précisément où et quand il avait déjà vu son visage. La fiancée du véritable Bouchard venait de recevoir les litres d'eau sale que les grosses roues de son pick-up avaient remuée en roulant dans un nid-de-poule. En temps normal, il se serait arrêté, mais il avait aperçu le visage de la femme dans son rétroviseur. Même regard perdu que vingt ans auparavant. Les traits boursouflés, mais le visage encore agréable, le corps maigre et les vêtements passés de mode.

Il n'avait pas le choix, il ne l'avait plus depuis longtemps, depuis ce jour où il était monté sur la passerelle d'un cargo norvégien qui pourrissait dans un port de la Lettonie soviétique. Il décida de quitter son véhicule et de suivre la femme titubante. Si nécessaire, il la tuerait sans hésitation.

Elle entra dans un bar et il la suivit, s'asseyant à quelques mètres d'elle sur un tabouret. Il s'était à peine installé qu'elle avait déjà soufflé deux verres et en redemandait. Elle avala encore une gorgée et sa main tremblante retira un billet froissé de la poche de son manteau. Il avait reconnu la bague. Il l'avait lui-même choisie par un samedi d'été dans le coffre ouvert d'un receleur de passage, en compagnie de ce Daniel Bouchard alors intimidé qui avait ensuite brûlé dans un entrepôt de Hampton. C'était si longtemps auparavant. Une éternité. Une main lui frappa dans le dos et le fit sursauter, l'extirpant de ses souvenirs. Une grosse voix éméchée lui criait dans les oreilles.

– Daniel Bouchard, tabarnouche! Le célèbre, le très connu, le fidèle, mon chum Daniel! Celui qui passe à la télé au bras de Gilles Drouin! Tu sais-tu que tu deviendras ministre des Maçons?!

L'homme le serra dans ses bras, et l'artisan regarda par-dessus son épaule vers l'ivrogne. Elle lui envoyait des coups d'œil racoleurs et semblait ravie de sa destinée. Elle ne pouvait pourtant pas être là par hasard. Il comprit que, pour la première fois de sa vie, sa légende pourtant si parfaite était en danger. Il avait une terrible envie de jurer en russe. Il savait qu'il désobéissait au conseil que lui avait prodigué ce professeur de théâtre que tous appelaient le Conseiller, ce seigneur de l'École supérieure du KGB à Moscou qui lui avait tout appris, près de trente ans auparavant. Devant cette ivrogne qui ne lui avait encore rien demandé, l'espion russe avait soudain et définitivement oublié son texte pourtant si souvent répété.

Il comprit que le hasard d'une rencontre mettait la mission en danger : dans moins d'un mois, Gilles Drouin devait devenir le premier ministre du Québec.

25

Québec, campagne électorale,
aujourd'hui

Gilles Drouin termina son exercice sur la barre qui était suspendue au plafond de son bureau. Il avait levé son corps à la force de ses bras plusieurs fois, jusqu'à ne plus pouvoir se redresser, le souffle court et le visage décomposé. Il gardait un physique d'athlète et surveillait constamment toute prise de poids ou symptôme de vieillissement. Il aurait pu casser un bras avec la seule force de sa main, comme courir un marathon sans éprouver plus de difficultés qu'un sportif professionnel.

Il se laissa tomber sur la moquette épaisse, but une petite bouteille d'eau de source et changea son tee-shirt pour une chemise blanche sur laquelle il noua une cravate club. En quelques secondes, ses traits s'étaient transformés, passant de l'image d'un sportif aux muscles gonflés et aux veines prêtes à exploser à celle du cadre moyen, coupe courte et lunettes rectangulaires. Personne ne l'avait vu depuis longtemps dans le premier rôle, et il cultivait le secret de son corps sous des complets ajustés.

Il avait pour mission du jour la préparation de son apparition à la chaîne d'information LCN, et sa conseillère était en retard. Il s'assit et tenta de la joindre sur son cellulaire pour ne recevoir en écho que la voix sèche et enregistrée de la jeune femme qui proposait d'appeler son bureau et de laisser le message à sa secrétaire. Gilles Drouin tapa sur la table. Il n'aimait pas les rendez-vous manqués ni les personnes en retard. Encore moins quand il s'agissait de ses subordonnées, qui devaient le prévenir plutôt que de le laisser ainsi seul et impatient à quelques heures d'un rendez-vous important.

En quelques secondes, une fléchette était apparue entre ses doigts, venant d'un petit tiroir caché sous le bureau. Il la lança pour qu'elle rejoigne ses consœurs au centre de la cible placée sur le mur à près de dix mètres, à l'autre extrémité de la pièce. Le tir était aussi tendu que celui d'une balle tirée d'un pistolet, et il avait à peine regardé la direction vers laquelle il lançait.

Il essaya de se concentrer sur un autre dossier que lui avait apporté sa secrétaire dans la matinée. Il concernait les investissements de l'immigration russe dans l'économie montréalaise. Il s'en empara pour passer le temps en attendant sa directrice de campagne.

Un détail lui revenait de la dernière discussion qu'il avait eue avec le président Poutine et son conseiller aux Affaires spéciales. Ils s'inquiétaient tous les deux de la mise en place, dans les années 1990, d'un lobby antirusse au Canada, groupé autour des exilés de l'Union soviétique qui avaient été ramenés vers la Russie après la libération des pays baltes et le retour des diasporas lettone, lithuanienne et estonienne. Gilles Drouin leur avait promis de s'en occuper, d'enquêter sur leur réelle implantation et sur leur pouvoir, s'ils en avaient encore après tant d'années de libéralisation des rapports russo-canadiens.

Il leva le regard sur la carte du Canada qui tapissait l'un des murs de son bureau. Elle cristallisait tous ses rêves, tous ces appels silencieux lancés durant vingt années d'illégalité passées à envoyer des messages à Moscou pour qu'on le remplace enfin. Ils seraient tous surpris. Une fois élu, il ferait le contraire de ce qu'on attendait de lui. Il rêvait d'un Québec indépendant des États-Unis, vendant son énergie au plus offrant quand les stocks mondiaux de pétrole et de gaz devenaient tellement coûteux qu'ils ne seraient plus utilisés que par les seuls pays riches. Il croyait à toutes ces promesses qu'il débitait jour et nuit à ses admirateurs et à ses concurrents. Il était devenu Québécois, et personne ne changerait cette accession au royaume canadien, qu'il entrevoyait à une échéance inférieure à six mois. Presque demain.

Gilles Drouin avait été un commercial zélé. Il acceptait tous les dossiers, hiérarchisant le risque qu'ils représentaient selon l'intérêt que son client avait pour son accession au poste de premier ministre. Vingt ans de contacts et de manipulation. Il avait tout appris des Italiens, ceux de Montréal et de Laval. Il savait tout accepter, avec le sourire. Il savait aussi tout faire payer, avec le poing. Membre du Comité exécutif de sa ville, un temps surveillé par la Gendarmerie royale du Canada quand elle enquêtait sur les réseaux mafieux, il connaissait tous les projets que venaient présenter les hommes d'affaires. Il détenait le pouvoir financier parce qu'il avait été au centre de l'information économique. Quand il décelait une bonne idée moins bien financée, il intervenait. La perspective, si longtemps caressée, de gagner aux élections avait changé l'idée qu'il se faisait d'un futur au texte maîtrisé par le seul Conseiller.

Il pouvait s'émanciper de tout et régner enfin. Jamais plus personne ne l'arrêterait. Même le grand Poutine, même ce mystérieux Conseiller qu'il n'appelait plus « tuteur » depuis si longtemps.

26

Québec, campagne électorale,
aujourd'hui

La pluie s'était arrêtée et Marco Lormieux desserra le col de son blouson détrempé. Le paparazzi était certain qu'il avait vu la fidèle conseillère de Gilles Drouin entrer par la porte des employés du nouveau service consulaire russe. Elle avait été accueillie sur le trottoir par ce même homme qui lui avait donné l'enveloppe dans la boutique de souvenirs du Village huron de Québec. Ainsi, le photographe pouvait prouver maintenant que les deux protagonistes, pris par surprise par son étudiant, entretenaient une réelle relation d'affaires. Il ne lui restait plus qu'à trouver le nom du mystérieux personnage. Son appareil crépita. Il ne voulait rien manquer de l'accolade rapide et de l'aspect surprenant de leur promenade vers l'immeuble officiel, la femme devant, le pas rapide, suivie par l'autre qui se retournait de temps en temps pour vérifier si quelqu'un les voyait entrer par la porte de service.

Le journaliste revint vers sa voiture, s'assit au volant, remonta son col et enfonça encore plus son bonnet sur ses oreilles. S'il fallait encore attendre pour terminer son scoop, il aurait la patience nécessaire, et il avait la chance de passer son temps dans un véhicule chauffé, dans l'automne québécois.

S'il n'arrivait pas à prendre une photo intéressante, il irait rendre visite à son contact de l'ambassade de France, ce colonel Jacques Tanguy qu'il avait rencontré en arrivant sur le sol canadien et qui semblait si intéressé par l'histoire du photographe. Il devrait pouvoir le mettre en contact avec le représentant des services secrets.

Autour de lui, la rue ressemblait au parc du campus d'une université américaine, avec ses petites maisons à deux étages éparpillées sur un gazon coupé court qui serait bientôt remplacé par une couche de neige immaculée. Il frissonna en pensant à la température qui tomberait à la fin du mois de novembre pour rester jusqu'au printemps le plus sûr des alliés de la glace et de la neige fraîche. À quelques semaines près, il aurait été congelé sur place et aurait dû abandonner ses recherches. Mais avant les premières chutes de neige, il serait déjà retourné en France, les poches remplies de jolis dollars. Il changerait le chèque reçu contre des vacances bien méritées sur une île des Seychelles. Il soupira. Il hésitait. L'immeuble ne comportait que des fenêtres aux vitres sans tain qui empêchaient de regarder à l'intérieur des pièces. Il ne pouvait que surprendre une faute potentielle ou un baiser montrant des relations intimes, ou encore avoir la chance inespérée d'être témoin d'une nouvelle transmission d'argent. Il ne pouvait donc qu'attendre la sortie de la femme.

Marco chercha une cigarette dans l'une des multiples poches de sa veste de chasse, remplies des téléobjectifs et des barrettes de mémoire de ses appareils numériques, qui pouvaient stocker des milliers de photos. Il avait arrêté de fumer depuis quelques semaines, tenté par un pari avec une petite amie qui lui promettait une nuit inoubliable s'il tenait six mois sans sa drogue douce. Pourtant, il avait gardé l'habitude de chercher dans ses poches jusqu'à ce que ses doigts trouvent quelque chose à mâcher ou à ronger, bonbons, chewing-gum, autant que stylos et crayon noirs. Il baissa les yeux vers sa poche et sursauta en entendant un bruit derrière lui. Quand il se retourna, il n'y avait rien ni personne dans la voiture. Il se maudit de la tension qu'il ressentait autour de cette affaire et de la peur qui l'avait soudain étreint.

Il ne put hurler, une main gantée l'en empêcha. L'autre main lui tenait le haut du torse et l'emprisonnait. Les yeux écarquillés, il fixa la mort renvoyée par le rétroviseur central.

Deux yeux observaient le même film se dérouler. Le journaliste fit le chemin entre ce regard patient qui l'observait et le sien, proche d'étouffer. Une prise, des bras en acier le retenaient prisonnier. Il n'avait pas entendu la femme entrer dans la voiture. Avant de pouvoir faire un seul mouvement, encombré de ses appareils et du volant devant son torse, il eut le cou fracturé par une clé de mains aux ongles manucurés.

Un homme ouvrit alors sa portière et poussa le cadavre sur le siège passager. Il fouilla le corps et tendit à la femme les appareils photographiques et tout ce que comportaient les poches du paparazzi. Ensuite, il déposa sur le corps une légère couverture et signala à l'autre qu'elle pouvait quitter les lieux. Il savait que le mort ne quittait jamais son sac de voyage pour pouvoir partir sans préavis. Il viderait donc aussi le coffre.

Pendant que la directrice de campagne de Gilles Drouin retournait vers le bureau de son patron comme si elle revenait d'un rendez-vous anodin, le Russe alla couler le véhicule de location dans un des nombreux et profonds lacs de la région. Il ne remonterait pas à la surface ni ne serait trouvé par un pêcheur avant le printemps suivant.

Ni la meurtrière ni le Russe, officiellement chef de la mission commerciale du futur consulat à Québec, en réalité colonel au premier directorat du FSB, n'auraient pu croire en la malchance qui entourait ce nettoyage de routine, pourtant nécessaire. Un oubli simple et inattendu, dans une chambre du Château Frontenac que personne n'avait pourtant occupée. Une pochette de voyage contenant le passeport du journaliste et la photo prise par un étudiant de la banlieue de Paris, trouvée par une femme de chambre qu'un baiser rapide avait bouleversée. Elle tentait de se convaincre qu'elle ne voulait que vérifier que l'homme n'avait rien détérioré ou volé dans la chambre, mais elle ne pouvait se cacher qu'au fond d'elle-même elle tentait seulement de comprendre le sentiment qu'elle avait soudain eu en sentant ses lèvres sur les siennes. Elle ne désirait qu'y trouver la trace d'une odeur, ou celle d'un reste de cette présence qui l'obsédait. Le momentum qui faisait ou défaisait l'histoire venait de changer le cours du temps. Lentement, le processus chaotique se mettait en place autour de la main de la jeune femme.

Elle ne pouvait retenir la pulsion qui la menait à l'espoir impossible de revoir le journaliste et de ne plus le quitter. Elle regarda la photo, reconnut la figure qui s'y trouvait.

Son cœur s'emballa : en quelques minutes, elle se trouvait plongée dans une histoire romanesque dans laquelle son héros mystérieux se battait contre les bassesses politiques. La jeune femme fouilla encore dans le petit sac oublié par le photographe et y trouva une seule carte de visite, celle d'un attaché militaire de l'ambassade de France à Montréal, un certain colonel Jacques Tanguy qui était aussi, dans une autre vie, colonel de la DGSE. Sans le savoir, elle venait de choisir d'appeler le représentant du service de renseignement français au Québec.

Pleine de ses rêves d'amour, elle rangea le tout sur son chariot et se décida à terminer au plus vite son service pour ensuite appeler le diplomate. Deux heures plus tard, une première alerte allait être donnée pour rechercher le journaliste français disparu.

Aucun des participants à cette longue mission ne le saurait jamais, mais après un reportage télévisé vu par une ivrogne, un deuxième danger, après vingt ans de préparation impeccable, fut introduit dans ce complot pourtant si parfait, mené de main de maître par l'équipe du futur premier ministre, Gilles Drouin.

27

Sur le bord du fleuve Saint-Laurent,
aujourd'hui

– Je n'aimerais pas avoir seize ans de nos jours, vivre dans un monde de chômage et de crise, condamné à la géhenne climatique et à la surpopulation de la planète.

L'incongruité de la phrase fit se retourner brutalement un général Carignac en colère, vers l'ambassadeur au sourire ironique. Le gorille de service l'avait assis sur son fauteuil avant de lui enlever le bâillon élastique d'un claquement sec. Sur la joue du vieillard, une marque rouge apparut.

– C'est vrai que votre jeunesse, celle de vos seize ans, est bien plus glorieuse si on la jauge à l'échelle de l'ignominie.

Le deuxième garde du corps avait avancé un chariot à roulettes, décoré d'une cafetière bouillante et de tasses dépareillées. Carignac pouvait avaler des litres de boissons chaudes tout le long d'une journée, peut-être dans la croyance qu'il éliminerait les doses d'alcool fort qu'il ingurgitait.

Lefort était aux aguets, avec la même impression qui s'empare de vous, sur le terrain, quand vous êtes suivi. Le frisson dans le dos produit par la décharge d'adrénaline se confondit au malaise de ne pouvoir détecter la source de son inquiétude. Il avait encore à l'esprit le passage de l'épicier et il avait mis en place un fil de nylon invisible qui faisait maintenant le tour de la propriété, relié à un analyseur de mouvements.

Quelques mois auparavant, dans un dernier élan de paranoïa professionnelle, l'ex-commandant des services secrets avait testé, à l'aide du mouvement des chiens, que seule la force d'un humain pourrait faire retentir l'alarme. Il ne lui faudrait ensuite que quelques minutes pour fermer le phare et sortir sa caisse d'armes de guerre. Le site était imprenable, et son socle de granit le défendait des meilleurs explosifs. Un petit pistolet mitrailleur d'origine israélienne avait pris place dans son dos, sous son large et confortable pull-over de marin.

Carignac termina sa tasse de café d'un claquement de langue, puis retourna une chaise pour s'y asseoir à califourchon. Son ventre appuyé contre les barreaux semblait vouloir sortir d'une prison.

– Seize ans. Puisque vous en avez parlé, allons-y. Vous avez quitté Château-Richer peu après cet anniversaire, après le décès accidentel de votre ami hongrois. Vous avez ensuite intégré une école de langue anglaise, un établissement de la haute aristocratie anglo-saxonne du Québec. Incroyable, non, pour un petit pauvre de la francophonie, catholique et orphelin qui plus est ? Mais nous y reviendrons aussi. Parlons plutôt du petit Hongrois mort dans un accident de pêche. Sans autre témoin que vous-même. Est-ce lui qui vous a appris les langues slaves aussi parfaitement ?

– Un douloureux souvenir. Il a glissé sur un rocher pour se fracasser le crâne dix mètres plus bas. Nous étions très proches, un peu en dehors du groupe des « pure laine » qui nous considéraient comme des immigrants pauvres. À deux, nous nous défendions mieux des railleries et nous faisions des envieux par notre savoir-faire de pêcheurs et nos bonnes notes à l'école. C'est pour cela que j'ai eu cette bourse, je veux parler des bonnes notes.

– Répondez à ma question. Où avez-vous appris toutes ces langues slaves ? Dans les premières appréciations, à l'école anglaise de Montréal, vos précepteurs notent une formidable capacité d'apprentissage. «En six mois, l'élève a franchi presque toutes les étapes de l'appréhension à l'oral de langues complexes, comme le russe, le hongrois, le polonais et le grec.»

– Vous allez me torturer?

– J'ai bien peur que nous finissions sur la grève à vous rouer de coups, ou à vous faire boire la tasse dans la baignoire de notre hôte. Mais je ne me salirai pas les mains, je laisse la basse besogne aux cerveaux dérangés de ceux qui prennent plaisir à faire souffrir les gens. Nos deux armoires à glace ont l'avantage de n'être dotés que d'un cerveau reptilien. Je n'aurai aucun remords à les laisser épancher une vilaine pulsion sur un homme qui a commis tant d'ignominies. Vous savez, ici, il n'y a pas de justice, il y a l'obligation de vengeance. C'est ce qui provoque mon dégoût de la peine de mort en temps ordinaire: elle est interdite quand on parle justice, elle est permise quand on parle de vengeance. Je reviens à ma considération sur votre soudaine et inexplicable science en langues orientales.

– Pavel m'a appris le hongrois et le russe. Le reste a suivi.

– Votre Pavel vous aimait, mais il ne parlait que le français. J'ai rencontré son jeune frère, qui vit toujours sur la côte de Beaupré. Un plombier sympathique et bourru qui n'a de hongrois que les racines de son patronyme. La famille ne pouvait connaître un seul mot des langues de leurs ancêtres parce que les parents avaient pris le parti de l'intégration à tout prix. Aucune phrase ne sortait de leur bouche dans une autre syntaxe que celle enseignée par les bons pères de l'Église catholique. Même les mets cuisinés étaient copiés sur les plats traditionnels québécois. Le curé de la paroisse veillait à tout cela de manière pointilleuse, offrant régulièrement en cadeau à la grande famille des recueils de prières et des livres de recettes.

– Pavel parlait hongrois et russe, je le sais. Peut-être appris dans des livres. Il était le meilleur d'entre nous à l'école.

– Il a laissé une lettre. Elle est rédigée en français, truffée de termes idiomatiques locaux, d'expressions qui montrent la maîtrise du québécois et l'inaptitude de cacher ses secrets dans une langue incompréhensible au commun des mortels. Une sorte de cahier d'heures, un récit décousu sur les sentiments complexes qu'il éprouvait envers vous. Cette lettre a été cachée par son petit frère toutes ces années, par amour fraternel, parce que l'homosexualité qu'elle révèle était alors considérée comme une perversion punie par la loi. Depuis, il a compris, comme la société canadienne, l'erreur sociale ou le mythe chrétien. Le Québec a jeté son clergé pendant la Révolution tranquille, si soudainement que la génération actuelle n'a pas le moindre souvenir de l'emprise des prêtres sur la vie quotidienne de cette époque. Mais le cadet ne vous a jamais pardonné de vous être enfui.

Au loin, par la fenêtre, Lefort entraperçut une ombre de l'autre côté de la falaise. Il savait qu'il ne s'agissait pas d'un marcheur ni d'un touriste venu s'approcher du phare pour contempler un joli point de vue. Le rythme était lent, les vêtements, foncés et le dos, courbé. Il ne l'avait vu que quelques secondes, mais la souplesse et la rapidité des mouvements le mirent en alerte. Un signe et les gardes du corps avaient compris. L'un sortit par l'arrière, l'autre monta aux étages du phare pour avoir une vue d'ensemble sur les alentours. L'ancien adjoint de Carignac, qui désirait tant passer sa retraite loin des guerres de son patron, savait que les hommes du général ne manqueraient aucune cible à moins de six cents mètres avec les fusils de snipers qu'ils avaient longuement et patiemment nettoyés la veille au soir. Carignac et l'ambassadeur n'avaient rien remarqué, imbriqués qu'ils étaient dans un duel de colère et de concentration, les yeux dans les yeux. Le vieil homme aboya.

– Une lettre ? Pavel a laissé un journal qui m'est destiné ?

Une goutte de sueur perla sur son front ridé comme un parchemin craquelé, lignes horizontales entrecoupées de crevasses verticales.

Lefort souleva une trappe cachée sous un tapis et y plongea le torse pour en retirer une caisse de bois.

Carignac jeta un regard hargneux vers le commandant, offusqué qu'on ait pu faire le moindre bruit pendant son interrogatoire. Il reprit, après avoir poussé de l'index le torse de l'ambassadeur :

– Le testament d'un amoureux qui dédie sa vie au secret de son amant.

– Je n'en crois rien ! Encore une manœuvre ! Montrez-moi cette lettre !

Le prisonnier avait hurlé. Carignac gardait son calme, ironique.

– Vous l'aurez. Plus tard. J'ai un autre document à vous montrer avant.

Il s'était levé, géant surplombant l'homme enfoncé dans son large et confortable fauteuil. Il n'eut qu'un geste à faire, qu'à étendre le bras derrière lui pour se saisir d'un maroquin de cuir brun et le jeter sur les genoux de son prisonnier. La pluie redoubla et son martèlement agaçant couvrit un instant la musique de jazz que la radio égrenait depuis le matin.

À ce moment, la porte d'entrée s'ouvrit brutalement et le commando entra en frissonnant. Il était trempé. Il haussa les épaules en regardant Lefort. Ce dernier lui fit un signe de la tête, l'enjoignant de rejoindre son compagnon au dernier étage, derrière la verrière qui avait protégé pendant près d'un siècle la lentille du feu perpétuel. Il emporta la cafetière en passant.

L'ambassadeur avait ouvert la pochette de cuir. À l'intérieur, un dossier était marqué d'un grand tampon du KGB en cyrillique. Il changea délicatement de lunettes et commença la lecture. Carignac s'était retourné vers la porte-fenêtre. La pluie continuait. L'ambassadeur parla doucement.

– Je vous propose de vous révéler tout ce que je sais sur l'équipe qui entoure Gilles Drouin. Mais laissez mon passé dans cette sacoche. Je…

Carignac ne répondit pas. Il fit seulement le geste de récupérer la sacoche de cuir, puis se reprit. L'ambassadeur s'était redressé dans son fauteuil. Il parla plus nettement, il tremblait.

– Je vous offre une équipe infiltrée depuis vingt ans, je vous offre de défaire un système de financement, je…

Le petit émetteur-récepteur de Lefort grésilla. La voix calme du guetteur chuchota dans le mince combiné. Il ne mit pas deux secondes à résumer la situation.

– Un homme seul, la quarantaine, assis sous un rocher à cinq cents mètres, pas d'arme en vue, des jumelles de vision nocturne autour du cou. Je pense que son identité nous est connue, un officier du GRU croisé à Beyrouth. L'équipe du Conseiller est sur nous.

28

Carignac observait le colonel Tanguy avec un sourire. L'homme avait la cinquantaine, le profil d'un spadassin italien, brun, acéré, les joues bleuies par une barbe qu'il rasait pourtant plusieurs fois par jour. Ses vêtements de civil n'étaient qu'un déguisement sur son corps formé par les manœuvres militaires, et on sentait que la coupe en avait été choisie inconsciemment parce qu'elle ressemblait au mieux à celle d'un uniforme.

Carignac et Lefort avaient réagi rapidement après avoir repéré l'espion russe. Pendant que Lefort montrait son arsenal aux deux gorilles, Carignac téléphonait en France, puis à l'ambassade de France à Québec. Ils étaient partis quelques minutes après, laissant l'ambassadeur sous la garde des deux hommes de Carignac.

Le colonel Jacques Tanguy était le représentant de la DGSE, et sa position officielle expliquait en partie les quelques minutes de silence gêné qui avaient suivi le discours d'un Carignac jovial après une longue séance de serrements de mains. L'homme de la DGSE, attaché militaire de l'ambassade, avait dû se souvenir, mot après mot, des missions qu'il avait effectuées quand le général était encore le directeur général du service de renseignement français, et de la manière surtout dont il avait été noté par Carignac. Lefort observait les mouvements gênés du militaire qui se tordait sur sa chaise en évitant de les regarder dans les yeux.

– Mon général, je suis ravi de vous savoir en pleine forme. Mais j'ai cru comprendre que vous aviez été envoyé ici de manière officieuse, sous invitation des services canadiens, sans que mon équipe en soit informée.

Carignac prit le temps de mettre en place son rituel de concentration. Il sortit son grand mouchoir blanc et commença le nettoyage méthodique de ses lunettes. En silence, il fixait le colonel avec un grand sourire, le transperçant de son regard gris. Il souffla encore sur les verres, embuant jusqu'à la monture. Il se tourna ensuite vers Lefort.

– Dites-moi, Lefort, vous avez connu Tanguy quand il n'était qu'un novice. Pourtant, n'avez-vous jamais travaillé avec lui en mission ?

Jean Lefort se redressa, gêné. Carignac ne lui laissa pas le temps de répondre.

– Si je dis cela, colonel, c'est parce que quand vous êtes arrivé chez nous, frais émoulu de votre régiment d'infanterie, j'ai tout de suite décelé chez vous cette compétence particulière. Bon, vous êtes un mauvais espion, on vous démasquerait à un kilomètre si vous vous promeniez dans un souk tunisien ou une cantine russe. Vous arriveriez à imiter l'uniforme et sa cocarde en portant le maillot de bain, bleu nuit, remonté jusqu'au nombril. Cependant, au contraire du commandant, vous avez un esprit d'analyse hors du commun et une mémoire d'homme de loi. Prenez notre bon Lefort. Il est un poisson dans l'eau, quand il nage dans le bourbier afghan ou la mafia russe. Vous, sur un tel terrain, vous seriez un poids mort – une image, colonel, ne sursautez pas comme cela ! – pour le service. Je l'ai toujours affirmé ! Une guerre se gagne avec une dose d'initiatives et une sacrée mesure de logistique. C'est pour ça que j'avais donné mon feu vert pour votre embauche, et c'est pour cela que j'ai aujourd'hui besoin de vous, colonel. Vous êtes en quelque sorte la « logistique » dont j'ai besoin aujourd'hui. N'auriez-vous pas un peu de thé? L'air sec du Québec...

L'homme se leva brusquement et passa la tête par la porte vers le bureau voisin, celui de sa secrétaire. Il lui donna quelques ordres secs et referma la porte, en la tenant comme s'il ne voulait pas qu'on découvre la présence de Carignac dans son bureau. Il donnait l'impression de marcher au pas. Le général ne lui laissa pas le temps de se rasseoir. Il voulait le pêcher en plein vol, comme un saumon saute hors de l'eau pour attraper une mouche.

– Que savez-vous de l'équipe de campagne de Gilles Drouin? Je vais être plus précis... Rien du côté russe?

Ils crurent que l'homme allait s'étouffer. Il desserra sa cravate, marquée de l'ancre marine de son corps d'origine, l'infanterie ex-coloniale. Il répondit après avoir compris que tous avaient remarqué sa position, jambes écartées comme si le général l'avait fait mettre au repos après un garde-à-vous.

– Mais, mon général, c'est le futur premier ministre du Québec, un ami intime de notre président! J'ai des consignes de Mortier qui me demande de leur rapporter «tout événement ou information concernant le futur premier ministre».

– Mais oui, Tanguy, ne faites pas la fille de joie avec nous! Nous sommes au courant de cette grande amitié transocéanique. Lefort lit aussi les journaux. Moi, ce qui m'intéresse, c'est ce que vous avez bien pu trouver comme infos sur l'entourage de Drouin. Je pense même que votre patron, là-bas, empêtré dans la lutte antiterroriste et le renseignement irakien, n'a pas manqué de vous laisser carte blanche pour lui fournir des fiches de renseignement politique. Je me trompe?

Le visage du colonel était rouge. Il n'ouvrit pas la porte à laquelle sa secrétaire frappait doucement. Il lui cria d'une voix aiguë : « Repassez plus tard, pauvre folle ! » Carignac attendait que le colonel tourne autour de son bureau et s'effondre dans son fauteuil. Il savait qu'il allait lui répondre, juste en observant son sourcil interrogateur. Il offrait l'image d'un instituteur attendant que son élève lui récite sa leçon en appréhendant le coup de règle sur les doigts.

– J'ai en effet commencé un dossier politique, mais rien de bien plus intéressant que ce que vous entendez aux informations du soir. Cependant, ce matin, j'ai déniché quelque chose. Je ne l'ai pas encore transmis à la Piscine et j'ai donc encore la possibilité de vous en accorder l'exclusivité. J'ai reçu la visite d'une jeune femme, elle s'inquiétait de la disparition d'un photographe français et elle a trouvé ma carte dans un sac oublié par le disparu. Elle m'a tout apporté. Je n'ai pas encore eu le temps de faire suivre à Paris.

Il lâchait au général la meilleure de ses munitions pour espérer retrouver le calme solitaire de son bureau. La secrétaire avait encore frappé et demandait d'une petite voix si tout allait bien. Alors Tanguy se leva, en furie, ouvrit la porte d'un seul coup et lui fit signe d'entrer. Elle portait en tremblant des gobelets en plastique dont la vue fit froncer les sourcils du général. Carignac n'aimait pas que l'on dénature une boisson dont il jugeait l'introduction en Occident comme la seule contribution de l'Angleterre au rayonnement de l'humanité. Il remercia poliment la jeune femme, lui prit le récipient entre deux doigts, respira l'odeur avec une nouvelle grimace et le posa sur le bureau du colonel. Celui-ci s'était empressé de glisser un dossier sous le culot avant qu'il ne marquât le bois marqueté.

– Pourquoi lier l'histoire de ce photographe à notre sujet ?

Le colonel sortit une enveloppe du tiroir de son bureau et la tendit aux deux hommes. Sur une photographie unique, on voyait une femme élégante recevoir une grosse enveloppe de papier kraft.

– La femme vous est sans doute connue, il s'agit de la directrice de campagne de Gilles Drouin. L'homme, en face d'elle, est le consul honoraire de Russie au Québec. L'échange ne fait aucun doute. Il s'agit de la transmission de données confidentielles ou bien d'une grosse somme d'argent. L'endroit de l'échange est choisi pour l'anonymat qu'il représente, touristique, loin du centre-ville et presque jamais visité par des résidants locaux. La campagne de ce nouveau venu en politique est donc soutenue, techniquement ou financièrement, par nos amis du Parti rouge.

Lefort sourit à l'ancienne dénomination militaire par laquelle on désignait l'Union soviétique dans les écoles d'officiers françaises. Il s'était souvent assuré que, dans l'esprit des militaires, la Russie était toujours la puissance du mal, celle des armées innombrables du pacte de Varsovie, poussées par la fidélité à la faucille et au marteau léninistes. Ils auraient été surpris de constater que la formation des officiers russes avait vite repris son allure impériale plutôt que communiste. Le colonel Tanguy était toujours debout, il semblait nerveux à l'idée que la photographie soit encore dans les mains de Carignac. Ce dernier la plia et la rangea dans la poche intérieure de son veston. Lefort crut que le colonel allait s'évanouir.

– Asseyez-vous, Tanguy, vous êtes blanc comme un linge ! Écoutez-moi. Foi de Carignac, je vous rendrai votre pièce originale le plus rapidement possible. Notre enquête « officieuse » va pouvoir avancer grâce à vous, et je saurai le faire savoir à qui de droit !

Carignac avait montré du doigt le plafond du bureau, éclairé par un néon relevant le gris de la peinture couverte de poussière grasse. Les deux autres avaient un instant suivi le geste du général pour chercher une quelconque trace de cette autorité secrète et omnipotente qu'il avait ainsi évoquée. Quand ils avaient baissé les yeux, l'ancien directeur général de la DGSE souriait et semblait ronronner comme un chat qui vient de déguster un couple de moineaux.

– Tanguy, ne finassons plus. Parlons sérieusement. Vous allez vous rapprocher de vos homologues de la GRC. Vous leur révélerez ce que vous avez trouvé, vous ne leur direz rien de la photographie parce que vous l'avez égarée. Ne faites pas l'idiot. Si vous avez un problème d'ordre hiérarchique, je vous fais transmettre un ordre direct de l'Élysée en même temps que votre lettre de mission pour une mutation à Lomé. Il y a des carcasses de Migs à surveiller là-bas[15]. Pour ce qui est de votre ingérence potentielle dans la politique intérieure d'un pays ami et le conflit moral qui pourrait en découler, si nous trouvons des preuves révélant de l'espionnage ou une machi-nation commandités par une puissance extérieure et que ces preuves intéressent un allié, nous rendrons des comptes à cet allié, s'il n'est pas encore dirigé par le superbe Gilles Drouin. Si nous ne trouvons que des faits concernant la politique intérieure, nous nous tairons. Monsieur Drouin m'est, en plus, très sympathique.

Le colonel s'assit à nouveau lourdement dans son fauteuil qui grinça de douleur. Il bégaya un « affirmatif, mon général » et s'en voulut aussitôt d'avoir répondu aussi vite, comme un enfant pris en défaut de lâcheté. Il attrapa le verre de plastique que le général avait délaissé et le vida d'une gorgée.

– Dois-je prévenir Paris ?

– Vous plaisantez ?! Vous allez seulement m'organiser dans l'heure qui suit une rencontre avec tout le beau monde d'ici, Service de sécurité du Canada, Police montée et Service de renseignement.

---

15. Référence à un rapport de la DGSE des années 2000 rapportant l'extrême danger pour la sécurité africaine d'une flotte de Migs biélorusses armée et prête à décoller, sur le tarmac de l'aéroport de Lomé. Après vérification, il s'agissait de deux épaves rouillées, abandonnées dans un pré. Le capitaine de la DGSE qui avait écrit le rapport ne fut jamais réprimandé.

Il posa la main sur le combiné téléphonique et composa le numéro, appris par cœur à son arrivée, de son contact dans la Gendarmerie royale. Il le ferait suivre par un autre au SCRS[16]. Pour quelques jours, tant que l'ombre de Carignac serait sur lui, il oublierait de communiquer avec la centrale parisienne d'autres informations que celles concernant les rapports de presse commentés. Il n'avait jamais rêvé de se retrouver à Kaboul ou à Lomé.

16. Service canadien du renseignement de sécurité.

29

Québec, campagne électorale,
aujourd'hui

Jean Lefort observait la concentration du général Carignac devant les clichés qui défilaient sur le mur devant lui, dans la salle de projection du chef de cabinet du ministre. Deux officiers de la Police montée venaient de passer près de deux heures, sans dire un mot, à lui présenter des milliers de visages. Le général levait seulement le doigt pour leur indiquer qu'ils pouvaient avancer de temps en temps. Une fois, il s'était levé pour déplier son grand corps de joueur de rugby et faire craquer ses vertèbres, puis s'était assis à nouveau, concentré.

Carignac leva la main. Le silence se fit plus pesant dans la pièce et les deux agents se tournèrent vers le général, vraisemblablement au bord de la crise de nerfs.

– Remontez à la précédente, celle prise au bas des marches du quartier du Petit Champlain à Québec. Une caméra de surveillance ?

Le policier regarda son chef qui lui donna son assentiment d'un rapide signe de tête.

– Ne le dites pas au nouveau maire. Mais oui, nous avons installé des caméras automatiques qui tirent des portraits toutes les secondes par focus automatique. L'ordinateur les trie ensuite quand une correspondance minime intervient avec nos fichiers ou ceux d'Interpol. Le plus souvent, il s'agit de touristes. Celle-là a été ressortie de la base parce que notre visagiste a estimé que l'homme était grimé. Un détail, je crois, dans la couleur de la barbe par rapport à celle des pattes de joues. Nous avons un informateur qui l'a identifié comme un ancien officier.

Le général se leva, la chemise sortie dans son dos laissant voir un bout de peau que les rayons du soleil n'avaient jamais dû lécher, et s'approcha de l'écran jusqu'à le toucher du nez. Tous étaient en attente de son verdict.

– Igor Vitovitch Grychine, colonel et âme damnée du premier ministre Vladimir Poutine. Professeur de théâtre à l'École supérieure du KGB à Moscou avant l'explosion de l'empire soviétique, FSB, homme d'affaires.

Lefort s'avança à son tour vers l'image. Elle montrait un homme élégant à l'allure de hobereau anglais au retour d'une promenade de campagne, coiffé d'une casquette sombre et vêtu d'un Barbour de toile huilée. Il portait une barbe courte et descendait la petite rue menant au quai de la rive nord du Saint-Laurent. Il avait à la main droite une canne et semblait boiter compte tenu de la position oblique qu'il avait prise dans la descente des longues et larges marches. L'ex-commandant Lefort reconnut les yeux que l'homme n'avait pas maquillés. Une pupille presque inexistante, laissant tout l'espace à des billes bleues et délavées. Igor Grychine se cachait donc dans le Vieux-Québec.

Carignac alla se servir une tasse de thé qu'il but directement avant d'emplir de nouveau son gobelet. Il grimaça pour commenter la mauvaise qualité des feuilles utilisées et revint s'asseoir dans son fauteuil.

– Votre informateur de Moscou, réfugié ici dans la bonne tradition des défections de la guerre froide, vous a donné une mauvaise indication. Ce n'est pas seulement un ancien officier. Nous allons devoir obtenir la permission d'interroger ce mystérieux informateur. Vous vous en occupez, messieurs ?

Les deux hommes s'étaient assis derrière la grande table de réunion. Le premier desserra sa cravate, gêné. Le plus jeune regardait ses pieds. Lefort s'appuya contre le mur. Au jeu du silence, il avait appris de Carignac qu'il ne fallait pas bouger. Le plus ancien finit par tenter d'esquisser une grimace en tordant son visage, laissant ses interlocuteurs perplexes.

– Nous n'en avons pas la possibilité. Cela fait partie de son marché. Il ne rencontre personne, il offre des renseignements, nous les fait parvenir par un mécanisme complexe de boîtes aux lettres entre la Russie et le Canada. Nous pensons qu'il est un haut fonctionnaire du FSB, peut-être dans l'équipe de direction ou dans celle qui entoure Vladimir Poutine. Il nous avait demandé de tirer les photos des touristes visitant le Petit Champlain ce jour-là et de vous faire venir pour les regarder. Pourquoi le Canada, me demanderez-vous ? Mais parce que la deuxième information qu'il nous a donnée a été qu'une opération d'envergure s'y déroulait. Ni la CIA ni nos alliés n'en sont informés, seulement vous, parce que vous êtes le spécialiste reconnu de Vladimir Poutine...

Carignac avait sorti son mouchoir pour recommencer son travail patient de polissage de ses lunettes. Ses yeux gris regardaient par en dessous les deux officiers. Ils ne disaient pas tout. Il en était certain, et si le gouvernement canadien avait fait appel à la DGSE pour combler un emploi temporaire au sein de leurs services, c'est qu'il en avait reçu l'ordre par leur mystérieux informateur. Il fallait qu'ils retournent auprès de l'ambassadeur pour connaître les détails de l'opération.

30

Québec, campagne électorale,
aujourd'hui

Daniel Bouchard, le tueur, l'espion parfait, l'illégal en mission depuis si longtemps, avait voulu faire confiance à son instinct, celui qui l'avait empêché de s'enfuir devant la rencontre impossible. Il avait reconnu la femme, vingt ans après l'avoir vue monter dans un avion pour Las Vegas en compagnie d'un vieil Américain à la main baladeuse. Il savait maintenant qu'elle aussi l'avait vu et reconnu, mais il ne savait pas si elle reconnaissait le vrai Bouchard dans ses tics de langage et sa démarche, ou l'apprenti qui, selon le rapport de la police du Nouveau-Brunswick, avait été retrouvé brûlé dans les ruines de l'atelier du véritable maçon.

Elle n'était pourtant qu'une part infime du passé, un souvenir presque oublié. Il l'avait d'abord observée à la dérobée, puis leurs regards s'étaient croisés.

Il n'avait besoin pourtant que de quelques semaines, juste le temps des élections, avant de pouvoir retourner en Russie.

Alors, il avait décidé de la tuer. Il était si bien entraîné pour cela. Il lui avait montré la porte du bar. Il l'avait invitée à monter dans sa voiture.

Dehors, au même moment et de toutes parts, les éléments s'étaient déchaînés. Plus ils étaient secoués par les rafales de la tempête, plus il s'enfonçait dans un calme qu'il n'avait plus connu depuis son embarquement sur le vieux rafiot norvégien.

Mais Daniel Bouchard le bavard, avec cette épave humaine imbibée de mauvais gin, renfrognée, tassée dans son coin de siège, serrant son sac à main, n'avait pas échangé un seul mot.

Il avait espéré qu'elle le menace ou lui dise seulement qu'elle voulait un peu de cet argent dont elle rêvait pour quitter sa roulotte. Elle était restée silencieuse. Il avait alors décidé de retarder la sentence. Dans son système impeccable, l'action finirait bien par suivre la décision, l'exécution après la sentence.

Ils avaient donc roulé le long du fleuve, la radio en sourdine débitant les navets des chanteurs du quota francophone. Il rêvait aux paroles engagées des poètes russes des années 1980, elle songeait aux groupes américains qui l'avaient fait danser quand les hommes la désiraient. Tout ce temps en silence, jusqu'à ce que la nuit fasse tout basculer.

Ils firent l'amour au bout du monde, dans un motel minable de la route 138, coincé entre les relents des marécages du Saint-Laurent gonflés par l'orage et le bruit insoutenable des camions monstrueux défilant vers le nord. Il allait faire jour et Daniel aurait dû, déjà, l'assassiner. À la maison, sa blonde devait commencer à s'impatienter. Un camion, un de plus, passa en faisant trembler le mobilier. Il se demanda si les marécages digéreraient le corps fatigué de la femme.

– Tu n'es pas Daniel. Je le sais. Tu es son ancien ami, « le silencieux », comme je l'appelais. Tu as pris son nom pour refaire ta vie. Toi t'es fort, lui non, jamais je n'oublierai son pauvre corps trop maigre et son inaptitude à bander.

Elle recoiffait ses cheveux entre deux gorgées de whisky qu'elle prenait directement au goulot de la bouteille, en frissonnant. Il l'avait payée cent dollars à la réception. Une sorte de bourbon local à l'étiquette collée sur une bouteille de lait. Il regarda le corps nu de la femme, malgré sa maigreur, encore bien formé, mais à la peau marbrée et terne. Un teint malade à cause des traitements qu'elle lui faisait endurer depuis toutes ces années. Presque une peau de morte. Il ne comprenait pas comment il avait pu la déshabiller. Pourtant, depuis le bar, elle paraissait lucide. Il l'avait laissée débiter son baratin au sujet de retrouvailles et avait déployé de grands efforts à la trouver suffisamment belle pour l'emmener dans la chambre. Jusqu'à lui faire l'amour. Dans la brume, le soleil se cachait. Il sortit son pistolet.

– Quand m'as-tu reconnu ?

Elle se leva en faisant grincer le sommier et essaya d'ouvrir le robinet de la douche dont le baquet ne semblait pas avoir été nettoyé depuis la construction de l'édifice. Peut-être même avant, pensa-t-il en regardant le carrelage sous les pieds de la femme aux ongles peints en violet. Un gargouillement suivi d'explosions venant de la tuyauterie indiqua que l'eau n'était pas loin. Elle finirait par couler, et cette certitude rappela à Daniel sa décision de tuer ce pauvre souvenir d'un passé qu'il ne fallait pas déterrer. Elle se recula. Un jet jaunâtre sortit de la pomme rouillée en un hoquet de lendemain de fête. Elle revint s'asseoir sur le rebord du lit, laissant couler l'eau chaude. Chacune des gouttes qui tombaient sur le sol laissait une marque plus claire et se joignait aux autres pour créer une rigole sombre au centre, le tout créant l'aspect d'un étrange échiquier. Elle haussa les épaules.

– Je sais pas. J'y croyais quand tu es passé à la télévision. Ensuite, dans l'autobus, je doutais déjà. Dans le bar, peut-être, j'ai eu la certitude que tu étais un escroc. À cause de tes yeux, fixes comme ceux que j'imagine pour un tueur, ou encore quand j'ai vu tes mains. Lui, elles étaient petites, une énigme pour moi. Plutôt faites pour un gratte-papier que pour tailler le caillou. Je t'ai laissé faire. J'avais pas fait l'amour depuis longtemps, je voulais voir si j'avais pas oublié.

Elle regarda son sexe. Elle n'avait pas oublié comment un homme peut se satisfaire pour croire à sa force et s'oublier, pourtant, elle désirait juste serrer un instant un corps dans ses bras. Elle haussa à nouveau les épaules. Une légère vapeur emplit le coin de la pièce aménagé en salle de bain.

– Tu es qui ? Enfin, vraiment, je veux dire. Mais rassure-toi, un coup est un coup. J'ai bien aimé. Ils se font si rares, les amants. J'aimais ça dans le temps. Tu sais, sans désir, il n'y a plus d'hommes.

Elle regarda le faux Bouchard, son bas-ventre musclé au sexe recroquevillé, soupira, et retourna toucher du bout des doigts l'eau qui coulait. Il était impossible d'atteindre les robinets sans se mouiller et Daniel espéra un instant, il s'en étonna ensuite, que l'eau ne soit pas trop chaude et qu'elle puisse régler la température sans se brûler. Elle ne montra aucune gêne et rajouta pourtant un quart de tour du débit d'eau froide. Lui s'était levé et tentait de voir le fleuve derrière la fenêtre grasse jusqu'à l'opacité. Il hésitait entre l'étrangler et décharger son pistolet. Il vissa le silencieux.

– Je suis un espion russe. FSB.

Il guetta sa réaction. Elle avait souri, les yeux fermés, les cheveux dégoulinants se plaquant sur son visage épuisé. Un reste de rimmel coula sur sa joue, puis marqua d'une cicatrice son sein, avant de rejoindre la flaque noirâtre à ses pieds. Presque une trace de sang. Daniel avait lâché la phrase sans réfléchir. Elle ne savait même pas ce que signifiait FSB. Si encore il avait craché KGB. Autant il savait qu'il la tuerait, autant elle n'avait pas à savoir qui il était. Il était le maçon Daniel Bouchard. Pas un Russe, un Québécois qui avait quitté le Nouveau-Brunswick en novembre 1989. Le lendemain du jour qui annonçait au monde, depuis Berlin, la fin de l'empire soviétique. Il voulait encore réfléchir. Il se recoucha.

– J'ai tué ton fiancé et j'ai ensuite pris ses papiers et ses économies. Il était mort quand le feu s'est déclaré. Étouffé dans un sac plastique. Toi, tu étais partie avec ton Américain, à Vegas, en lui faisant croire que tu te rendais au chevet d'une vieille tante. Pas vraiment un secret pour moi parce que je t'avais suivie jusqu'à l'agence de voyages où tu avais payé les deux billets avec le cash de ton Texan. J'ai attendu que tu t'envoles avant de l'étrangler et de foutre le feu au hangar. Daniel avait promis de t'épouser, je ne sais pas si tu le croyais. Je ne sais plus si je dois te tuer aussi.

Elle s'était tournée vers le mur et restait courbée sous le jet qui coulait par à-coups. Il n'aurait pas voulu qu'elle pleure et ignorait si c'était le cas. Son corps ne bougeait pas. Seul un tremblement sur ses fesses montrait que peut-être elle riait. Ou bien traversait une nouvelle crise alcoolique. Elle parla doucement.

– J'aime l'eau chaude. Une douche, il n'y a rien de mieux. Dans la roulotte, on n'a pas la place pour une douche. Alors, je me lave au baquet. Toutes ces années qui ont suivi depuis Daniel, toutes identiques. Je suis si épuisée.

Elle leva la tête pour boire l'eau qui tombait. Il avait envie d'une cigarette et fouilla dans le sac aux coutures élimées. Un paquet froissé en gardait deux, tordues, humides. Il saisit la photo qui traînait à côté. La fille sur l'image, trop maquillée, à la mode gothique, des piercings dans le nez, avait une expression fermée. Elle était trop maigre, comme sa mère, avec un joli visage et les mêmes yeux, d'un bleu délavé et dilatés par la drogue. On voyait qu'on l'avait forcée à se tenir devant l'objectif.

– C'est ta fille? Pardon, sur la photo dans ton sac. Je cherchais une cigarette.

Elle se retourna, serrant ses cheveux pour en faire couler les restes de savon. Elle regarda l'arme qui était sur le ventre de l'homme. Il avait relevé la sûreté.

– Tu sais, c'est pas sa fille, à Daniel. Elle est née trop tard pour ça. À l'époque, j'avais d'autres amants, tu le sais, toi, si tu m'as suivie. J'ai même pensé, en venant, te faire croire qu'elle était de toi, enfin, de lui. Je savais que ça ne pouvait pas marcher. Tu aurais compté. T'étais parti depuis onze mois quand elle est née. Déjà vingt ans. Jusqu'à hier, je n'avais jamais compté.

Lui, il avait compté tous les jours, depuis le départ en pleine nuit du centre d'entraînement de la banlieue de Moscou, depuis le dernier cours de théâtre à Moscou du Conseiller, depuis... Le calcul du temps, c'était sa prière quotidienne.

La femme confondait le Daniel d'avant la descente aux enfers de l'ennui avec celui imaginé et retrouvé. Elle pouvait claquer à tout moment, il suffisait qu'on l'empêche de boire pour faire exploser son foie et son cœur essoufflé. Il voulut soudain qu'elle reprenne une gorgée pour qu'elle tienne encore un peu. Le pistolet avait glissé sur le lit. Encore un symbole de ces années à mentir, à tricher. Face à un bout de miroir, elle continuait.

– Je sais, je ne l'ai pas aidée, je ne la voyais pas, toute seule dans son coin à jouer avec une seule poupée. Tu sais, elle est gentille. On ne refait pas son passé, ça aussi, tout le monde le sait.

Le tueur avait attendu la fin de la phrase avec anxiété. «Tout le monde» était devenu sans intérêt, parce que soudain, avec elle, il ne se sentait plus isolé. Une vie de mensonges et de regrets les rapprochait. Cette femme qui débarquait de nulle part et le reconnaissait après vingt années, grâce à ce concours de circonstances qui lui avait fait montrer sa tête au journal télévisé. Il y avait tant de Daniel Bouchard au Québec. Il se demanda pour quelle raison morbide il l'avait poussée devant lui dans un motel, et pourquoi encore il lui avait fait l'amour d'une façon si désespérée. Pourquoi, tout simplement, il ne l'avait pas tuée. Une sorte de délivrance avec une pauvre ivrogne. Comme s'il avait une vie entière à racheter auprès d'elle.

Il la regarda chercher des yeux une serviette pour s'essuyer. Il se leva et débarrassa le drap du lit. Elle s'en fit une toge blanche. Il ne se rappelait pas si elle avait été jolie.

– Tu prends une cigarette et m'allume l'autre ?

La compréhension de la question lui était arrivée avec un temps de retard. Il était ailleurs et contemplait son pistolet en le trouvant soudain si imparfait. Elle s'était assise devant lui sur la chaise faisant office de fauteuil et de porte-habits. Des amoureux avaient gravé leurs noms sur le dossier, d'autres avaient inscrit des insanités et dessiné des sexes et des jambes écartées. Un gros cœur apparaissait au-dessus de son épaule. Le soleil entra dans la chambre, éclairant la poussière comme des paillettes dorées. Il glissa le pistolet sous l'oreiller.

– J'ai de l'argent. Beaucoup. Dans le coffre du camion. Une sorte d'impôt révolutionnaire piqué à la campagne officielle. Tu vas prendre le tout, et puis aussi la voiture. Tu vas rentrer là-bas et te trouver un appartement. Tu flanqueras une raclée à ta fille en lui disant que tu as retrouvé son père et qu'il est furieux de savoir qu'elle se détruit par la drogue. Et puis, non, tu ne lui diras rien, plus de couches de mensonges encore rajoutées.

La femme avait fermé les yeux et tirait sur sa cigarette. La cendre menaçait de tomber. Daniel Bouchard, ou cet officier russe qu'il redevenait, sentait qu'une étape importante venait de se conclure. La Russie lui manquait furieusement. À cause de cette traînée et de ce motel, il voulait rentrer. Tout de suite. Il savait maintenant que, quoi qu'il arrive, il allait déserter.

LIVRE III

ÉLECTIONS

31

Montréal, campagne électorale,
aujourd'hui

Le plateau du journal de la première chaîne crépita sous les flashs des appareils photographiques.

À quelques secondes du début de l'émission, on appliquait encore du fond de teint sur le front du journaliste, un quinquagénaire aux cheveux poivre et sel que coiffait une autre jeune assistante empressée et tremblante. Une deuxième journaliste était assise à ses côtés et mènerait les premiers assauts contre Gilles Drouin. La spécialité de l'émission *Droit de parole*, c'était d'alimenter la controverse et de désarçonner les vedettes et icônes du moment.

Gilles Drouin, calme, bien droit sous les projecteurs, regarda s'agiter la foule des techniciens. Il présentait toujours le même visage serein aux photographes, sa véritable image de marque. Il était arrivé à l'heure au rendez-vous, s'était prêté avec bonne humeur à la séance de maquillage et à la petite présentation doctorale d'un réalisateur froid et pressé de retrouver la protection des caméras. De manière évidente, il n'était pas le bienvenu à Montréal, et des slogans scandés bien fort, tels que «Le fascisme ne passera pas» ou «Drouin raciste», l'avaient accueilli à la porte d'entrée du studio. La petite foule habituelle, rémunérée par ses adversaires, l'avait devancé malgré le froid qui redoublait. Son dernier commentaire concernant les accommodements raisonnables avait soulevé la controverse quand il avait déclaré qu'il ne voyait pas pourquoi on négocierait une plus grande laïcisation de la politique, quand des partis extrémistes islamistes prônaient l'asservissement de la femme par le port du voile dans l'administration.

Gilles Drouin avait conclu qu'un bon crucifix serait le bienvenu dans les bureaux des voilées, pour leur rappeler que la culture qu'elles avaient fait le serment d'accepter en immigrant au Québec n'était pas celle des oulémas et des fatwas. Filmée par un cellulaire et diffusée en boucle sur le site Internet de Michel Brûlé, l'éditeur indépendantiste, sa diatribe avait rempli les pages des quotidiens.

Au signal du début de l'émission, alors que la musique de la dernière publicité résonnait encore, les deux journalistes assurèrent la position de leurs corps sur les chaises, le dos droit, le sourire éclatant et les coudes posés sur la dalle de verre cachant les écrans de contrôle. L'homme, à gauche, et sa collègue, à droite, faisaient tous deux face à l'homme politique. Celui-ci remarqua cependant une légère différence dans les attitudes de ses interviewers, le premier, légèrement penché en avant, annonçant qu'il lancerait la première attaque, la deuxième, appuyée sur le dossier de sa chaise, en attente, prête à se saisir de la moindre faiblesse de l'un ou de l'autre pour entrer dans l'arène. Il devrait se méfier d'elle, elle serait la plus retorse.

Gilles Drouin écouta la première question posée par le journaliste, les yeux et le sourire tournés vers la femme. Elle soutint le regard sans dévier, et il sentait monter la tension avec l'autre, en quelque sorte jaloux du pouvoir du politique sur sa comparse. Le candidat à l'élection appréciait le déséquilibre et analysa froidement le point de faiblesse qu'il créait ainsi dans le couple, connu pour ses numéros de duellistes politiques. Le reporter continuait doucement à s'enfoncer dans les questions, posant des jalons intelligents vers les pièges qu'il avait préparés. Gilles Drouin répondait aussi doucement, de phrases courtes et emplies d'humour.

– Venons-en au domaine privé, enfin, pour ne pas vous fâcher, à cette partie du domaine privé qui devient publique quand on est en passe de devenir premier ministre. Gilles Drouin, quarante-huit ans, célibataire, sans enfant, beau, riche, diplômé, parlant huit langues, reçu par les grands de ce monde, alors qu'il était encore un inconnu l'année dernière. Vous ne trouvez pas que votre histoire ressemble à un roman à l'eau de rose ? Votre directrice de campagne s'en est déjà expliquée et a promis de porter plainte aussitôt qu'elle saurait lequel de vos adversaires fait circuler ces bruits. Elle est tellement efficace qu'elle doit faire l'objet de harcèlement à l'embauche de la part des candidats à toutes les élections d'importance, partout dans le monde !

Gilles Drouin remarqua que cette deuxième question avait été barrée par le journaliste au bas de la longue page de préparation. L'homme avait soudain décidé de passer outre les préliminaires pour attaquer directement. Drouin n'attendit pas qu'il ait fini sa question, et répondit d'une voix douce et cependant claire.

– Je ne suis pas célibataire, je suis séparé. Je n'ai pas d'enfant parce que le seul que j'ai eu est décédé à la suite d'une longue maladie. Cela dit, je me refuse à penser, comme vous l'avez suggéré, que la vie privée doit être rendue publique à n'importe quel prix, et surtout pas pour rassurer le showbiz à l'effet que je possède les mêmes vices qui font de mes adversaires des candidats potentiels à la première page des journaux à sensations. Je ne parlerai donc jamais de ma vie personnelle. Quant à votre deuxième sous-question, celle qui prétend que j'étais inconnu de vous avant ma candidature, elle ne m'étonne pas, parce que votre spécialité porte sur le milieu « people » de Montréal. Vous ne vous intéressez pas au travail des centaines d'associations politiques, sociales et culturelles des provinces, que j'ai réunies autour de moi au sein du Nouveau Parti démocratique du Québec depuis vingt ans. Je vous observe depuis toujours, le cul vissé à votre beau fauteuil, au centre de la ville la mieux chauffée au monde, envoyant vos émissaires chercher les reportages que vous leur commandez. Le monde ne tourne pas qu'autour de la place d'Armes ou du Plateau. Déplacez-vous un jour vers chez nous, vers Charlevoix ou vers Gaspé, je vous en lance l'invitation. Vous verrez que le pays n'est pas celui que vous espérez montrer. Vous, vous êtes virtuel, moi, je suis la réalité.

Le journaliste avait blêmi durant cette longue répartie et s'apprêtait à répliquer, mais la femme, soudain embarrassée, le devança.

– Holà! Vous commencez dur, monsieur Drouin! Je savais que, face aux politiques, vous n'aviez pas la dent légère. Mais ici, soyez rassuré, vous n'avez que des alliés, nous sommes tous curieux de connaître le formidable élan que vous représentez. Cinquante-deux pour cent de la population est favorable à votre élection, et ce, à quelques semaines du scrutin! Vous l'expliquez comment? À votre façon de répondre aux journalistes, peut-être?

– Je crains de ne pas comprendre votre question. Vous résumeriez l'opinion de la population que je représente, et qui me fait l'honneur de m'offrir sa confiance, au niveau de popularité de vos émissions? Savez-vous que ma première promesse électorale est la mise en place d'une commission d'enquête sur le financement du Parti libéral et sur celui de la Fédération des travailleurs du Québec?

La femme se redressa, prête à l'une de ses célèbres et cinglantes réponses qui pouvaient faire ou défaire un candidat pendant une campagne. Quand on la touchait, elle devenait une tueuse. Gilles Drouin se pencha et lui toucha la main. Elle recula, surprise. Il reprit.

– Mais non, ne le prenez pas mal! Autant je suis difficile face à mes peines et aux grands ratages de ma vie privée,

surtout quand on me les envoie comme précédemment, directement à la figure, autant je suis conscient de l'importance de
vos émissions pour le moral de mes troupes et pour l'enjeu final.
Prenez cette première partie de réponse comme de l'humour.
Plus sérieusement, je pense que, sans votre travail, il n'y aurait
plus de démocratie. Cependant, je suis aussi persuadé que
notre ascension dans les sondages représente la conséquence
visible du travail qu'ont entrepris nos équipes sur le terrain
pour faire connaître, d'une part, notre programme et, d'autre
part, celui de nos adversaires. Nous avons montré qu'ils veulent
faire passer, par de nouveaux mots et de nouveaux slogans, les
mêmes idées dont ils nous abreuvent depuis trente ans. Devant
la crise économique que nous vivons, ils reprennent les mêmes
solutions, en tapant dans les réserves au lieu d'en profiter pour
réformer ces vieilles idéologies économiques qui ont conduit le
monde au bord du gouffre. Nous, nous refusons catégorique-
ment toutes celles qui ont amené à ce blocage de société que
nous observons depuis une vingtaine d'années. Le Canada est
à la traîne derrière ses propres prétentions, et surtout derrière
les États-Unis. Le Canada n'est presque jamais représenté dans
les grandes instances internationales. Le Canada serait-il une
puissance de deuxième zone ? Nous revendiquons qu'il ne s'agit
que d'une vue virtuelle, encore et toujours, gardée au chaud
par le vieil argent des Canadiens anglais, qui rêvent d'une
fédération états-unienne. L'image caricaturale qu'ont de nous
les magnats de Wall Street ou les pétroliers du Texas ressemble
à un mauvais cartoon. Regardez, si l'on prenait les chiffres de
production, ceux de l'énergie, ceux de la superficie, ceux de
la puissance de développement, ceux des réserves financières,
nous serions la première puissance mondiale. Je prône donc
la sortie de l'ALENA et l'ouverture des droits douaniers avec
le reste du monde. Les USA nous étouffent, parce que nous
sommes coupés d'un monde où nous serions incroyablement
concurrentiels, et nous abandonnent en voulant relever les
clauses de préférences nationales pour la main-d'œuvre ou
pour l'acier. Nous sommes une superpuissance peu endettée.
Je veux l'affirmer et arrêter d'accepter qu'on se regarde le

nombril en se félicitant de l'avancée de l'étude de la commission sur les accommodements raisonnables.

– Parlons de votre dernière intervention. Des adversaires vous ont traité de raciste parce que vous vouliez supprimer cette commission une fois que vous seriez élu.

– Nous avons une constitution, des lois, quatre cents ans d'immigration, et vous voudriez changer cela? Nos immigrants sont volontaires, à l'origine, pour s'investir dans notre culture et dans nos coutumes. Voudriez-vous changer cette loi historique qui consiste à vouloir devenir Canadiens, non à venir ici seulement pour trouver du travail? Il me semble que les urgences sont autres. Je n'ai entendu que des revendications et des propos de minorités religieuses, mais je n'ai rien entendu sur la politique de Québec qui décourage la moitié des francophones diplômés en ne reconnaissant pas leurs diplômes. Comme si nos hôpitaux vides de médecins ou d'infirmiers pouvaient contester les compétences de travailleurs issus des facultés françaises, belges ou suisses. Ne voyez-vous pas là, quand on constate comment sont traités les diplômés américains ou anglais, une réelle forme de racisme? Je réclame que les élus se mettent à suer sur leur job plus souvent, plutôt que de se tourner les pouces autour de notions philosophiques qu'ils n'ont pas le mandat d'étudier ailleurs que dans leurs clubs privés ou derrière leur chaire d'université.

– Nos élus ne travaillent pas?

– Ils sont corrompus. Nos équipes de prospectives ont fait la comparaison, depuis vingt ans, entre les thèmes abordés des campagnes électorales et les promesses des grands partis traditionnels et leurs réalisations réelles quand ils sont au pouvoir. Si vous aviez lu notre programme, vous auriez remarqué tout cela en annexe. Dix pages pour montrer qu'ils n'ont rien fait que de perdre leur temps en commissions, en discussions stériles et en millions dépensés autour de grands concepts qui n'intéressent qu'une minorité de cols blancs de Montréal et d'Ottawa.

Le candidat gardait son sourire ouvert sur ses belles dents et, se tournant vers le premier journaliste qui était resté silencieux, il proposa d'en venir aux détails de son programme. L'autre prit une autre feuille de questions et se détendit.

– Nous allons y venir. Mais, comme vous le disiez tantôt, nous ne vous connaissons pas. Surtout ici, au centre de Montréal. Dites-moi, Gilles Drouin, vous avez fait une maîtrise à l'Université Laval à Québec, et auparavant vous étiez passé par le cégep. Vous êtes, selon votre CV, bachelier en économie et droits des marchés. Nos journalistes enquêteurs n'ont pu rencontrer aucun de vos anciens condisciples, n'ont trouvé aucune photo de vous dans les albums des promotions, aucune trace de votre participation à des groupes sportifs, ni même de petites amies qui auraient pu nous renseigner sur votre façon de danser le samedi soir. Avez-vous vraiment fait partie de cette promotion 1986-1987 du cégep ?

– Cette question comporte à mon avis deux volets. Le premier, vous me traitez de menteur et cela semble vous ravir. Je n'en suis pas étonné parce que j'ai eu le sentiment en arrivant ici que, n'appartenant pas à la classe politique qui vous cire les chaussures depuis une vingtaine d'années, j'ai du retard à rattraper si je veux pouvoir entrer dans votre cour. J'aurais pu mentir, en effet, si je pensais comme vous qu'un homme non diplômé, quelle que soit la nature de ses compétences, n'a pas le droit à une place au soleil. Je crois savoir, et cela m'a été confirmé par l'une de vos assistantes ce matin quand je suis arrivé, que vous vous êtes opposé à ce qu'on accorde le poste de réalisateur de votre émission du samedi à un adjoint à la réalisation qui fait ce métier sur une autre chaîne depuis une dizaine d'années. Vous avez recommandé, pour la place, l'un de vos neveux qui, lui, est diplômé d'une école de cinéma depuis deux mois. Expérience contre diplôme. Savoir-faire contre famille. C'est en effet une pratique courante dans notre pays, qui croit imiter les fraternités d'élèves des écoles américaines en les singeant et en oubliant que la tradition, ici, est de ne croire qu'aux vertus du travail. Ne m'interrompez pas ! Je n'ai pas encore tout à fait terminé de répondre à votre gentille question...

Il avait levé une main musculeuse pour faire taire le journaliste et détendit l'atmosphère par un nouveau sourire qui aurait pu être retenu pour jouer dans une publicité de pâte dentifrice.

– La deuxième partie de ma réponse sera plus simple. La vérité. J'ai vécu jadis, comme beaucoup de jeunes, sans la protection argentée de riches parents. J'étais orphelin et sans ressources. J'ai travaillé dur tout le long de ma scolarité. Seuls, vraiment, mes professeurs pourront vous rassurer et vous donner la preuve que j'ai suivi leurs cours. Je mettrai à votre disposition, si toutefois cela vous captive encore, la liste de ces professeurs. Allons-nous enfin parler de ce qui intéresse la province ? Les sujets principaux de ma campagne ?

Derrière les caméras qui encerclaient le plateau de télévision inondé de la lumière des spots, la directrice de campagne se détendit. Son poulain avait dérapé du texte prévu par le Conseiller, mais il s'en tirait correctement. Cette expérience lui rappelait une scène vécue des années auparavant, et elle s'inquiéta de ce que ce souvenir lui soit soudain revenu à l'esprit. C'était sur un autre plateau, sans autres spectateurs directs que les caméras qui avaient permis ensuite de décortiquer et d'analyser la prestation des protagonistes. Les planches étaient aussi bien illuminées, et les jeunes aspirants officiers du KGB jouaient la dernière scène d'un *Macbeth* qui aurait fait se lever et applaudir les critiques les plus difficiles de Londres. En face d'elle, au milieu du halo, Gilles Drouin lui lança un clin d'œil vainqueur. Elle faillit éclater de rire, tant elle était heureuse et persuadée qu'ils étaient toujours les meilleurs. Les futurs Conseillers du monde, comme l'avait prédit Gilles quand elle l'avait amené dans sa chambre sans même lui faire l'amour, trop exaltée, la nuit même de son arrivée au Canada. Elle porta la main à ce cou qu'il avait alors embrassé en faisant le serment de ne plus le toucher avant la fin de leur mission.

Elle sursauta soudain. Elle venait de remarquer que son collier de perles avait disparu, un cadeau du candidat, marqué en cyrillique à son nom à elle. Des gouttes de sueur perlèrent à son front. Il fallait qu'elle vérifie au plus vite où et quand elle l'avait perdu.

Sur le plateau, le thème de clôture de l'émission retentit comme le gong à la fin de round d'un match de boxe. Le journaliste ne regardait déjà plus l'homme politique, il demandait un café à un assistant et une retouche de maquillage à un autre. Seule sa collègue se leva pour serrer la main de Gilles Drouin qui lui jeta quelques politesses avant de quitter les lieux. Une dizaine de rencontres étaient encore prévues avant qu'il puisse se reposer, et il s'étonna que sa directrice de campagne, sa fidèle coéquipière depuis son arrivée sur le sol canadien, eût encore disparu.

32

Banlieue de Québec, campagne électorale,
aujourd'hui

La convocation aurait dû la surprendre, ainsi apportée sur un plateau de télévision, entre les mains d'un livreur de croquettes de poulet. L'adolescent lui confia la boîte en lui disant que c'était un cadeau du Conseiller. Elle y trouva un petit billet à son nom, coincé entre deux beignets, sur lequel j'avais inscrit les trois nombres du code.

Elle avait dû déchiffrer aussitôt la date, le lieu et l'heure de notre rendez-vous. Je me doutais qu'elle n'avait pas attendu la fin du deuxième interview que donnait son candidat, pour quitter les studios de la première chaîne de Radio-Canada et me rejoindre au plus vite. J'ai entraîné mes créations à la réaction immédiate, comme un chien obéit à l'ordre de son chef de meute ou à son maître. Elle allait longer le fleuve, laissant derrière elle les lumières de la colline de Québec, puis, sur sa droite, l'île d'Orléans. Auparavant, elle avait dû changer de voiture en prenant la porte est du parking du grand magasin Sears, pour en ressortir au volant d'une camionnette de la compagnie nationale d'électricité. Je l'imaginais bien, la digne et coincée directrice de campagne de Gilles Drouin, affublée d'une salopette de travailleur, les cheveux relevés et cachés dans une casquette à l'effigie d'Hydro-Québec, vérifiant qu'elle n'était pas suivie et s'arrêtant plusieurs fois en faisant semblant de vérifier le fonctionnement des poteaux électriques de bord de route.

Une fois persuadée qu'elle ne courait aucun danger, elle allait alors continuer jusqu'au village de Château-Richer en suivant cette même avenue Royale qui l'avait portée, vingt ans plus tôt, depuis le nord du Canada, jusqu'à sa nouvelle vie québécoise. Sa destination était celle d'un lieu isolé, en retrait de la route d'une centaine de mètres et protégé des curieux par le rempart d'une falaise à l'est et une large rivière au sud.

Le KGB avait racheté le manoir quelques années plus tôt, et il semblait toujours abandonné et perdu dans la forêt. Une longue allée ombragée bordée de noyers noirs et centenaires conduisait à la longue bâtisse en pierre, construite au milieu du XVIIe siècle. Elle savait que j'étais à l'intérieur. J'avais inscrit l'autorisation d'entrer à la craie sur la margelle de la porte.

Le halo de la lampe n'éclairait que mes deux mains posées sur le bureau. La seule partie de mon anatomie qu'elle associait à son officier traitant. Je l'avais soupçonnée de ne pas croire en mon déguisement de professeur de théâtre quand elle était encore à l'École supérieure du KGB. Cela faisait plus de vingt ans qu'elle essayait de déterminer qui était l'homme qui se cachait derrière ces doigts courts et musclés, ces articulations roulant sous une peau parcheminée, parsemée de taches de vieillesse, qui entouraient chaque fois un pistolet chargé. C'était souvent le même scénario : une petite annonce dans la presse locale qui indiquait une boîte aux lettres à usage unique, dans laquelle l'illégal recevait ses instructions de rendez-vous en langage codé. Au moindre doute sur le code employé ou au pressentiment d'un risque quelconque, l'agent déposait une couronne de fleurs sur une tombe du cimetière de l'Ange-Gardien, dans la banlieue de Québec. Pourtant, cette fois-ci, je pensais que la directrice de campagne du candidat Drouin avait hésité. Un rendez-vous directement au manoir pour la première fois en vingt ans devait être l'annonce d'un danger ou d'une promotion. Elle devait aussi penser à la perte de son bijou. Si elle avait perdu son collier sur le lieu du crime du journaliste, elle faisait courir un danger à toute l'équipe entourant le futur premier ministre du Québec. Mais elle savait que la voiture avait été jetée dans un lac de montagne et que personne ne retrouverait le photographe. Du moins, tant que la neige tomberait.

J'avais déjà éprouvé, quelques années plus tôt, une colère similaire envers un subordonné. Mes deux mains se rejoignirent au-dessus de l'arme et ma voix surgit de l'ombre.

– Quand tu étais à l'école de Moscou, ton professeur ne t'avait-il pas inculqué une seule recommandation importante ? Et quelle était-elle ?

La femme regarda mes mains faire un tour de prestidigitateur, l'une passant sur l'autre fermée, puis la première se retournant, ouverte. Entre mes doigts était apparu le collier sur lequel son nom était gravé, à l'intérieur d'un fermoir doré. Je fus surpris de sa réaction, elle si maîtresse d'elle-même dans les pires situations. Elle poussa un cri d'étonnement. Elle me répondit aussitôt en espérant me faire oublier son manque de maîtrise.

– Connaître son texte et n'en jamais déroger ? Cela signifiait s'en tenir à l'œuvre écrite par les génies du Centre, dont le but ne peut être connu de l'acteur par sa seule vision étroite du jeu. Le maître avait déclaré que si nous nous écartions de notre texte, nous mourrions. Où avez-vous retrouvé mon collier ?

Le collier avait disparu dans le même geste de magicien. Mes mains étaient à nouveau calmes et posées sur la table, à plat, entourant l'acier noir du pistolet dont le silencieux semblait vouloir viser le front de l'espionne. J'hésitais.

– En pleine mission, à ce point crucial de nos menées, tu te détournes de ton texte. Aller tuer un journaliste sans attendre mon ordre ni même me faire prévenir est insensé. Une directrice de campagne électorale au siège de premier ministre qui étrangle un reporter sans envergure, alors qu'il enquêtait sur un hypothétique réseau de pots-de-vin entre la Russie et le parti politique de Drouin. Un financement de la Russie, peut-être ? Ridicule et dangereux. Ne te justifie pas, tu mérites de rentrer au pays trouée de plombs, dans une caisse en bois, et ce serait déjà fait si je n'avais pas dû effectuer des heures supplémentaires pour réparer vos bévues d'étudiants.

J'ai dû faire un choix difficile. Peut-être décisif. Une équipe de nos commandos Spetnatz, débarquée d'un sous-marin la semaine dernière, a été retirée d'urgence d'une mission d'exfiltration d'un de nos illégaux les plus importants, pour sortir la voiture du lac et l'escamoter dans un coin perdu du continent, mais cette fois en miettes, si petites qu'un laboratoire d'analyse judiciaire ne trouvera rien d'autre que de la poudre d'acier. Je leur ai demandé de mettre pas moins de deux mille kilomètres de distance entre le cadavre de ton journaliste et Gilles Drouin. Je considère que c'est ta première et dernière faute, Irina Vitovna. Rappelle-toi de ton nom russe, et espère pouvoir l'utiliser un jour en héroïne dans les salons de Saint-Pétersbourg. Maintenant, reviens à ton texte et n'en dévie jamais plus. En sortant, tu trouveras, dans le coffre de ta voiture, les dollars nécessaires aux derniers travaux de corruption. Tu n'utiliseras plus le canal du consulat et ne reverras plus ton ancien interlocuteur, parce que nous nous chargerons directement de la livraison, chaque semaine, avec l'équipe des Spetnatz. Je veux aussi qu'avant la fin de la semaine tu sois dans le lit du journaliste de la télévision qui a lancé ses attaques ce matin. Fais la pute et rends-le fou de toi. Pas plus ! S'il t'offre des faveurs ou une nouvelle interview, refuse. Je veux seulement qu'il pense à ton corps chaque fois qu'il parle de la campagne électorale, chaque fois qu'on lui parle d'une rumeur autour de Gilles Drouin. Plus tu sépareras le sexe du sujet, plus il y pensera. On se reparle la veille de l'élection. Nous n'avons plus que quelques semaines avant la fin de la mission, et le retour.

Elle scrutait les ténèbres. Son corps désirait savoir ce que les contours de l'ombre cachaient. Elle avait peut-être un doute sur l'identité de ce mystérieux officier traitant qui les dirigeait depuis vingt ans. À l'époque de leur formation, hormis les élèves, seuls le maître et l'homme sur le balcon du théâtre avaient entendu les paroles de conclusion. La rumeur rapportait que le second personnage n'était autre que Vladimir Vladimirovitch Poutine, le nouveau président de la Russie. Elle se concentra sur les intonations de son interlocuteur. Elle voulait savoir qui les surveillait depuis si longtemps.

J'avais pris la décision de ne pas la tuer. Je vieillissais peut-être. La mission arrivait à son terme et je n'avais pas beaucoup de choix dans mes ressources. J'éteignis la lampe de bureau avant qu'elle ne parvienne à discerner mes traits. Dans la nuit, elle n'entendit que le ressort de l'arme et ferma les yeux. Elle ne pouvait savoir si c'était le son d'un pistolet qu'on recharge pour tuer, ou celui de l'arme que l'on met au repos. Comme toujours, quand elle ouvrit les yeux, elle était seule, ne comprenant pas comment l'homme avait quitté la pièce. Sur le sol, devant le perron de l'entrée, le collier de perles brillait sous la lune.

J'en avais enlevé le fermoir doré, gravé à son nom.

33

Sur le bord du fleuve Saint-Laurent,
aujourd'hui

Au retour du rendez-vous avec le Service canadien du renseignement, Carignac et son ancien adjoint trouvèrent le phare toujours aussi calme. Trop calme, pensa Lefort. Les chiens avaient été sortis et la porte d'entrée était verrouillée. À ses coups répétés, l'un des commandos finit par ouvrir. Carignac entra, et Lefort hésita à le suivre, car le gorille restait sur le pas de la porte.

Il était blême, les mains se croisant et se décroisant sans cesse. Lefort le bouscula et fonça à l'étage. Sur le palier du deuxième étage, l'air penaud du deuxième homme lui fit craindre le pire. Carignac, qui avait pris les devants, était penché sur le corps, les bras mouillés.

L'ambassadeur flottait dans la baignoire, les yeux révulsés.

– Remettez-vous, Lefort. Je n'y suis pour rien.

Carignac expliqua qu'il s'était précipité pour sortir le diplomate de l'eau. Derrière eux, le gorille tenta de s'excuser en arguant que son cœur avait lâché quand ils l'avaient bousculé vers la baignoire...

Carignac s'assit au côté du cadavre, se passa la main sur le front et jura en lançant plusieurs fois son «Mort au'C».

– Résumons. On a le meurtre d'un diplomate sur le dos, bien qu'il ait été une crapule qui venait d'avouer que le candidat principal à l'élection québécoise était contrôlé par une équipe du FSB. On a une équipe de tueurs russes à nos trousses, mais qui a soudainement renoncé à l'évidente mission de récupération de l'ambassadeur. On a l'élection prochaine d'un premier ministre du Québec dont on sait qu'il était l'amant du mort et qu'il est vraisemblablement un agent du KGB.

Il remit en place une mèche de cheveux du noyé, puis lui donna une pichenette sur la joue.

– Votre disparition nous fout dans la merde, monsieur l'ambassadeur. Vous auriez pu faire un effort...

Il se leva, s'essuya les bras. Lefort se tenait dans l'embrasure de la porte. Il n'était pas persuadé que le général soit si innocent dans la noyade du diplomate. Carignac poussa sa carrure imposante contre le commandant qui finit par s'effacer. En passant, il lui tapota l'épaule.

– On n'est pas autant dans le pétrin, contrairement à ce que vous pourriez penser, commandant.

Lefort pouvait croire à un stupide accident, mais il ne pouvait pas concevoir que les deux écervelés avaient agi sans ordre précis. Il comprenait l'urgence de la situation, mais n'admettait pas que le général Carignac ait pu s'abaisser à gagner du temps en usant de la torture. Le Conseiller semblait s'être installé au Québec, alors que les services de renseignements l'avaient repéré au Moyen-Orient et en Russie. Lefort voulait savoir s'ils avaient découvert son repaire. Carignac bougonnait en descendant les marches. Il s'arrêta, concentré, avant de se retourner vers Lefort qui n'avait toujours pas bougé.

– Appelez notre colonel Tanguy. Qu'il demande à nos hôtes canadiens de provoquer Drouin en lui révélant qu'un complot menace peut-être sa sécurité. Nous nous séparons de nos deux amis et nous déménageons de votre jolie mais peu pratique maison. Je vous invite à vous installer d'urgence au centre-ville. Nous irons au Château Frontenac. Fermez votre phare, faites garder vos chiens, nous levons le camp dans une heure.

Lefort avait à peine nettoyé la salle de bain que le Range Rover disparaissait déjà au loin, le corps de l'ex-ambassadeur roulé dans un tapis. Carignac s'était assis sur la terrasse, face au fleuve, et sirotait son whisky silencieusement. Ses doigts serraient le verre à le faire exploser. C'était la première fois de sa vie qu'il perdait sa légendaire sérénité.

34

Québec, Château Frontenac,
aujourd'hui

Gilles Drouin regarda à nouveau le chef de la Sûreté et le colonel de la GRC qui se tenaient devant lui, assis dans les fauteuils du salon de son appartement de campagne, à l'avant-dernier étage du Château Frontenac. Un rendez-vous officiel. Une poignée d'experts des deux corps avaient accompagné les deux hommes, et ils s'étaient mélangés à l'équipe restreinte du candidat. Les fonctionnaires avaient demandé que ne restent dans la pièce que la directrice de campagne et le conseiller juridique du candidat. Certains avaient pris place sur les quelques chaises disponibles et les autres se tenaient debout, appuyés contre les murs ou les meubles Art Déco qui meublaient la suite. Drouin fit le tour des visages graves qui l'entouraient. Il n'en reconnaissait aucun, à part ceux des deux responsables qui lui faisaient face. Il savait pourtant que ces gens appartenaient tous aux services spéciaux. Sa directrice de campagne avait blêmi en les faisant entrer dans le salon et, depuis, ne cessait de jouer avec son collier de perles. Drouin pensa furtivement qu'elle commençait peut-être à craquer. Devant le silence qui avait suivi les premières phrases, précises et déconcertantes, des émissaires des services secrets canadiens, il avait eu l'impression d'être scruté par des tireurs embusqués. Il finit par parler, prenant de vitesse l'homme de la Sûreté, qui était le porte-parole du groupe et qui s'apprêtait à continuer son exposé.

– Je vous prie d'arrêter, c'est une plaisanterie. Je savais que les services de la GRC enquêtaient sur les hommes politiques et on m'a informé de vos dérapages avec le Parti québécois et avec monsieur Lévesque. Mais là, je ne peux pas le croire. Vous vous méprenez totalement.

Le chef de la Sûreté posa une mince chemise sur la table basse, sur laquelle des restes de sandwichs côtoyaient les dossiers financiers et les plans médias. Ses traits ne trahissaient pas la fierté qu'il avait de montrer au futur premier ministre l'efficacité de ses services.

– Nous vous avons préparé un résumé de la situation. Notre informateur nous indique qu'une équipe d'illégaux est sur le point de faire basculer les prochaines élections. Nous pensons à des actes terroristes ou à des manipulations de groupes de pression ou de médias, mais aussi à des tentatives de corruption ou de chantage. Vous seriez, selon nos hypothèses et les recoupements de nos services, le premier concerné. Vous êtes en danger, monsieur.

Gilles Drouin se saisit du document et le parcourut rapidement. De temps en temps, il levait les yeux du texte pour examiner les hommes qui l'entouraient, toujours aussi perplexe devant l'urgence de la situation.

– Vous êtes sûrs et certains de la validité de ces renseignements ? Vous ne dites pas grand-chose dans votre «résumé» et n'indiquez rien au sujet de ce miraculeux informateur. Comment voulez-vous que je vous croie aveuglément, quand il s'agit, pour moi, de l'élément qui me convaincrait de placer ma sécurité entre vos mains plutôt qu'entre celles de mon propre, et volontairement léger, service de protection ?

Les deux hommes se regardèrent un instant et, au signe d'acquiescement du civil, l'officier de la GRC prit la parole.

– Ça, nous ne pouvions l'écrire, mais notre source vient de la direction du FSB à Moscou. Le directeur a décidé d'offrir, sans aucune compensation, ces informations, car il juge que cette situation porte atteinte à son idée de la démocratie mondiale. Toutes les données que nous avons d'ores et déjà reçues ont été vérifiées, sans exception. Nous en avons conclu que le complot ourdi autour de vous était vraisemblable. Nous devions donc vous prévenir et répondre à toutes vos questions.

Le candidat partit d'un puissant éclat de rire qui surprit les deux hommes à l'expression si grave. Il finit par se calmer et se leva, dominant ses interlocuteurs, les poings sur les hanches.

– Messieurs, je vous prie de m'excuser, c'était plus fort que moi. Je ne peux croire ni au complot ni à une tentative de déstabilisation de mon parti politique par la Russie de mon ami Vladimir Poutine ! C'est grotesque. Je crois plus, et encore, vous admettrez tout de même qu'un tel acte serait insensé, à une tentative de la part de nos riches et puissants adversaires politiques de m'affaiblir par un montage dont il serait question dans tous les journaux. Une enquête sur les transferts d'argent de la Russie vers le Canada, ou vice-versa, vous montrera sûrement un jour que l'informateur en question a reçu une fortune pour vous faire croire que je cours un danger et pour affaiblir la confiance que me porte la population, en me faisant escorter par une armée d'agents des services de renseignement. Nous ne vivons pas aux États-Unis ici, et nous croyons encore à l'esprit civique. Avoir sur mes traces une armée d'agents aurait une conséquence unique et instantanée : mes concurrents auraient enfin trouvé un terrain pour me descendre, c'est au goût du jour, politiquement. Je vous remercie cependant de votre sincérité, et de m'avoir révélé que mon pays traite avec un informateur à la tête du FSB ! Comme au bon vieux temps de la guerre froide ! C'est incroyable ! Cependant, si j'étais à votre place, je prendrais cela plus légèrement. Je ne suis que candidat, je n'ai pas de parti pris vis-à-vis de la Russie et je suis le seul homme politique québécois qui peut converser avec Vladimir Poutine sans interprète. Ce serait bien orgueilleux de ma part de croire que le président de ce grand pays a daigné mettre des équipes d'espions autour de moi pour me discréditer et empêcher ma victoire, qui sera historique. Mon entourage m'accompagne depuis vingt ans. Comme seule mesure de sécurité supplémentaire, je demanderai à mon chauffeur et unique garde du corps de faire un peu plus attention. Si un tueur de l'ex-KGB se présente, je vous préviendrai. Cela dit, messieurs, ce fut un plaisir, je ne vous retiens plus. J'ai une émission à préparer et un discours à écrire.

Alors que les policiers se levaient, dépités, Lefort regarda Carignac, debout près de l'entrée. Comme à son habitude, celui-ci s'était mis à l'écart du groupe pour observer. Une pointe de sa chemise dépassait par-dessus la fine ceinture noire de cuir qui semblait retenir son ventre. Le général souriait.

Lefort douta soudain qu'il pourrait abandonner Carignac le soir même dans l'avion qui ramènerait le général vers Paris, comme prévu. Il avait réalisé que les mots FSB et KGB, récités par les lèvres de Drouin, étaient prononcés sans aucun accent québécois, comme la relique, diluée par le temps, d'un accent russe.

35

Québec, Château Frontenac,
aujourd'hui

Lefort avait compris l'intention de Carignac et s'amusa de son air légèrement imbécile, le regard brouillé par des verres soudain maculés. Il suivait le général jusqu'à la réception de l'hôtel, quand ce dernier rattrapa le chef de la Sûreté. Il lui parla par-derrière, à l'oreille, comme un simple confident tenant le coude d'un ami.

– Mon ami, nous vous avons bien aidé dans votre dossier. J'aurai une demande personnelle à vous communiquer, maintenant que vous allez fermer le dossier en vous en remettant à la chance pour qu'aucune bombe n'éclate dans les pattes de votre candidat qui, néanmoins, a eu raison de prendre vos remarques à la légère.

Le fonctionnaire s'arrêta et se retourna vers le général français. Il était encore furieux de la réaction de Gilles Drouin. Pendant quelques secondes il dévisagea le Français. Les lunettes avaient glissé sur le nez aquilin, laissant libres les yeux de myope dont le gris donnait une surprenante impression de confiance. Il conclut son examen avec la certitude que le général ne pourrait formuler aucune demande impossible à satisfaire, en paiement de l'aide apportée.

– Général, demandez-moi ce que vous voulez, vos connaissances nous ont permis de trouver la source de ce complot.

Nos équipes finiront par mettre la main sur votre colonel Igor Vitovitch Grychine.

– Je devais rentrer en France ce soir. Mais nous avons justement quelques jours de libres devant nous.

Le fonctionnaire sourit. Il prit le général par le coude et se dirigea vers le comptoir. Après avoir échangé quelques phrases à voix basse avec le directeur de l'hôtel, qui jetait des coups d'œil intéressés aux deux Français, il revint avec deux cartes.

– Mon général, commandant Lefort, vous êtes nos invités pour une semaine. Je fais chercher vos valises par mon secrétaire, mais vous pouvez d'ores et déjà vous installer dans une suite de l'aile sud. Deux chambres, avec terrasse sur le Saint-Laurent, vous attendent. Bonnes vacances chez nous !

Lefort était proche de l'hilarité en observant la mine réjouie du général qui serrait la main du fonctionnaire avec plus d'effusion que nécessaire. Le vieux renard avait encore gagné grâce à sa capacité à jouer de son physique. Les deux Français logeraient désormais à quelques mètres de Gilles Drouin.

Le chef de la Sûreté réussit à extirper sa main endolorie de celles de Carignac et, après un dernier remerciement, il partit rejoindre ses hommes. Sans un regard pour les deux Français, les agents lui emboîtèrent le pas, comme une cohorte de disciples silencieux. Ils quittèrent rapidement le hall de l'hôtel, et le général poussa un soupir de soulagement. Il prit gaiement le bras de son adjoint pour l'entraîner vers le bar principal, une rotonde donnant sur le fleuve. Les tables hautes, placées en cercle autour d'un comptoir central, permettaient d'avoir un aperçu général des convives attablés, sans avoir à faire trop d'effort.

– Eh bien, Lefort, nous voilà au cœur de la bataille, et enfin libres de nos mouvements. Vous, vous êtes l'espion, donc vous allez fouiner et partir à la chasse de votre gibier de prédilection, l'espion ou le mafieux russe. Vous me rapporterez des photos et des dossiers sur toute la clique de Drouin. Bien entendu, les services canadiens ont déjà fait ce travail, mais je ne voudrais pas risquer d'être expulsé avant de savoir ce que trame notre vieil ami Grychine en se promenant comme un gentleman anglais dans les rues du Petit Champlain. Le Conseiller n'est pas ici pour faire les boutiques! J'ai le pressentiment que tous, ici, se sont fourvoyés, et je suis d'accord avec le futur premier ministre pour dire qu'un complot serait absurde. Il est pourtant banquier, financier, les Russes ont accumulé des tas de dollars qu'ils n'arrivent pas à blanchir autrement que par des contrats internationaux importants et souvent truqués. Je pencherai plutôt pour un chantage avec un proche, menacé de représailles. Donc, vous faites le premier cercle, le second, jusqu'à ce que vous trouviez qui est celui ou qui sont ceux dont parle cet énigmatique mais bavard colonel du FSB dont on dit, ici, qu'il s'agit du meilleur informateur que l'Ouest a retourné depuis la fin de la guerre froide. Vous, vous espionnez, moi, je m'installe à la gargote, avec du thé et un bon bouquin. Pour tout le monde, je suis en vacances, et ce, aux frais du gouvernement québécois. Mon statut d'invité va vite se savoir et vous n'hésiterez pas, pour une fois, à me donner du «général» à toutes les occasions. Bon, j'ai lu dans ma jeunesse que tous les complots se préparent dans les bars des hôtels, alors je vais y passer le reste de la journée.

Le général se tut en remarquant que la directrice de campagne de Gilles Drouin les avait précédés. Elle marchait en compagnie du journaliste qui avait interviewé le candidat du NPDQ, le matin précédent. Lefort sourit et Carignac laissa fuser un juron joyeux. La main baladeuse du journaliste était passée furtivement sur la croupe de la jolie femme, et celle-ci n'avait rien fait pour l'en empêcher.

36

Québec, Château Frontenac,
aujourd'hui

Ils avaient fait l'amour rapidement dans la voiture du journaliste, garée dans le parking de l'hôtel. Ils avaient soudain
écourté leur partie de thé au bar de l'hôtel pour s'engouffrer
en riant dans l'ascenseur.

La directrice de campagne avait aussi vu le général français
se diriger avec un inconnu dans la direction du restaurant.
L'homme qui l'accompagnait avait laissé l'officier français seul
à sa table, ce qui lui avait offert l'opportunité de lui adresser
la parole. Elle avait fait mine de le reconnaître, l'avait salué
puis l'avait présenté au journaliste, en lui expliquant que le
chef de la Sûreté l'avait amené à leur réunion. À sa question
sur les raisons de sa présence au bar du Château, Carignac
avait pompeusement répondu, d'une voix forte, qu'il venait de
quitter, pour partir à la retraite, le poste de directeur général de
la DGSE en France. Il avait rendu service aux grands espions
canadiens en leur apportant, de la part de son gouvernement,
des documents concernant les dossiers qu'un agent double
avait introduits en Occident. Le journaliste n'en croyait pas
ses yeux, et le général l'avait rassuré en répondant, d'une voix
bourrue et sans intelligence, sans quitter des yeux le décolleté
provocant de la femme, qu'il ne croyait pas à la thèse d'un
complot. Il conclut en passant un doigt fin sur ses lèvres et en
leur adressant un clin d'œil, insinuant ainsi qu'il détenait la
preuve démontrant qu'il s'agissait d'une grossière machination.

Le journaliste avait promis, sans que personne ne le croie,
de ne rien révéler, du moins avant la fin des élections. Il avait

ensuite loué le courage du candidat devant les allégations des policiers. Il révéla au général français tous les arguments qui l'avaient fait basculer dans le camp de Drouin, bien que les principes de celui-ci le rendissent fort différent de l'idée qu'il se faisait auparavant d'un futur premier ministre québécois. Selon l'opinion du journaliste, d'arriviste, le patron de son amante était devenu un homme militant de façon originale pour le bien du pays, et en toute transparence. Il appuya son propos en remontant discrètement sa main sur la cuisse de la directrice de campagne.

Le couple se retrouva alors avec un Carignac volubile et prêt à raconter sa vie en entier, mais la femme trouva rapidement une excuse leur permettant de filer. Ensuite, il lui avait été d'une simplicité enfantine de tendre ses lèvres au journaliste et de le conduire fébrilement vers le Range Rover.

Elle avait réfléchi à l'angle d'attaque qu'elle adopterait pour la suite de sa mission, le journaliste étant marié mais entouré de rumeurs de nombreuses conquêtes dans les rangs des jeunes assistantes de la télévision. Elle joua donc sur sa propre froideur pour se démarquer du lot des groupies et le quitta après une dernière et courte étreinte. À la question d'une prochaine rencontre, elle répondit qu'elle était trop impliquée dans la campagne électorale pour pouvoir perdre son temps avec la chose sexuelle. Elle lui promit une nuit torride après les élections.

À son arrivée à la porte de son appartement, seulement quelques heures plus tard, un bouquet de fleurs gigantesque l'attendait sur le pas de la porte, avec un carton anonyme indiquant qu'elle lui manquait déjà. Elle avait réussi, plus rapidement encore que son officier traitant le lui avait demandé, à rendre le journaliste dépendant. Elle pouvait donc se concentrer à la deuxième tâche de sa journée, son rendez-vous avec Daniel Bouchard.

Elle changea sa tenue de ville contre un jean et un gilet à col roulé ample qui cachait le pistolet qu'elle rangea dans un holster sur son dos. Des lentilles de couleur, un maquillage grossier et une perruque achevèrent de modifier son apparence. L'image que lui renvoya le miroir de l'entrée de son appartement la satisfit et, après s'être assurée, par l'œilleton de la porte, que la voie était libre, elle descendit l'escalier jusqu'au sous-sol où était garée une voiture qu'elle n'avait encore jamais utilisée.

Daniel l'attendait près de l'entrée du funiculaire de la vieille ville. Il avait laissé son épouse terminer les comptes de la semaine et avait déjà changé ses habits de maçon pour ceux de l'adhérent convaincu et en pleine fièvre électorale, portant fièrement la casquette et le sweatshirt à l'effigie du candidat. Il paraissait soucieux, énervé. Il lui raconta rapidement qu'on lui avait volé sa voiture avec l'argent de la dernière collecte dans le coffre. Elle ne sut pourquoi, mais elle ne le crut pas. Un détail dans son regard, presque une larme.

Ils montèrent tous les deux dans la cabine du funiculaire, se serrant contre les touristes, et n'échangèrent pas un mot jusqu'à la fin de la remontée. Ils étaient persuadés que personne ne les suivait. La routine de la mission continuait. Elle décida de laisser pour l'instant ses doutes pour se consacrer à leurs tâches du jour : corruption et préparation de l'élection de leur champion.

37

Québec,
aujourd'hui

Tout était en place. Gilles Drouin était en passe de réussir le pari du KGB, celui de devenir le premier ministre du Québec. De plus, j'avais fait venir, de Boston, New York et Chicago, une équipe de tueurs.

Plusieurs accords conclus avec la pègre italienne d'Ottawa me donnaient une latitude supplémentaire pour utiliser des gros bras peu respectueux des droits civiques, lors des manifestations que les opposants au camp de Drouin voulaient perturber. Ces mafieux étaient efficaces, silencieux, experts dans le maniement du pic à glace, planté dans une cuisse ou une fesse, pour mettre hors d'état de nuire un leader ou un chef de commando sans pour autant craindre une enquête policière trop poussée.

Ce matin, premier jour de la dernière semaine avant la clôture des candidatures, je décidai d'abandonner Montréal et de retrouver, comme poste tactique avancé, mon repaire de Château-Richer. Mon avion était prêt pour la descente du Saint-Laurent jusqu'à Québec, et je n'eus qu'à signer le plan de vol de l'aérodrome pour m'élancer sur la piste verglacée.

Si j'étais devenu, en cinq courtes années, l'avocat des anglophones fédéralistes, le chantre du détracteur du francophone indépendantiste, le pourfendeur de la loi 101, je n'étais plus pour autant l'ennemi des séparatistes, des souverainistes, des indépendantistes et autres appelés à la cause anti-Anglais. J'avais soudain compris une histoire qui me rappelait le choc que j'avais éprouvé, lors de mes missions en Irlande, face à l'héritage ambigu de la colonisation britannique. Et j'avais si bien compris cette histoire que, plusieurs fois par jour, des personnages influents d'Ottawa ou de Toronto, porteurs de cette richesse qu'on appelle ici le «vieil argent», me demandaient de reprendre le flambeau de leur combat. On attendait de moi, et on insistait, que je me présente face à Gilles Drouin. Ces personnages éminents, mais discrets, pouvaient soutenir officiellement et financièrement ma campagne. Un comble pour l'officier traitant du candidat du NPDQ. Autant j'avais aimé spontanément les Anglais, autant je mobilisais mon énergie à ne pas détester les Canadiens anglais, leur fast-food, leur manque de culture originale et leurs supermarchés américains. Ils devenaient ce demi-Américain qui, sans sa jeunesse et sa capacité à aller de l'avant, n'était qu'un hybride acculturé.

Le manoir vers lequel je me dirigeais avait été la propriété d'un avocat portant un nom de consonance irlandaise. Un érudit, un homme de parole, un Canadien dont l'histoire le portait vers cette idée, qui me semblait si évidente, selon laquelle les frontières fédérales ne pouvaient qu'englober celles des nations originales qui les composaient. Le service l'avait doucement approché dans les années 1990 et avait fini par acheter l'édifice qu'il avait entretenu pendant plus de trente ans.

À une dizaine de kilomètres de la ville de Québec, en descendant le Saint-Laurent vers l'est, on trouvait la grande allée ombragée qui isolait la maison de l'avenue Royale au sud, les falaises la protégeant sur ses autres flancs, ainsi que la rivière Cazeau au nord. Tout m'avait plu dans cette construction de plus de quatre cents ans, que mes faux ancêtres anglais n'avaient jamais brûlée. Nous pouvions y préparer nos missions, y accueillir discrètement nos correspondants. Je pouvais m'y isoler. Un bunker antiatomique y avait été construit dans les années 1950, en même temps que nous nous exercions, à Moscou ou à Leningrad, à faire descendre le peuple dans les souterrains et les élites dans les abris construits par les Zeks du goulag. J'en fis un stand de tir discret, et y aménageai la cache des réserves que le premier conteneur transporté par le navire norvégien avait fait parvenir depuis la Lettonie jusqu'à Montréal dans les années 1980.

Au cours des années qui suivirent l'achat de la propriété, nous y avions formé des hommes politiques, soudoyé des industriels, signé des accords et préparé des avancées au combat anti-Français. Nous y avons reçu et formé des illégaux, imprimé des journaux contestataires et enterré des curieux. La discrète maison était mon quartier général, il était temps de la réveiller.

À mon arrivée, la femme de ménage m'attendait. Elle servait au manoir depuis toujours et avait connu l'ex-propriétaire pendant plus de trente années. Elle avait ouvert les contre-fenêtres et enlevé les draps qui recouvraient les meubles. Je lui fis allumer des feux dans les deux cheminées monumentales et aérer les matelas. Nous allions recevoir prochainement des invités de marque et tout devait être parfait. Le soir de mon arrivée, sirotant un cognac en attendant les dernières nouvelles de Radio-Canada sur la campagne électorale, je fus surpris de voir avancer dans l'allée l'un de ces 4x4 montés sur de gigantesques roues et aux chromes ostentatoires. Je n'attendais personne. Je fis glisser mon automatique du compartiment secret derrière une poutre du salon, et le pistolet vint se poser dans une boucle de cuir spéciale prévue sur ma ceinture et cachée à la vue par mon pull-over.

Le souvenir de l'homme qui sortit lourdement du véhicule et qui passa un instant à admirer la façade de la maison était vif à ma mémoire. J'avais connu le major Boris Taurenis alors qu'il n'était qu'un lieutenant du GRU en mission en Angleterre. Nous lui avions apporté notre soutien technique, et je lui avais adjoint deux hommes de mon équipe, infiltrés dans l'Armée républicaine irlandaise. Boris n'était resté qu'une semaine en Irlande pour mettre en place la charge de semtex qui allait faire taire définitivement un opposant au régime soviétique. Nous l'avions accueilli durant cinq jours exactement. Suivirent plusieurs mois de désordre et de casse-tête diplomatique. À l'époque, j'avais fait une erreur. Par habitude du cloisonnement, je n'avais pas supervisé cette mission qui n'était pas mienne et, surtout, je n'avais pas vérifié – j'aurais pu le faire en mentant à mes supérieurs – le poids de l'explosif utilisé.

J'étais à Londres quand la charge avait sauté. C'était un beau dimanche de printemps, et un immeuble entier avait disparu, tuant une dizaine de familles de protestants pauvres qui ne connaissaient rien au programme de terreur du Comité central, avec ses contradicteurs exilés.

L'écrivain et dissident soviétique vivait sous l'identité d'un juif polonais émigré. Il était aveugle et n'avait que quelques mois, peut-être quelques années de survie devant lui. Le rapport urgent d'un résident de l'ambassade avait tout déclenché. Je savais que l'officier du KGB ne s'était jamais déplacé en Irlande et qu'il avait cru impressionner ses chefs en trouvant un traître et en le déclarant dangereux.

Les décès collatéraux de l'attentat, attribué à l'IRA, furent suivis des représailles de l'UAC[17] qui fit sauter un immeuble équivalent, mais catholique, à l'autre bout de la ville, le jour anniversaire du départ de Boris, l'expert en explosifs de la terre irlandaise. L'IRA riposta alors avec l'assassinat d'un membre important du mouvement protestant, et ainsi de suite. La guerre fut relancée. La vendetta se calma rapidement, et je ne revis jamais plus le major Boris Taurenis autour de mes missions. J'avais prévenu ses supérieurs que je ne retiendrais pas mes hommes s'il pointait seulement l'ombre d'un poil autour de nous.

Là, au Québec, si loin de la guerre irlandaise, je l'observais. Il était sûr de sa force physique et de sa capacité à faire peur. Il ne connaissait pas ses limites intellectuelles, et cela s'en ressentait quand il tentait de réfléchir. Je préférais être armé plutôt que de devoir lui expliquer qu'il n'aurait jamais dû me retrouver si loin de chez lui, sur mon propre territoire.

– Igor Vitovitch Grychine! Quelle joie de te voir!

---

17. Ulster Army Council, réplique protestante à l'IRA.

Il m'avait embrassé pour vérifier si j'étais armé. Je l'avais laissé faire, il allait en venir plus vite aux faits. Il entra comme un invité et s'assit dans le salon. Il avait sondé les éléments importants de l'ameublement et les voies de repli. Il renifla mon verre de cognac en se léchant les lèvres. Il n'avait pas changé. D'un doigt court et musclé au bout d'une main aussi large qu'une pelle, il m'indiqua qu'il dégusterait un verre bien rempli, et je fis comme si je n'avais pas compris. Il valait mieux que je redevienne à ses yeux un général du FSB au plus vite, et que je l'habitue à voir en moi un être encore plus borné que lui. Nous discuterions au même niveau de compréhension.

– Tant d'années ont passé !

Devant une si belle entrée en matière, je n'avais toujours pas bronché, et je posai discrètement derrière un coussin le revolver que je lui avais subtilisé dans l'embrassade. Il se leva et se servit un cognac dans un verre à whisky.

– Quelle maison, Igor Vitovitch ! Tu sais, je ne t'ai reconnu que quand tu as enlevé ton chapeau de lord, en descendant de ton Cessna. Quelle évolution, depuis le temps où tu traînais comme une putain misérable dans les quartiers chauds de l'Ulster en réclamant que le gentil Boris vienne te seconder.

Je ne contrariai pas sa lecture de l'histoire, car c'était peut-être la réalité telle que ses chefs la lui avaient racontée, ou encore la version que sa mémoire en avait gardée après son débriefing à Moscou. Il était un tueur efficace et avait dû inscrire à son tableau de chasse des dizaines de meurtres dans sa carrière. Je ne pourrais jamais lui expliquer les aspects politiques de ses courtes vacances au Royaume-Uni, ni les conséquences désastreuses de son attentat. Il avait dû recevoir, pour son geste, une décoration et une promotion.

– Donc, je t'ai suivi hier et tu n'as rien remarqué! Ta retraite du KGB ne te vaut rien, Igor! Alors, tu trafiques dans quoi maintenant?

Le major avait dû être rassuré en me sachant armé parce que, dans son esprit, je ne pouvais être là, dans cette maison ou aux commandes de mon avion, que parce que j'étais le mafieux que pouvait devenir un ex-colonel du KGB. Il se leva et se servit cette fois un verre de vieux rhum au parfum légèrement vanillé, une rareté. Il avait choisi un verre rond à cognac et le remplit jusqu'au bord.

La veille, je n'avais remarqué aucune filature, et la route depuis l'aéroport ne permettait pas à un éventuel poursuivant de rester invisible à mes procédures d'évitement. Quelqu'un lui avait forcément donné mon adresse et l'avait prévenu de mon arrivée à la maison. Je ne lui avais pas proposé de se mettre à l'aise, et je sentis qu'il commençait à bouillir dans son gros anorak. Le personnage commençait à m'amuser.

– T'as vu comme c'est facile, ici? Il y en a partout, des Slaves! Je n'ai même pas eu besoin de cacher mon accent! J'ai suivi la procédure normale, payé les gens qui pouvaient me faire entrer, et j'ai transporté une partie de mon business en reprenant les réseaux que ces mauviettes d'Italiens laissaient végéter. Je bosse bien ici. Nous avons, entre ici et Montréal, les meilleurs champs de marijuana de tout le continent, avec plusieurs tonnes de bonne et fraîche production chaque année. Un paradis pour les trafiquants. Et toi, dans quoi traînes-tu, pour avoir une maison de boyard et un avion de prince de la Douma?

– Je travaille dans le droit. Je me suis recasé après la Révolution. Avocat.

Je doutais qu'il sache ce qu'était un boyard, autrement que sous la définition de profiteur paresseux que nous avaient inculquée nos cours d'histoire du komsomol. Je remarquai soudain que je lui parlais comme à un frère d'armes, un ancien des services, et non comme à un opportun. Nous ne disions pas « chute du mur » parce que la notion même de cette infamante séparation nous est refusée par l'histoire officielle. Nous aurions dû dire, comme les historiens ou les magiciens, « disparition de l'Union soviétique ». Mais entre nous, au KGB, nous parlions en laissant croire, en nous le faisant croire à nous-mêmes, que nous avions été les acteurs du grand chambardement. Tout cela n'était que mensonges, et je me rappelle ma honte quand, confortablement assis dans le sofa de mon appartement de Londres, j'entendis les premières nouvelles qui suivirent l'échec du putsch d'août 1991 contre Gorbatchev. Je faisais alors confiance aux généraux du KGB et aux troupes spéciales qui l'avaient fomenté, et je reconnaissais même à la télévision les trois T62, ceux du service, qui entouraient la datcha du premier secrétaire. Plus tard, Boris Eltsine était monté sur un char et avait harangué la foule qui envahissait la Douma. J'avais eu peur, j'avais presque été paniqué, à l'idée que l'on m'oublie en Angleterre et que je ne puisse jamais plus rentrer.

Peu après, les médias occidentaux officialisaient les termes « chute de l'Union », « effondrement de l'Empire soviétique ». Le titre « *Collapse* », dans le *New York Times*, me fit comprendre qu'on ne pourrait plus arrêter le processus d'implosion de notre système. Après, tout avait changé et nous avions réappris notre histoire en faisant le grand écart schizophrène de la théorie de Poutine sur la continuité de l'histoire russe. Ceux qui n'avaient pas perçu l'urgence du changement de mentalité étaient devenus des renégats affairistes, qui ne survivaient qu'en se nourrissant des restes des réseaux mafieux qu'ils ne connaissaient que trop bien, parce qu'ils les avaient traqués ou utilisés dans l'ancien temps. Boris était trop stupide pour avoir choisi la liberté. Il n'était qu'un bon soldat. Il était donc en mission. Son russe avait évolué en comparaison de celui que je pratiquais avant mon départ. Il le parsemait d'anglicismes et prononçait le O comme un A, quel que soit l'accent tonique.

Encore une autre évidence : il vivait encore en Russie et il mentait.

– J'ai changé de nom ! Il le fallait bien. Je suis Serbe ! Tu imagines ? Moi, un Yougo ! Bon, toi, tu es avocat, tu protèges les méchants et tu es riche, mais moins que moi ! Tu as vu mon camion ? Quand je t'ai suivi, j'ai découvert que nous nous rendions au même endroit. Tu te rends compte de la petitesse du monde ? Je vais habiter tout près de chez toi, à Château-Richer. Une maison située à cent mètres d'ici. Une sacrée coïncidence, non ?

Je n'avais remarqué que j'étais Russe qu'en quittant Moscou, comme en France j'avais remarqué qu'un Breton ou un Basque n'était plus le Français qu'il croyait mais devenait porteur de ses gènes régionaux en débarquant sur le quai de la capitale. Boris ne serait jamais l'artisan dont il jouait si mal le rôle, car il sentait le russe de la banlieue de Moscou autant qu'une cantina de l'Armée Rouge, le chou de la kacha. Je croyais autant aux coïncidences qu'au bon cœur des Américains : il était donc en mission de surveillance. Je l'aurais sur mes talons jusqu'à mon retour à Khodinka. Je restai silencieux. J'hésitais toujours à la manière de les faire disparaître tout de suite, lui et son gros pick-up rutilant. J'entrevis cette ambiguïté technique qui pousse nos grands stratèges à acheter des ordinateurs de plus en plus puissants : la couche de neige qui couvrait le sol était assez épaisse pour dissimuler un corps, mais la voiture était trop difficile à camoufler. Les hommes intelligents ne peuvent se douter de ce que le mauvais goût peut quelquefois sauver une vie médiocre. Boris allait vivre encore un peu. Il continuait à parler.

– Je viens ici pour les sports d'hiver. On dit que les pistes de ski du mont Sainte-Anne sont les plus belles du Nord-Est. Les plus belles Américaines y viennent se détendre. Je suis le roi des masseurs !

J'imaginais assez ses mains de lutteur cassant le dos des grosses Américaines. Une réplique du film *Casablanca* me revint en mémoire. L'espion français racontait qu'il venait dans la ville marocaine pour une cure thermale, en plein désert. Je ne pouvais croire que Boris faisait le beau sur les pistes, comme Rick Blaine ne pouvait prendre les eaux au milieu de l'Atlas.

La direction du FSB pouvait avoir chargé un imbécile de surveiller une mission qui arrivait à son terme et devenait extrêmement délicate. C'était aussi dangereux que de lancer un Black Panther dans une assemblée du KKK, mais c'était une manœuvre de contrôle dans la plus pure tradition du KGB. Quelques années plus tôt, un commissaire politique aurait même fait le dangereux trajet pour s'assurer de mes allégeances communistes et de celles de mes hommes, avant l'assaut final.

Le major se leva, prit une troisième bouteille et me regarda, interrogateur en montrant toutes les différentes sortes de verres qu'il avait devant lui. Je haussai les épaules, et il emplit une flûte à champagne d'un marc de bourgogne qui était né avant qu'il ne réussisse son premier assassinat, sûrement celui d'un pauvre chat ou d'un chien avec un joli collier ou un nœud dans les poils. Il avait dû alors se rendre compte avec émerveillement comme il est facile de tuer à distance. Inconsciemment, déjà, il s'était spécialisé. En songeant à la quantité d'individus qu'il avait dû faire passer de vie à trépas, je pensai que si j'avais eu un fils tel que lui, je l'aurais isolé des animaux de compagnie et de mes voisins. Je lui aurais aussi sûrement coupé les bras, parce qu'avec l'âge, je suis devenu trop Anglais et ne supporte plus que l'on fasse du mal à un animal. Avant de trouver une solution à la disparition du gros 4x4, je pouvais aussi le torturer pour lui faire lâcher le nom de son chef de mission, mais celui-ci enverrait un autre officier pour enquêter sur sa disparition.

– Ma venue dans ton... – comment disais-tu à l'époque? – «ère de mission» ne te dérange pas trop, colonel Igor Vitovitch Grychine?

Ainsi, on lui avait rapporté ma menace d'Irlande. Il rota et mit ses poings sur ses hanches pour essayer de se rappeler laquelle des bouteilles il n'avait pas encore goûtée. J'estimais, d'un coup d'œil au bar, le potentiel à une dizaine de choix supplémentaires en whisky et autres alcools forts. S'il conti-nuait, il finirait par vomir sur ma peau d'ours naturalisée. Sa posture devait être celle de la concentration extrême, et il fallait que je m'en souvienne. Il se retourna, attendant ma réponse. Ses mains avaient quitté ses côtes et j'estimai la distance qui nous séparait pour lui sauter dessus. Il me contempla, ironique, et je compris que, sans Moscou, il n'aurait jamais pu connaître mon nom ni mon grade. En Russie et en Irlande, à Londres et à Paris, j'avais toujours travaillé au sein du Premier Directorat dont le cloisonnement empêchait toute erreur de fuite quand les services s'entraidaient. J'étais alors un lord britannique, le même qui maintenant jouissait de la double nationalité, canadienne et anglaise. En Russie, entre deux affectations, dans la perspective qui nous hantait alors de voir nos archives abandonnées aux mains des révolutionnaires qui tôt ou tard prendraient le pouvoir, j'étais un professeur de l'École supérieure du KGB, et mon faux nom à consonance juive m'empêchait d'avoir accès aux clubs et associations d'officiers. J'étais alors inexistant. Le major n'avait pas perdu de sa finesse légendaire. En quelques phrases, il s'était révélé. Je décidai de reprendre l'initiative.

– Major, aurais-tu la capacité de me rendre quelques services? Je manque de main-d'œuvre qualifiée, ces temps-ci.

Il avait arrêté son geste vers la bouteille de rhum et venait de remarquer qu'il avait égaré son arme. Je le sentis gêné, comme dans cette histoire que m'avait racontée un ami au sujet du président de sa compagnie, invité par sa secrétaire dans son appartement et profitant de l'obscurité pour se déshabiller. La lumière était apparue et il avait réalisé qu'il était entouré de joyeux fêtards qui voulaient célébrer ses trente ans de mariage. Mon ami, un Anglais, avait fait une fixation sur les chaussettes en fil que son patron portait à ce moment-là.

Boris essaya de tapoter toutes ses poches en s'assurant que je ne remarque pas ses gestes. Nu, il devait, lui aussi, garder ses chaussettes, mais il n'avait jamais eu de secrétaire ni d'années de mariage à fêter. Presque un saint homme marié au service. Je continuai.

– Je suis engagé dans une démarche politique.

Je m'arrêtai devant sa stupeur. Il n'avait pas dû comprendre le sens des mots « démarche politique ».

– Je représente des gens qui veulent foutre les partis politiques à la mer.

Il sourit, découvrant ses prothèses dentaires dorées. Je pouvais poursuivre. Tout en m'écoutant, il continuait à chercher discrètement son arme. Il devait n'utiliser que des outils adaptés à la taille de ses mains. Il suait d'avoir à se concentrer sur deux activités différentes à la fois, écouter et chercher, tout en assimilant l'alcool que déversait son estomac dans son sang. Je m'assis sur le fauteuil devant lui.

– Il y a des élections qui approchent, tu es au courant, major ? Serais-tu capable de me faire péter quelques-uns de tes jouets ? Juste pour se rappeler le bon vieux temps ? Pas de morts, juste quelques dégâts ciblés.

Je bougeai les fesses, me montrai embarrassé, m'avançai sur le devant du fauteuil en passant la main derrière le coussin. J'en retirai un pistolet automatique du bout des doigts et le lui montrai, l'air interrogateur. Le Grizzly Magnum devait approcher les deux kilos une fois chargé. Un poids lourd du combat rapproché. Je lui montrai des yeux le cran de sûreté en position de tir. Il fixa l'objet sans comprendre comment il avait pu le faire tomber à cette place précise. Il était rouge de confusion. Il bégaya.

– Je serai honoré de t'offrir mes services, camarade colonel, je n'espérais pas te convaincre de m'embaucher, tu sais, je suis un homme occupé. Mais j'en suis ravi, cela me rappellera le bon vieux temps.

«Et moi de t'avoir à l'œil tout en te maintenant écarté de ma mission», pensai-je en me relevant pour lui tendre son gros jouet. Il le saisit, vérifia le chargeur et rangea le tout dans sa poche intérieure. Il suait abondamment et le feu de cheminée qui mourait n'était pas à blâmer pour cet inconfort. Il se leva et je le poussai vers la sortie. Son haleine d'alcool se mélangeait à l'odeur du chanvre qu'il devait fumer pour faire croire qu'il était un trafiquant, ou par habitude des missions à l'étranger.

– Viens me retrouver demain après-midi, major. Je t'expli-querai tout en détail. Et calme le jeu sur la fumette…Tu risques de trembler en préparant l'un de tes mélanges explosifs.

J'avais eu la révélation de la journée, celle de la vision de Boris explosant en tournant la clé de contact de sa voiture. Je trouverais bien le temps et l'opportunité d'y coller une charge de plastic à détonateur électrique télécommandé. Plus tard.

Il repartit au volant de son pick-up à peine sali par le sel et la neige, après avoir allumé la rampe de phares sur le toit et enfoncé sur sa tête sa casquette des Bulls, jusqu'aux oreilles qu'il avait très décollées. Je le suivis des yeux en me deman-dant encore qui était ce nouveau venu qui l'avait chargé de venir me casser les pieds. Je ne me faisais pas trop d'illusions. La faute en incombait à un fonctionnaire qui avait dû faire une erreur de classement ou avait découvert un dossier trop bien rangé. Au FSB, tous les souvenirs du KGB ont un prix que l'on peut négocier, et notre mission était l'une des plus anciennes encore en activité. Un miracle que nous n'ayons pas déjà dû revenir pour nous expliquer au sujet des fonds dépensés en trente années. Le commanditaire du major avait sûrement mis en place une structure parallèle pour pouvoir, sans en connaître toutes les ramifications, contrecarrer notre dessein ou profiter de ses résultats.

Je rebouchai les bouteilles que le major avait daigné me laisser et me dirigeai vers mon bureau pour y avoir une conversation urgente avec le président de toutes les Russies. Notre mission était éventée, il fallait qu'il découvre au plus vite d'où venait la fuite.

La clôture des inscriptions électorales n'était plus que dans une semaine. En démarrant dans la nuit, je pensai soudain au général Carignac et me demandai s'il avait reçu mon message et s'il y répondrait.

38

Québec,
aujourd'hui

J'avais reconnu mon vieil ennemi. Carignac, dans le bar de l'hôtel, un éléphant assis dans un magasin de porcelaine. Il sirotait son thé en lisant un épais dossier. Ses lunettes, remontées sur le front conformément à cette manie qu'ont les presbytes, avaient laissé deux marques rouges sur son nez aquilin. Il n'avait pas changé. Plus épais, plus imposant, plus dangereux peut-être. Je pris un tabouret au bar en lui tournant le dos, regrettant la boiterie qui pouvait saboter mon maquillage d'acteur. J'avais eu les tendons des genoux arrachés en sautant d'un train à Berlin Est, poursuivi par Carignac et Lefort. La balle tirée par Carignac pour me forcer à sauter m'avait sauvé la vie, n'effleurant que ma joue mais me dégageant de l'emprise d'une équipe de tueurs de la CIA. Carignac m'avait protégé, Lefort l'ignorait.

Quelques secondes avant que je monte sur le siège du bar, j'avais vu s'éloigner Irina Vitovna, la directrice de campagne de Gilles Drouin. Je connaissais cette attitude de concentration et de relâchement à la fois, tous les signes d'un agent qui, quelque peu déprimé, commence à songer qu'il serait temps de rentrer à la maison, au chaud. Je ne pouvais que le surveiller en laissant passer les élections, avant de prendre la décision de le garder près de nous ou de le renvoyer en Russie.

Dans le reflet du miroir du bar, le général Carignac regarda un instant dans ma direction. Je continuai à lire mon journal, sirotant mon whisky. Il ne pouvait me reconnaître, j'étais dans le rôle d'un Américain aisé, profitant des quelques minutes le séparant de l'ouverture du restaurant pour boire un alcool fort sans que son épouse ou ses invités ne le surprennent. Je lançai une remarque au serveur sur la météo et lui demandai de remplir mon assiette de mignardises. Derrière moi, Carignac rajouta du thé dans sa tasse, éclaboussa quelques pages, grogna un silencieux « Mort au'C », puis se replongea dans sa lecture.

Après la visite du major Taurenis au manoir, je trouvais mon plus ancien ennemi attablé au bar de l'hôtel abritant le quartier général de la campagne de mon dauphin. Les coïncidences étant ce qu'elles sont dans le monde du renseignement, je constatais en croquant un glaçon qu'il avait bien reçu mon message. Alors que je commandais mon deuxième verre, Irina fut de retour. Elle vint directement saluer le général qui se leva, empressé, manqua de renverser sa tasse de thé et l'invita à sa table. Elle rit à l'une de ses remarques, et je me surpris à envier sa faculté de parler à la femme si librement, sans déguisement ni effet de lumière.

39

Québec,
aujourd'hui

Je finis par abandonner mon poste d'observation. Être aussi proche du général Carignac et d'Irina m'avait soudain semblé comporter plus de risques que d'avantages, et je n'arrivais pas à garder ce détachement d'acteur nécessaire, alors que j'étais si proche du rusé général. L'effort que je fis pour sortir de la salle sans boiter me mena au bord de l'évanouissement. Depuis les grandes marches du parvis du château, le groom héla un taxi en maraude et je me glissai sur la banquette arrière comme un fuyard apeuré. La vision du général et d'Irina m'obsédait.

J'avais appris, depuis mon départ de Russie, comment le caractère et les manies se cristallisent dans l'illégalité. Un acteur peut se retrouver face à lui-même, il suffit qu'il enlève ses postiches quand son petit tour sur la scène est terminé. Il retrouve le regard des autres et redevient ensuite automatiquement l'acteur qui joue un rôle.

L'illégal, s'il veut se ressourcer, doit s'isoler sans que jamais un regard témoin ne se pose sur lui. Il n'est jamais placé sous le regard de la société, qui pourrait le ramener à l'artificialité de son rôle de comédien.

Dans ce taxi surchauffé qui me menait vers le manoir, je réalisais une nouvelle fois en si peu de temps que j'étais parti depuis trente ans. Les rares fois où j'avais fait le voyage vers Saint-Pétersbourg ou Moscou, je l'avais fait sous les traits de l'avocat anglais que je suis devenu. L'identité même du colonel Igor Vitovitch Grychine, construite dans un passé réel, soutenue par une biographie et une généalogie, était devenue une deuxième couverture, tout autant virtuelle, mais porteuse d'un avenir exclusivement russe. Elle était devenue, petit à petit, le jeu d'un autre acteur, sous un regard unique, celui de Vladimir Vladimirovitch Poutine.

La vue de Carignac, solide, vrai, tapotant la main de mon espionne et lui expliquant les différences entre le français et le québécois, m'avait fait soudain penser à ces trente ans que j'abandonnerais bientôt pour m'inventer une vie de privilégié dans ma datcha de Saint-Pétersbourg.

Suis-je encore ce Russe du KGB, formé à l'école soviétique, qui est parti en Angleterre, a vécu en France, a écrit sous son nom un ouvrage sur la Russie éternelle[18]? Suis-je ce Canadien qui est devenu, par la langue du moins, plus francophone que la plupart des Français? J'étais un expert du combat anglophone, fier de mes fausses lettres de noblesses londoniennes, porteuses de l'aura coloniale. Pourtant, j'avais eu peur qu'on m'abandonne sur les bords de la Tamise le jour où le mur est tombé. Un effroi incontrôlable à la pensée que je ne rentrerais plus, parce que pour tous, j'étais devenu cet avocat renommé de la City et que le risque que je prenne ouvertement ma place au sein de la nouvelle Russie était trop grand pour les politiques qui nous gouvernaient. Je n'avais pas encore atteint la félicité de l'acteur qui se révèle seulement quand il quitte la scène, sous les applaudissements ou les huées.

Le taxi descendit la colline de la ville historique pour suivre le fleuve sur lequel, déjà, flottaient quelques gros glaçons qui bientôt bloqueraient cette rive nord du Saint-Laurent. La lune brillait.

Poutine m'a souvent raconté comment, dans les années 1980, il avait participé à la réflexion concernant la destruction des archives du Premier Directorat quand le soviet suprême aurait abdiqué. Ils craignaient tous alors la chasse aux sorcières, la recherche de la faute historique, celle du collectivisme, du

---

18. Le colonel a en effet écrit un ouvrage sous son nom, sur la couverture duquel il apparaît, affublé d'une barbe et de lunettes foncées, devant les caméras françaises.

goulag, du joug du parti sur le peuple, et ces compromissions qui avaient créé cette caste de nantis, cette oligarchie entourée et protégée par une armée de fonctionnaires sous-payés, mais arc-boutés sur les petits avantages, ceux qui leur permettaient seulement de survivre.

Ce nettoyage historique aurait pu être l'acte fondateur d'une révolution qui allait bouleverser la nature de l'empire. Neuf millions de morts, autant d'oubliés, revendiquaient leur place dans l'histoire autrement qu'au titre d'oubli dogmatique. Les grands chefs du KGB ont veillé deux jours et deux nuits pour porter au vote leur décision. Sur les dix officiers généraux et hommes politiques présents, six avaient voté la sauvegarde de la mémoire du service. Avec une différence d'une voix, un hasard de l'Histoire, je disparaissais dans les brumes confortables du Royaume-Uni. Un seul vote différent, et je perdais mon passé russe et devais me réinventer un futur exclusivement britannique. Mais le vote démocratique, je le savais par l'intéressé lui-même, avait été une escroquerie, montée par le KGB. En réalité, seules quelques personnes, dont Poutine, avaient voté pour la motion de protection.

– C'est pas si pire... mais le temps n'est pas bien beau. On va rouler jusqu'où comme ça?

L'accent du chauffeur de taxi n'était pas québécois, il imitait les mots pour tenter de faire oublier ses origines. Encore l'un de ces diplômés francophones, peut-être un médecin, qui faisait le taxi en période de surchauffe économique parce que son savoir-faire n'était pas reconnu par les ordres professionnels. Je ne lui répondis pas, juste un signe de la main pour lui dire de continuer. Il fallait que je réfléchisse. Il ralentit et tourna dans la vieille ville. Autant économiser l'essence.

À la vue de l'inénarrable Carignac, j'avais eu peur de vieillir, de perdre cette ironie de moi-même qui avait constitué une défense dans les combats que j'avais menés. J'étais toujours soviétique, fier de l'Armée Rouge et de mes convictions d'athée. L'orthodoxie chrétienne prônée par Vladimir Poutine me rappelait l'obscurantisme véhiculé par les tsars, oints par Dieu, investis du pouvoir suprême, portés au pouvoir par l'aristocratie des religieux. Tenir le peuple dans la croyance en multipliant les églises, en hiérarchisant ses prêtres, en sacralisant le chef. Staline, le séminariste, en avait copié la recette, depuis la base de peuple, formée par le komsomol, conduite par la cellule du parti, jusqu'au chef vénéré, un grand-père gouailleur qui avait porté le drapeau sur le Reichstag et fumait sa pipe dans son bureau du Kremlin. Je ne me reconnaissais pas dans cette Église de barbus qui priaient un Dieu qui avait, depuis le premier mensonge originel, abandonné ses enfants. J'étais toujours le communiste entré en guerre contre l'Occident.

– Nous allons à Château-Richer. Passez par le boulevard Sainte-Anne, puis vous emprunterez l'avenue Royale, je vous indiquerai où.

Je m'étais battu pour que le socialisme éclaire le monde. Si je ne le croyais pas vraiment au début, j'avais fini par m'en convaincre parce que c'était la seule solution expliquant le but suprême des complots que j'avais créés. Je n'avais pas renversé des gouvernements, tué des innocents ou des tyrans, pour le seul bilan comptable de Gazprom. Je n'avais pas entraîné cette équipe pendant vingt ans pour qu'elle offre des parts de marché à l'économie capitaliste de quelques privilégiés russes. J'aimais Poutine et il me surveillait, Drouin me détestait, Irina se fragilisait, Bouchard m'intriguait, Carignac me traquait. Il fallait que je puise dans cette expérience, amassée depuis toutes ces années, pour définir un nouvel objectif.

Ce soir-là, je ferais partir un nouvel envoi vers les officiers de la GRC que je manipulais. Carignac en recevrait certainement le résumé. Je ferais le nécessaire pour qu'il soit le premier informé. Un coup de pied dans la fourmilière pour arrêter cette mission qui, de plus en plus, me montrait que je ne pouvais, sans perdre mon âme, manipuler une nouvelle fois un peuple entier. Drouin devait perdre.

Le taxi entra dans l'allée du manoir, s'enfonçant dans la neige tendre entre les rangées d'arbres centenaires. Un homme était assis sur le perron, fumant une cigarette. Daniel Bouchard m'attendait. Il n'était pourtant jamais venu dans mon sanctuaire. Décidément, trop de personnes étaient au courant de ma fausse identité.

40

Autoroute Félix-Leclerc, non loin de Trois-Rivières,
aujourd'hui.

Jean Lefort suivait la voiture de Daniel Bouchard. Le pick-up aux vitres teintées roulait maintenant depuis deux heures sur l'autoroute 40 en direction de Montréal, et la voiture de location de l'ex-commandant de l'armée française le suivait de suffisamment loin pour ne pas être remarquée.

Le général Carignac avait défini le matin même la priorité de Lefort, après la soirée qu'il avait passée avec la belle directrice de campagne de Gilles Drouin. L'ancien chef de la DGSE lui avait demandé de se concentrer sur l'homme à tout faire, celui qui devait être le messager ou le bras armé de l'équipe. L'homme était prudent, ne dépassant jamais la vitesse permise, observant le code de la route, un régal pour le poursuivant.

Sur l'écran du GPS, le 4x4 ralentit et se gara devant un motel. Lefort s'engagea à son tour dans la bretelle de sortie. Quand il se gara, une femme fermait la porte du véhicule. Il maudit l'habitude américaine de teinter les vitres. Il avait suivi un leurre. La femme disparut dans le restaurant, l'allure pressée, tremblante comme une personne en manque. Il en profita pour se glisser dans la voiture. Sur la banquette arrière, un sac ouvert contenait des centaines de billets de banque et des liasses de reçus. Il en prit une poignée au hasard et les cacha dans son blouson. Il avait ce qu'il voulait et décida de retourner à Québec.

Il ne pouvait s'en douter, mais la femme l'avait vu sortir du pick-up de Bouchard et retourner dans sa voiture. Elle revint à son tabouret de bar. Autour d'elle, le brouhaha des chauffeurs de camion, qui faisaient la pause avant d'entrer dans la banlieue surchargée de Montréal, se mélangeait aux cris joyeux d'enfants jouant dans l'espace qui leur était réservé. En partant du motel, elle avait déposé sur l'avenue Royale celui qui se faisait passer depuis vingt ans pour Daniel Bouchard. Il ne l'avait pas une fois regardée. Même pas un signe de main quand il était sorti de la voiture pour remonter l'allée sombre menant à un manoir ancestral. Elle avait, elle, une seule idée : retrouver sa fille, la prendre dans ses bras et la faire admettre au plus vite dans un centre de désintoxication. Il fallait qu'elle roule, qu'elle atteigne le Nouveau-Brunswick avant qu'une crise plus forte la cloue sur place. Son corps n'était plus qu'une éponge ne tenant qu'au rythme de sa consommation d'alcool. Elle se savait condamnée. Rouler, et au moins sauver sa fille. Toutes ces histoires d'espions, d'argent sale, ne l'intéressaient pas, comme cet amant d'un soir qui ne l'avait pas descendue alors que peut-être elle avait espéré qu'il le fasse.

Elle avait lu quelque part dans un journal repêché dans une poubelle que, selon des théories mathématiques, le monde tournait autour d'un grand hasard. Bouchard, le faux ou le vrai, vingt ans plus tôt, était l'élément imprévisible avec lequel la rencontre avait pourtant été féconde. Aujourd'hui, il était intervenu dans sa pauvre vie pour lui redonner un peu d'espoir.

Une balle roula à ses pieds, et une petite fille s'approcha pour la récupérer, timide. Elle portait cette coiffure qui donnait jadis à la femme l'envie continuelle d'embrasser sa propre fille, quand elle avait le même âge. La femme ramassa la balle, la tendit à la fillette et la regarda s'enfuir en criant. Elle savait que sa chair abîmée, ses rides et ses poches bleues sous les yeux lui donnaient l'aspect d'une sorcière fatiguée. Jamais plus un enfant ne l'embrasserait. Elle pouvait rester éternellement sur ce tabouret, à vider le sac d'argent pour boire et à regarder les enfants rire et crier. Elle eut peur soudain qu'une crise la secoue devant les yeux écarquillés d'une autre fillette.

Avant même que Lefort ait disparu, elle avait pris la décision de retourner vers Québec pour raconter au maçon sa rencontre, dans le parking, avec un homme en blouson qui avait pénétré dans la voiture mais n'y avait pas pris un seul dollar. Avec une bouteille de gin à ses côtés sur le siège passager du camion, elle pouvait tenir quelques heures sans trembler. Elle se fichait de l'espionnage, de la guerre politique qui s'avançait, elle ne savait rien de Drouin ou de Poutine. Elle ne voulait plus rentrer.

Sans le savoir, à l'aube d'une vie nouvelle, elle avait choisi de mourir.

LIVRE IV

MOMENTUM

« *Que vous ne voyiez pas, de chaque cerise, de chaque feuille, de chaque branche de votre jardin, des êtres humains qui vous fixent, que vous n'entendiez pas des voix ?...*

Oh, c'est horrible ! Votre jardin est effrayant ! Et, quand le soir ou la nuit, on le longe, les vieilles écorces des arbres ont des reflets blafards et il semble alors que les cerisiers voient en rêve ce qui se passa il y a cent, deux cents ans, et que des visions douloureuses les tourmentent. Il n'y a pas à dire, nous sommes en retard d'au moins deux cents ans. Nous n'avons encore rien d'établi, rien de positif quant à notre passé. Nous ne faisons que raisonner, nous lamenter de nostalgie, ou encore boire de la vodka. Et pourtant, il est de toute évidence créé pour commencer une vie nouvelle, il nous faut, tout d'abord, expier celle d'hier ou, plutôt, en finir avec le passé. Or, ce passé, on ne le rachètera que par la souffrance, que par un labeur âpre et persistant. Je voudrais que vous saisissiez cela, Ania. »

Anton Tchekhov, *La Cerisaie*, acte VII

41

Château-Richer,
aujourd'hui

— Je vous ai reconnu. Vous êtes le Conseiller. Sans ventre ni nez postiche, peut-être plus vieux, mais avec encore la même coupe de cheveux. C'est votre démarche, boiteuse maintenant, mais vous aviez à l'époque cette même manie d'enfiler vos chaussons ou vos bottines quand vous quittiez ou entriez dans l'espace de la scène du théâtre de l'École. Vous pointez les orteils pour viser l'ouverture. J'avais remarqué à l'époque comment ce simple geste était élégant. La légende raconte que vous vous êtes rompu les tendons des deux genoux en échappant à des tueurs de la CIA, mais que vous avez réussi à vous traîner jusqu'à Berlin Est. Je vous envie. Il faut avoir des actions héroïques à raconter à ses enfants. Je suis illégal depuis trente ans, mais je n'ai jamais eu un seul acte de guerre à revendiquer. Je n'ai fait que voler un pauvre homme qui n'avait jamais rien fait contre notre cause.

Le taxi payé, j'avais fait entrer Bouchard dans la maison et l'avais laissé allumer le feu de la grande cheminée. Il m'avait regardé avec intérêt enlever mes bottes pour enfiler mes chaussures d'intérieur. Je décidai de ne pas tenter de me cacher.

— Vous vous souvenez de votre grande et unique représentation ? Vous jouiez Macbeth. Brillant. C'est pour cela que je vous ai choisi pour protéger notre mission en devenant l'ombre de Drouin. Lui était moins bon, il l'est toujours. Mais il est un meilleur soldat, plus obéissant à des ordres sans visage. Il ira jusqu'au bout de la mission.

Je ne le décevais pas, il aurait été stupide de nier mon ancienne identité de professeur du théâtre de l'école du KGB. En fait, j'avais été longtemps le découvreur de talents du Premier Directorat. Mon déguisement et ma discrétion avaient toujours servi la légitimité et la brutalité de mes choix. Celui qui était devenu Daniel Bouchard avait été le meilleur des élèves, le plus libre et le plus complexe aussi.

Il ouvrit le réfrigérateur et se servit une bière québécoise. J'acquiesçai du menton quand il m'en proposa une bouteille. Il me suivit et s'assit en face de moi auprès de la cheminée.

– Je n'ai réfléchi aux places que vous ne nous avez attribuées que très récemment. La vue de notre objectif libère le stress que nous avons dû gérer pendant toutes ces années. Vous nous aviez prévenus que le temps viendrait où nous serions fragiles devant la conclusion de cette mission. La perspective d'arriver à ce stade m'excitait, même si j'étais concentré à l'élaboration prudente de notre plan. Vingt ans à vivre en sous-marin, jusqu'à prendre femme et bâtir son plan de retraite. Avez-vous pensé une seule fois à cette vie dans laquelle vous nous avez confinés? J'étais le fils d'un soldat de l'Armée Rouge, je portais le foulard de la Jeunesse communiste. J'aurais préféré devenir un Macbeth au théâtre de Saint-Pétersbourg et me soûler de vodka dans les cantinas.

Il croyait à ses paroles, je le sentais à la fatigue de ses traits. Il n'avait pas dû dormir depuis longtemps. Il avait plus de quarante ans, et avait passé la moitié de sa vie sous les traits d'un maçon québécois à casser le caillou par tous les temps. Il ne serait plus capable de faire un autre métier. Même l'adrénaline du combat avait disparu de ses veines.

– Comment vont votre femme et vos enfants?

– Ma blonde...

Il ferma les yeux et étendit ses longues jambes dans la direction du foyer. Il n'avait pas touché à sa bouteille de bière. Je remarquai que ses habits étaient froissés mais qu'il sentait le savon frais. Il revenait d'une partie de jambes en l'air.

– Je ne connais de vous que l'identité du Conseiller de l'école de Leningrad, celle d'un vieux juif répugnant qui nous a donné le meilleur des enseignements, celui de vivre avec la peur de soi-même. Celui aussi de respecter son texte pour survivre. Je ne savais pas qui vous étiez avant ce soir. J'ai suivi Irina l'autre jour jusqu'à votre sanctuaire et j'y ai, depuis, fait deux incursions pour essayer de trouver un peu d'informations. Drouin aurait été content de savoir que vous êtes ici. Il vous déteste depuis l'école. Il vous hait d'être le meilleur, et ce, depuis bien avant que vous deveniez notre mystérieux tuteur. Irina a dû vous apprendre qu'il nous a donné pour instruction de tout faire pour vous démasquer et de vous livrer, pieds et poings liés, à son service de sécurité ou à celui du renseignement canadien. On lui a juré d'obéir.

Je n'avais pas pris garde au changement. Il me parlait russe d'une voix douce, presque inaudible. Il se libérait et retrouvait la mélodie de mots qu'il ne pouvait que chuchoter seul depuis vingt ans. Il continua. Les yeux fermés. Je n'osai lui répondre que, comme lui, ma cerisaie était autre part, mais pas en Russie, peut-être ici. Il but une gorgée.

– Je voudrais redevenir cet homme-là. Cet étudiant qui ressemblait au Trofimov de la pièce de Tchekhov. Qui confond Révolution et Russie, peuple et âme russe millénaire. Je n'en ai que faire de leur histoire de bataille des plaines d'Abraham, de leur chicane Français contre Anglais. Vous, en revanche, vous avez l'air d'un véritable lord anglais, un avocat de grande réputation qui a fait ses débuts dans le métier alors que nous n'étions encore que des étudiants boutonneux. Je ne vois pas comment Gilles pourrait vous faire tomber. Quand il sera premier ministre, peut-être? Vous savez que je n'ai pas oublié un seul mot de la tragédie de Shakespeare? Tant d'intelligence du verbe m'a rassuré quand je jouais l'artisan niais. Mon fils aîné fait du théâtre. Un groupe qui vit en communauté et joue des pièces altermondialistes. Il fume du pot et change de partenaire tous les soirs, par devoir social, un coup avec un homme, un autre, avec une femme. Il ne dit plus «papa», mais «mon vieux chum», ou bien tout simplement Daniel quand il est fâché parce que je refuse de lui donner quelques piastres.

J'avais à l'esprit le Macbeth flamboyant qui jonglait avec l'épée de scène. L'homme affalé devant moi ne ressemblait pas à l'étudiant révolutionnaire et mystique de *La Cerisaie*. Il était un maçon fatigué, les traits marqués par les hivers à rapiécer des murs. Il regardait justement ses mains et je sentis qu'il faisait lui aussi le parallèle entre sa jeunesse à l'École supérieure du KGB et son présent d'illégal en fin de mission.

– Gilles est dangereux. Pas seulement pour vous. Il sera le plus virulent des antirusses quand il sera au pouvoir. Il a intérêt à se détacher de nous au plus vite pour ne pas avoir à suivre vos ordres quand il sera le patron. Il est en train de faire le ménage en utilisant des hommes du GRU, pour ensuite mieux les accuser de complot international. Un rendez-vous avec la CIA est programmé dans quelques jours. Je pense qu'il ira tout déballer et qu'ils le prendront sous leur coupe. Savez-vous qu'il croit fermement au nouveau grand complot, celui du rapprochement des chrétiens américains et russes? Face aux fous d'Allah, la conjuration des croisés d'Orient et d'Occident. Il nous a parlé plusieurs fois de ce nouvel équilibre qu'il entrevoit entre les pays de la croisade chrétienne face à l'islam et l'athéisme. Il se tiendra au milieu, pour faire le lien en tirant les ficelles. Quant au reste, il place l'Europe dans le camp du passé et surtout y trouve une excuse à l'émancipation du Québec. S'il accède au siège de premier ministre, il coupera les ponts avec le service et nous n'aurons aucun levier pour le faire changer d'avis parce qu'il a monté seul sa légende, sans contestation la meilleure de notre groupe. Avez-vous remarqué comment il puise dans l'idée de souveraineté sa haine de l'étranger? Ce n'est pas une revendication culturelle ou postcolonialiste, c'est la peur inconsciente de reconnaître qu'il est un étranger ici. Il est bon pour une thérapie, notre futur chef du gouvernement. Dans trois jours, il sera notre candidat officiel et, grâce à nos dossiers, accumulés pendant vingt ans, sur tout ce que le continent compte de personnages influents, il aura l'Amérique du Nord au creux de la main.

Je l'entendais pour la première fois perdre son accent canadien et reprendre naturellement la langue pure du Russe de Saint-Pétersbourg. Il marquait les accents de prononciation en modulant les O et I comme Pouchkine l'aurait fait deux cents ans avant sa naissance. Je me souvenais que Daniel Bouchard avait une belle voix de basse quand il chantait en s'accompagnant à la guitare. Comment un musicien peut-il passer vingt ans sans éprouver le désir de prendre un instrument et de réciter les complaintes de Sergei Nikitine ou de Dmitri Sukharev?

– Mes mains ne pourront jamais plus jouer de la guitare. J'arrive à peine à plier les doigts. Vous me parliez de cette famille que j'ai fondée ici? Ma blonde a compris depuis longtemps qu'elle devait trouver en dehors de la maison l'affection que je ne pouvais plus singer. Depuis des années, nous sommes des étrangers qui dorment dans un même lit, faute de moyens financiers pour faire chambre à part. Mes enfants sont beaux et indépendants, mais je ne sais même pas s'ils sont de moi. J'ai été formé à ne penser qu'à la possibilité de faire disparaître les traces de mon passage, comme l'on étouffe et fait disparaître une portée de chatons dès la naissance. J'aurais pu, sans hésitation, les couler dans une dalle de béton. Maintenant, ils ont quitté la maison et ne m'appellent que pour avoir quelques dollars que je ne puis toujours leur donner. Tant mieux pour eux, ils auront la vie sauve quand tout cela sera fini. Bientôt, nous allons devoir gérer notre succès, et Moscou ne nous demandera pas de rentrer. «Encore un peu», «Il faut placer vos pions», «Encore un peu», «Il faut maintenant engranger après avoir semé». Vous n'avez jamais eu envie de rentrer? Nous avons tout donné depuis si longtemps, il serait juste que maintenant une autre équipe nous remplace, non? Poutine a peut-être l'intention de nous effacer? Nous n'avons aucune existence et nous serions vite remplacés.

Je savais depuis toujours que la crise de confiance de l'espion en terrain étranger est l'épreuve qui détermine la légitimité de la récompense. Elle finit toujours par arriver, même chez les meilleurs des agents. Ils veulent tous, un jour, voir les médailles qu'on leur a virtuellement offertes pendant leur carrière, et rêvent tous de parader en uniforme de commandant ou de colonel au bras d'une jolie femme, dans les clubs d'officiers de la capitale, à raconter leurs histoires de guerre enjolivées pour épater les jeunes et les planqués. Maçon à Québec et colonel à Moscou. Voilà quelle était la plus implacable des chaînes de fidélité qui maintenait l'illégal aux débuts de sa mission. Sauf qu'un jour l'équilibre psychologique s'inversait et que le besoin de reconnaissance renversait l'équilibre et rapprochait l'agent de la trahison. Daniel Bouchard voulait rentrer, il serait extrêmement dangereux de l'en dissuader maintenant. Il ne savait pas qu'il ne retournerait jamais en Russie, c'était inscrit dans son dossier en lettres d'or comme la seule exigence de Poutine, pour protéger la vérité.

– Tu veux rentrer, camarade. Tu veux écraser la neige russe parce que tu ne supportes plus celle que foulent tes bottes canadiennes. J'ai aussi, il y a quelques années, découvert que la neige était différente d'un côté à l'autre de l'océan. Chez nous, elle est lourde, paresseuse. Ici, elle est légère et vaporeuse. Cela doit être le taux d'humidité de l'air en Russie, ou les vapeurs de la vodka, qui embrument nos cerveaux.

Bouchard restait silencieux, les yeux fixés sur le foyer. Il devait s'imaginer devant celui de la ferme familiale, quelque part entre Saint-Pétersbourg et Novgorod, sur le bord de la Volkhova. Si proche d'Helsinki et si loin de Moscou, dans le pays des géants des légendes qui avaient combattu les tatars des steppes asiatiques et défait à mains nues les armées de chevaliers teutoniques. Rien à voir avec les sept minutes qu'avait nécessité la défaite des Français sur les plaines d'Abraham. Je devais le laisser parler. Il me dirait tout ce soir, après l'envie passerait.

– Penses-tu qu'on a toutes nos chances pour les élections ? Les derniers chiffres étaient plutôt bons. Dans trois jours, Drouin sera définitivement lancé dans la course à l'investiture suprême. Un beau travail réalisé par l'équipe. Tu imaginais cela il y a vingt ans, quand tu as débarqué de ton chalutier norvégien ?

– Il y a vingt ans, je ne pensais qu'à revenir en héros à la maison et faire pâlir mon père de jalousie. Il est certainement mort depuis, et il m'avait sans doute oublié depuis des années. Je ne sais quelle farce vous avez dû lui faire gober. Mort en exercice, avec en prime un faux cadavre défiguré dans un beau cercueil en sapin. Peut-être même une médaille et une fanfare militaire.

Je ne voulais pas répondre. J'étais en effet présent à ses funérailles. Son père avait craché sur son cercueil en traitant son fils de mauviette, puis il s'était soûlé dans le cimetière, assis le cul dans la neige à parler tout seul. Il n'y avait pas eu de fanfare, ni de médaille. Juste un ivrogne et moi, en civil, et le photographe du service, venu immortaliser l'enterrement du futur illégal. J'avais un jour réalisé que les couloirs du KGB étaient couverts des portraits des héros morts pour la patrie et pourtant toujours en activité pour le service, sous un béret basque ou un chapeau melon. De l'humour anglais. Le maçon continua, les yeux perdus aux loin, derrière les flammes du foyer.

– Nous avons fait de la belle job. Nous allons gagner. Gilles sera premier ministre, et moi, secrétaire d'État ou sénateur. J'aurai une jolie maison, et la GRC m'appellera en s'excusant quand elle trouvera mon fils, l'artiste, trop défoncé à la cocaïne pour comprendre qu'il est en train de hurler sa crise d'adolescence retardée, en pissant sur les murs du parlement. Je n'ai pas eu de jeunesse, je ne peux pas le juger ni le comprendre. Je ne l'ai, par ailleurs, jamais touché, ni pour le battre ni pour l'embrasser. Je n'arrive pas à jouer cette partie du rôle paternel.

Je ne voyais pas mon acteur en train de changer sa salopette d'artisan contre le costume de sénateur. Il n'avait plus la force et l'autodérision nécessaires pour endosser une nouvelle identité et se faire comprendre par la même salle en déclamant un nouveau texte. Il serait une catastrophe pour notre cause. Le feu éclairait ses rides et les angles de son visage, et je me retins de me lever pour allumer une lampe. Si nous continuions ainsi, nous finirions par découvrir que nous avions eu des trajectoires opposées, pour arriver enfin à vraiment se rencontrer. Ma bière était fraîche, un véritable gorgée d'été. Dehors, les rafales claquaient contre les doubles fenêtres.

– J'ai reçu la visite d'un major du GRU. Un certain Boris Taurenis. Un spécialiste de l'explosif. Il s'est installé un peu plus loin sur l'avenue Royale. Il a été envoyé par Moscou pour nous surveiller. Une précaution devant le risque de décompression qui nous guette avant l'échéance finale. Je connais sa manie de détruire sans prévenir, il m'en a fait la démonstration un jour en Irlande, juste pour se faire encenser par l'état-major de Khodinka. Tu ne vas pas tout lâcher à quelques jours de la conclusion de vingt années de mission ?

Il se tourna et jaugea un instant mon expression. Il voulait savoir si je le menaçais ou si je le prévenais des dangers qui nous guettaient. Je n'avais pas à lui expliquer que Moscou ne pouvait pas perdre cette unique occasion que lui avait offerte l'histoire. L'enjeu stratégique était indéniable, et personne, en 1986, n'aurait pu imaginer qu'il le serait encore plus aujourd'hui sur le plan économique. Le Canada et ses réserves infinies d'énergies fossiles et renouvelables, si proche par le détroit du Nord de son grand voisin russe. Si le projet d'un refroidissement des relations du Canada avec les États-Unis au profit d'un rapprochement avec la Fédération de Russie réussissait, alors l'électricité canadienne ainsi que ses pipelines traverseraient un jour prochain quelques centaines de kilomètres d'océan pour éclairer l'ouest du pays du tsar Poutine, en échange de ses réserves de gaz naturel. Il suffisait de regarder une carte des ressources énergétiques mondiales en prenant le planisphère par le pôle Nord pour réaliser que l'équilibre nord-sud s'inversait dans ce domaine. La Russie face au Canada. Un rêve à portée de main. On se prenait à rêver d'une indépendance du Québec vendant au plus offrant ses surplus énergétiques aux réserves infinies. Il goûta sa bière du bout des lèvres.

– Tu sais, camarade colonel, je n'en ai que faire de leur pays dans lequel l'Anglais croit en sa superpuissance culturelle alors qu'il n'est qu'un Américain de deuxième zone qui aura du mal à ouvrir les portes des clubs sélects de Boston ou de New York, comme un Français canadien aura autant de difficulté à investir la bourgeoisie du vieil argent à Ottawa ou à Toronto. Je suis un cosaque qui veut retrouver ses bottes et son cheval, sa ferme et sa pipe. Je veux entendre carillonner les cloches de l'église de mon village. Tu ne peux imaginer quelle fut ma joie quand j'ai appris que la révolution était en marche en Russie. Je me souviens avoir aperçu un major du KGB, un de nos formateurs à Moscou, un homme de ton équipe. Il enjambait, le premier, le mur de Berlin défoncé, et la foule applaudissait. J'en aurais pleuré de joie, à voir son air fier et son chapeau des années 1950 vissé sur son crâne de tueur. Je crois que j'étais alors en train de tuer ce pauvre et stupide Daniel Bouchard. Pour moi, en quelque sorte, la coïncidence des actions donnait à cette défaite historique incroyable l'aura du meurtre fondateur. J'ai été si heureux quand les popes sont revenus dans l'assemblée du peuple, quand le tsar a été sanctifié en présence du président Poutine, ce même officier que nous vénérions. Je me suis jeté sur toutes les informations que je trouvais sur la nouvelle Russie, tout en détruisant au fur et à mesure tout ce qui me tombait sous la main. Mais je peux te donner les noms des députés, et les résultats sportifs de la Russie depuis que je suis parti. J'ai lu que les assemblées cosaques avaient retrouvé leur droit de s'armer pour défendre les valeurs de la grande Russie. Je veux connaître cela. Tu sais, je n'ai jamais été communiste, tout simplement parce que mon père était un bolchevique de la première heure, décoré maintes fois par Staline, et qui avait passé toutes les purges en trichant et tuant plus que les autres. Le système communiste bien compris : faire disparaître l'obstacle social promu par le dogme, en envoyant son concurrent se faire oublier au goulag. À treize ans, je savais que je serais un jour un officier du KGB parce que mon père me fouettait le soir quand je ne revenais pas avec la meilleure appréciation des commissaires politiques du komsomol. Je rêvais alors de le forcer à me saluer quand il serait en ma présence. J'ai reçu ma première médaille pour avoir démasqué un pope dans des habits de paysan. J'ai dû avoir l'honneur de lui donner du knout avant tout le monde, mais ma mémoire a effacé ces images, tellement j'étais bouleversé d'avoir livré un saint homme à la meute des profiteurs qui vivaient, grâce à leur carte du parti, à magouiller leurs petites affaires. On prenait la carte pour entrer au KGB, on démontrait sa foi totale pour accéder au Saint des Saints du Premier Directorat, on tuait pour ses convictions communistes, comme les mafias adoubent leurs recrues après l'assassinat rituel. C'est pour ça que je suis devenu un bon acteur. J'exerçais mes attitudes en observant mon père et ses réactions de vieux combattant opportuniste. Ensuite, je pratiquais de même pour tromper mes professeurs et mes supérieurs. J'ai su, très tard, que mon grand-père avait été un délinquant de droit commun avant la Révolution. Condamné à la pendaison pour avoir éventré un bourgeois en lui volant sa bourse, il avait rejoint les rangs des rouges pour continuer à abreuver ses pulsions malsaines. Ma mère, sa propre fille, est morte en couches, et c'est ce qui l'a sans doute sauvée du couteau de son père et violeur. Vous voyez, quand je suis parti, j'aurais pu déserter, passer à l'Ouest, mais le jeu était plus fort et je voulais un jour rentrer avec ces honneurs du KGB qui m'offriraient cette liberté inconditionnelle à laquelle j'aspirais. Pisser dans sa bouche d'ivrogne.

Je le laissais parler. J'étais le prêtre à qui il devait se confesser. Dehors, la poudrerie passait au nord et devenait tempête. Nous serions bloqués par la nuit. Je n'avais pas lancé mon message à la GRC, mais une idée, lentement, faisait son chemin. Je devais pouvoir combiner nos deux destinées. Celle de Daniel, de rentrer au pays. La mienne, de rester dans ce pays que je m'étais choisi. Les pièces du puzzle à rassembler étaient réunies. Daniel le futur déserteur, Irina la fidèle, Drouin le tricheur, le major Taurenis en couverture, et ce Carignac qu'il fallait discrètement réveiller. Déjà, il était arrivé jusqu'à moi. Maintenant, il pouvait changer l'histoire. J'avais trouvé le moyen de le guider.

42

Québec, deux jours avant la clôture
des listes électorales

– Lefort, c'est une bombe que vous me rapportez là ! Mort au'C ! Une grosse machine de blanchiment d'argent, opérée avec la précision d'un comptable de banque. De l'argent sale arrive par bateau ou par compensation électronique entre les liquidités des mafias italiennes au Québec et des comptes alimentés par le FSB dans des paradis fiscaux. Notre groupe cible, des fervents défenseurs idéalistes, jusqu'au-boutistes, facturent deux fois les mêmes prestations, et le parti paie localement ces factures, de manière fictive, puisque la dépense est déjà acquittée. Bouchard entre dans le bureau local avec de l'argent sale, il en ressort avec le même, mais tout propret et nettoyé. Le FSB finance donc Drouin et lui fournit un réseau de fausse facturation. Pourtant, jamais durant la campagne nous n'avons soupçonné un rapprochement entre lui et le pays des tsars. Tout au plus, il s'est montré hostile envers l'Amérique de Bush, méfiant vis-à-vis de celle d'Obama, malgré les tensions autour du renforcement stratégique de l'OTAN en Pologne. La guerre contre le terrorisme a rendu l'Amérique et la Russie plus proches que des frères de sang. J'avoue ne pas bien comprendre la finalité de tout cela.

Ils étaient attablés au grand restaurant du Château Frontenac, le Champlain, et le chef français Jean Soulard venait de leur faire l'honneur de les saluer. Carignac avait bredouillé qu'ils se régalaient, alors qu'il rêvait du cassoulet et des confits de canard que lui préparait sa femme dans leur maison familiale du sud-ouest de la France. Il avait hâte de terminer cette mission pour retrouver le calme et les odeurs de l'hiver du pays gascon. Lefort le regarda pousser, dans un coin de l'assiette, les légumes qui accompagnaient un morceau de filet mignon qu'il ingurgiterait en une seule bouchée. Le général retardait l'instant qui le laisserait à rêver d'une poêlée pleine qu'il aurait de la peine à finir sans se faire exploser l'estomac. Il montra d'un doigt fin, celui d'un cardinal plus que d'un soldat, le résultat de son tri.

– L'affaire ne nous regarde pas, Lefort. Nous sommes devant une assiette semblable à celle-ci. On nous sert des bons morceaux pleins de saveur, mais on ne nous livre pas le plat principal. Les services de renseignement canadiens se doutent qu'il se trame un complot relativement au financement, parce qu'ils ont pour mission de déjouer la montée brutale d'un mouvement qui va bouleverser leur pays en faisant tomber les équilibres mis en place par Ottawa. Ils pourraient aussi bien trouver la même chose en chargeant leurs limiers d'examiner les comptes des autres grands partis. Nous, les deux dindons de la farce, on nous laisse trop de liberté, pour pouvoir dire ensuite que le scandale a été découvert par des étrangers objectifs, et non qu'il a été initié par les autorités fédérales. Je ne vois qu'une explication de la présence de Grychine. Il est ici parce qu'il veut s'assurer que les investissements de Poutine seront rentables à court, moyen et long termes. Ils doivent tenir Drouin grâce aux reçus, ou avec la preuve du financement de sa campagne par la mafia. Tiens, notre ami de la Sûreté nous cherche à l'accueil. Baissez la tête, Lefort, laissez-moi le temps de finir cette misérable portion de viande pour calmer un peu ma faim. Le froid m'ouvre l'appétit.

Jean Lefort vit le chef de la Sûreté s'approcher, accompagné de l'officier du Service canadien du renseignement de sécurité. Il était précédé par un serviteur en livrée. Le premier soir de leur arrivée, le général avait grommelé, au sujet du déguisement de ce dernier, qu'il le faisait ressembler à un personnage de Disney. Le chef de la police avait l'air énervé. Il s'assit d'autorité, et le serviteur déplaça une autre chaise pour l'officier de renseignement.

– Mon général, je suis confus de vous déranger en plein souper, mais nous avons reçu un nouvel envoi de la part de notre contact au FSB. Cette fois, c'est l'ambassade du Canada en Lettonie qui a reçu le message.

Lefort connaissait les bureaux de la rue Baznicas, un sixième étage luxueux dans le centre de Riga où l'on recevait au compte-gouttes les candidats à l'immigration. Il savait que les Russes en avaient fait un lieu privilégié pour les agents du FSB. Ils y testaient les nouveaux outils d'écoute illicite. Il doutait soudain que l'agent double ait choisi ce lieu pour transmettre des données confidentielles. Les hommes devant lui étaient donc les premières victimes d'une désinformation organisée.

– Ne vous inquiétez pas, j'avais à peine commencé à goûter que j'avais déjà terminé.

Le général Carignac avait parlé la bouche pleine en bougonnant. Il appréciait la bonne chère comme on savoure un concert. Si l'affaire était expédiée trop vite, alors il restait sur sa faim et râlait. Il posa sa serviette sur les documents que l'ex-commandant français avait subtilisés dans le sac ouvert, sur le siège du pick-up de Daniel Bouchard.

– Désirez-vous encore notre aide? Je croyais que nous avions terminé notre mission ici. Grychine serait de nouveau en train de vous préparer un complot national? Je n'y crois plus vraiment, à votre idée d'une déstabilisation d'envergure, qui mettrait en péril la démocratie canadienne. Qui plus est, fomentée par les services du président Poutine, votre nouvel allié... La Russie sera tôt ou tard membre de l'OTAN, avec ses vieux chars et ses troupes mal payées.

– Général, prenez quand même le temps de jeter un coup d'œil sur la photo que nous avons reçue et offrez-nous votre analyse, s'il vous plaît. Vous êtes le spécialiste incontesté de l'entourage de Vladimir Poutine. Nous vous donnerons ensuite, cette fois, l'opinion de nos propres analystes.

Le chef de la Sûreté tendit la main vers son officier, qui sortit une enveloppe de sa poche intérieure et la tendit au général. Lefort remarqua que d'autres enveloppes étaient rangées au même endroit, et que Carignac avait, lui aussi, aperçu le jeu de l'officier, qui palpait la liasse du bout des doigts pour y choisir une des pochettes de papier kraft. Ils étaient prêts à diffuser aux autorités les copies de ces photos, si le général Carignac émettait un avis de danger immédiat. Le serveur revint avec une nouvelle bouteille. Il la montra au chef de la Sûreté, qui désigna le verre du général français ; c'était lui qui devait goûter. Le Nuit-Saint-Georges, d'une grande année, détendit les traits du Français qui saisit le pli. Il en sortit un jeu de photographies qu'il examina en plissant les yeux.

– Drouin jeune, en uniforme du KGB ? Grade de lieutenant, mais je ne vois pas d'autre information ni de médaille, comme si on l'avait affublé de cette tenue sans préciser quel corps il servait. Là, vous pouvez être certain qu'il s'agit d'un montage, mon ami. Drouin n'aurait pas pu se forger une aussi solide identité, après les recherches que nous avons faites sur lui. Vos services aussi, je pense. Nous avons tout vérifié, année après année. Les rumeurs qui le concernent sont dénuées de tout fondement, vous le savez bien. Et puis, les illégaux qui étaient choisis par le Premier Directorat n'avaient pas de réelle fonction au sein des forces soviétiques. L'École supérieure du KGB les formait directement depuis l'université de langues ou de droit. Un complot, ou un sosie. Vous savez, je pourrais sûrement vous envoyer une photo de vous, plus jeune, en train de sauter une mineure dans un bouge de Hong-Kong.

Il avait marqué une pause et bu le fond de verre en claquant sa langue contre son palais.

– Voyons, nous connaissons tous les moyens à notre disposition pour faire chanter un homme politique ou un diplomate, ou pour l'empêcher d'acquérir trop d'influence. Votre choix de vin est divin, mais la photo est bidonnée.

Le chef de la Sûreté avait blêmi à l'idée que Carignac puisse envoyer à ses supérieurs une photo compromettante le montrant s'adonnant à des ébats sexuels illicites. L'officier parut, lui, très intéressé. Le chef reprit les photos que Carignac avait lancées, manifestant, d'un geste théâtral, son désintérêt pour la cause. Il avait une voix fluette et bégayait légèrement.

– Nous avons fait expertiser les dimensions anthropomorphiques de Drouin et les avons comparées, grâce à nos logiciels, à celles de l'individu que montrent ces images. La CIA nous a aidés avec ses propres outils. Les experts sont formels. S'il s'agit d'un truquage, alors cet individu ressemble à Drouin dans une proportion de quatre-vingt-dix-huit pour cent. Nous devons tenir compte de l'éventualité que le candidat Drouin soit un illégal russe.

Carignac enleva ses lunettes pour les nettoyer. Son regard s'était rapidement durci pour ensuite libérer une intense ironie. Le Canadien en face de lui était gêné. Lefort se régalait.

– Mon ami. Je puis démontrer à vos analystes qu'il leur est possible de se tromper quand les données mathématiques de leur analyse sont inscrites délibérément dans l'hypothèse du montage photographique. C'est un truc utilisé par les adolescents pour détourner les règles des jeux informatiques. Vous trichez en faisant croire au logiciel que c'est lui qui joue. Par exemple, vous trouvez le raccourci qui donne à votre personnage une force surpuissante, alors que la programmation initiale était d'affaiblir votre héros après un coup de poing ou une chute dans un gouffre. Dans le cas qui nous occupe, il suffisait de trouver un sosie de Drouin et de déterminer les points de son anatomie qui rendent sensibles vos logiciels. Vous avez six ou sept points de reconnaissance sur un visage. Un logiciel idoine va modifier, sur la photo originale, ces mêmes six ou sept anomalies pour les faire coïncider avec le résultat recherché. Un jeu d'enfant. Du morphisme. De plus, je ne vois pas comment vous pourriez, si près de la fermeture des listes, lancer à la presse que Drouin est un espion russe, même en appuyant vos dires avec cette photo. Vous provoqueriez une révolution et mettriez le Québec à feu et à sang. Personne ne croirait la GRC ou les renseignements, commandités par Ottawa pour salir un partisan, un héros national. Enfin, si vous prenez Drouin entre quatre yeux pour lui mettre les prétendues preuves de sa trahison sous le nez, vous aurez le soir même, dans la presse, un résumé de vos précédentes réunions avec lui. Il se déchaînera à raconter, par le menu, les menaces de complots, de financements occultes, de montages des services secrets. Je ne mettrai pas mon expertise au service de votre désinformation de dernière minute. J'en ai vu d'autres. Je ne pourrais pas expliquer à mes supérieurs comment un Français, général et ancien patron de la DGSE, passant de délicieuses vacances au Château Frontenac, aurait participé activement à une affaire politique canadienne et fait gagner, haut la main, l'un ou l'autre des candidats. Je reprendrais bien un peu de ce nectar. Ils ont la fâcheuse habitude, ici, de mettre la bouteille suffisamment loin pour que vous ne puissiez pas vous resservir sans l'autorisation d'un serveur habillé comme Peter Pan. Il faut être coopté, ici, pour boire un coup?

Le chef de la Sûreté avait blêmi une nouvelle fois. Pourtant, il ne se levait pas et réfléchissait aux arguments de Carignac. L'autre agent de renseignement se leva et revint avec la bouteille de bourgogne. Un serveur avait accouru, qu'il avait repoussé d'un geste éloquent et nerveux.

– Donc, vous pensez que nous avons été désinformés? Vous en êtes persuadé?

Carignac s'était avancé. Sa serviette, attachée au bouton de sa chemise, trempait dans la sauce de son assiette.

– À l'arrière-plan de la photo, on peut voir la passerelle Bankovski, sur le canal Griboïedova, à Saint-Pétersbourg. À l'époque prétendue de la photo, les lions n'étaient pas dorés. Cette histoire de programme et de logiciel, c'était juste pour faire le maudit Français intelligent. Vous vous êtes fait berner comme des débutants.

Carignac avait le sourire d'un carnassier qui se lèche les babines à l'idée de croquer un jeune cervidé blessé. L'agent de renseignement regarda la photographie de plus près et opina du chef. Le chef de la Sûreté le regardait, furieux. Lefort avait envie d'éclater de rire devant la partie engagée par le général français. Celui-ci prit la bouteille et se resservit en premier. Il emplit ensuite le verre de Lefort et réalisa qu'il n'y avait plus de vin pour ses hôtes. Il jouait encore. Derrière les deux Canadiens, la directrice de campagne de Gilles Drouin venait d'entrer dans la salle du restaurant, accompagnée du journaliste, toujours aussi empressé. Elle n'avait pas encore remarqué la tablée autour d'un Carignac qui lui tournait le dos. Lefort fit un signe de tête à l'officier du service de renseignement, et celui-ci fit disparaître l'enveloppe prestement. Carignac s'était levé en même temps pour saluer les deux hommes qui repartirent la tête basse en chuchotant des jurons, en colère contre leurs propres services.

Lefort avait vécu toutes ses années de guerre froide, avant l'effondrement de l'Union, à Leningrad, non loin du pont tranquille d'où l'on apercevait les clochetons dorés de la cathédrale du Sang Versé. Il savait, comme Carignac peut-être, que les statues des lions de bronze serrant dans leur gueule les câbles de soutènement du tablier d'acier et de béton étaient déjà peintes à la feuille d'or à l'époque à laquelle la photo avait été prise. Carignac savait que personne ne vérifierait. Il héla le serveur pour commander deux desserts. Il fallait fêter l'événement. Ensuite, il se pencha vers son adjoint et lui susurra, ravi de l'effet produit :

– Mon bon Lefort, Igor Grychine nous a fait un pied de nez aujourd'hui. Il a utilisé la vieille boîte aux lettres de Riga qui nous servait quand nous travaillions ensemble en Lettonie. Nous sommes les deux seuls à connaître le procédé qu'il a amélioré en utilisant les services de l'ambassade canadienne elle-même. Il savait que l'information parviendrait à notre table aussitôt que le chef de la Sûreté la recevrait. Il nous a envoyé une vraie ou une fausse photographie pour nous prévenir du danger du projet que porte Drouin. Quant à nos amis canadiens, ils n'ont pas à connaître nos recettes de cuisine internes. Comme si le chef de ce restaurant, Jean Soulard, allait donner ses secrets de fonds de sauces à n'importe qui…

Il regarda avec envie le plateau de fromages que faisait rouler un serveur, avec empressement, vers une table voisine. Lefort appela le maître d'hôtel pour négocier un détournement du petit véhicule. Il crut un instant que Carignac allait l'embrasser.

43

Château-Richer, vingt-quatre heures
avant la fermeture des listes électorales

Le major Taurenis nous avait rejoints, et il fonça directement vers le bar sous le regard concentré de Daniel Bouchard. Deux félins dans une arène. Il me faudrait puiser dans ma légendaire maîtrise de moi-même pour user d'assez de diplomatie et de fermeté, afin que le manoir ne se transforme pas en charnier.

– Vous n'avez pas renouvelé votre stock de vieux rhum ?

La première phrase du major donnait le ton. J'avais devant moi une longue distance à parcourir pour l'amener à considérer mon point de vue. Il était arrivé à pied, vêtu d'une seule veste. Dehors, la tempête avait déjà jeté sur le sol cinquante centimètres de neige poudreuse, et la température frôlait les quinze degrés Celsius sous zéro. Bouchard bouillait de mettre la tête de l'officier du GRU dans la neige jusqu'à ce qu'il se rende compte de la dureté de l'hiver ainsi que de celle de ses deux mains.

– Mon colonel, tu n'aurais pas en réserve un jerrycan d'essence qu'on pourrait offrir au major, pour calmer son foie pourri de communiste attardé ?

Je n'eus pas le temps de répondre que le major éclatait de rire à la menace de Bouchard. Si je le laissais continuer, il le demanderait bientôt en mariage. Je luttais pour garder mon flegme, encore anglais. J'avais invité les deux seuls animaux qu'un dresseur refuserait de mettre ensemble dans une cage.

– Il reste de la vodka, major, américaine, et puis du whisky que je fais venir directement d'Écosse.

Le major attrapa quatre bouteilles et les coinça entre ses gros bras, puis vint s'installer devant nous. Je compris qu'à cette deuxième visite au manoir il se sentait comme un hôte privilégié et qu'il éviterait de salir les verres. Bouchard se leva et s'assit à ses côtés. Il sortit un long coutelas, à la lame noire et affûtée, qu'il planta sur ma table de salon, un authentique chef-d'œuvre d'ébénisterie de la fin du XIXe siècle, unique, et achetée à un baron anglais du Devonshire. Je grimaçai.

– Tu n'as pas besoin de tire-bouchon, mon gars. Toutes les bouteilles sont déjà dépucelées ! Sinon, j'ai mon propre matériel, du plastic, semtex garanti pour faire buller le champagne des capitalistes.

J'avais décidé de précipiter la rencontre entre Bouchard et Boris parce que j'avais besoin de leurs deux savoir-faire. Il m'avait suffi d'un appel au numéro de téléphone que Boris Taurenis m'avait laissé, une roulotte à quelques centaines de mètres du manoir, pour qu'il accoure, malgré le vent, la neige et les alertes de froid intense. Il avait enlevé ses bottes à l'entrée, et je remarquai qu'il avait transpiré malgré les intempéries. Son odeur corporelle, qui s'était répandue dans la pièce, m'indiqua qu'il resterait à jamais célibataire.

– Major, je te présente le colonel Ivan Blumbergs, officier du FSB en mission au Canada depuis vingt ans sous l'identité du maçon Daniel Bouchard. Daniel, je te présente le major Taurenis, spécialiste en explosifs, en mission de protection au Québec.

Ils avaient accepté d'un coup de menton les grades et les spécialités de chacun, comme on répugne à vérifier, quand on apprend par hasard qu'une bonne amie est une transsexuelle. Bouchard regardait le major avec horreur, et celui-ci éprouvait un certain intérêt à la perspective d'un nouveau compagnon de jeu. Je sentais néanmoins, chez les deux hommes, un mélange de suspicion, tempéré par l'objectivité manifeste d'une autorité incontestable, moi en l'occurrence. J'aurais peut-être dû les enivrer d'abord. Je rêvais d'être à Moscou devant un parterre d'étudiants qui auraient bu mes paroles comme celles d'un prophète.

– Oui, mais moi, je suis major du GRU.

Tout était dit. Un «Viking» ne se comparait jamais à un illégal du KGB ou du FSB, fût-il colonel ou même général. Le premier était l'aristocrate et l'autre, le grouillot, seulement capable d'un peu de courage pour rapporter à la maison le renseignement demandé. Je savais que Bouchard était capable d'expliquer à Taurenis la nature de son expertise depuis l'école de Leningrad à la pointe de la dague qu'il tenait attachée par un court étui sur sa cheville droite.

– Bon. Maintenant que nous nous sommes présentés, je vais vous expliquer la mission.

Taurenis avait vite tout compris. Son expérience de chien bien dressé, plus que mes mots, lui avait indiqué la cible et les moyens de l'atteindre. Il but une gorgée de vodka et laissa tomber son pistolet sur ma table marquetée. Une nouvelle écharde résulta de son geste, et je me refusai dès lors à continuer d'évaluer l'ampleur des dégâts que causerait cette soirée avec ces deux convives.

– Major, tu es le meilleur spécialiste en explosifs dont Moscou ait jamais rêvé. Colonel, j'ai besoin de toi pour couvrir notre retraite et surveiller l'opération. Je reste le seul coordonateur.

Un peu de compliments ne feraient pas de mal, et je finis par m'asseoir devant eux en prenant une bouteille de cognac pour fêter notre rencontre. Bouchard fit un signe du doigt pour exprimer son accord et Taurenis cogna sa bouteille contre la mienne au risque de la faire exploser. Mon plan était limpide. Je devais trouver les mots simples pour les engager.

– Notre cible est un général français, ex-patron de la DGSE, qui réside au Château Frontenac. Nous le soupçonnons d'avoir fait disparaître l'un de nos Joe, un précieux allié pour la prochaine équipe qui dirigera ce pays. Nous aurions eu deux personnes en place. La mission est simple : j'entre avec le major, il pose la bombe, Daniel nous attend pour nous exfiltrer vers le manoir. Plus de général, donc plus d'enquête. Notre mission sera sacralisée par une campagne contre le terrorisme, que notre ami Drouin va pouvoir utiliser pour mousser sa popularité durant les derniers jours de sa campagne.

Les deux hommes me regardaient. Ils souriaient. Je pouvais enfin boire mon cognac, le plus dur était passé. Pour Daniel, le maçon, sa cerisaie à l'esprit, l'histoire que je racontais offrait un ordre chronologique permettant son rapide retour chez lui. D'abord, Carignac, et ensuite nous allions nous occuper de Drouin pour le ramener du côté de Vladimir Poutine. Je pouvais être satisfait de mes mensonges : ils étaient tous les deux persuadés de leur véracité.

44

Vingt heures avant la clôture
des listes électorales

La femme avait réussi à s'extirper du pick-up. Elle avait plutôt glissé pour tomber assise sur le sol, puis s'était relevée difficilement de la chaussée. Dans sa hâte de bien faire, elle n'avait pas attendu longtemps. Elle avait fini très vite sa bouteille de gin en revenant vers la ville de Québec. Elle ne tenait presque plus sur ses pieds et bouscula deux hommes qui sortaient par la porte à tambour. Le plus âgé des deux avait souri en la croisant. La tête du plus jeune rappelait à la femme un souvenir récent, mais sa fébrilité la poussait à aller de l'avant. Le chasseur de l'hôtel avait essayé de la dissuader d'entrer dans le lobby, mais une liasse de billets avait fait taire ses protestations. Cinquante billets de cent dollars, et il l'avait menée lui-même vers l'étage où logeait Gilles Drouin. Ils avaient attendu que le garde du corps de Drouin leur ouvre, et une autre liasse avait changé de mains. Après une fouille rapide, la femme, tremblante, l'esprit embrumé par l'alcool, se retrouva en présence du futur candidat. Elle jeta le sac à ses pieds et s'effondra dans un fauteuil.

– Je vous ai rapporté le sac perdu par votre fidèle ami Daniel Bouchard. Tout y est, moins le plein d'essence que j'ai dû faire pour revenir, vingt dollars pour l'achat de ma bouteille de poison et deux liasses laissées en pourboire. Je ne veux pas de ce fric, je n'en ai pas besoin. Je sais que je n'en ai pas pour longtemps. Ma fille se débrouillera comme je me suis débrouillée, et elle arrivera à vivre quand elle aura abandonné son rêve de retrouver son père. Vous n'avez rien à boire ?

Drouin fit signe au garde du corps de servir un verre de whisky à la femme, puis il poussa le sac sous la table, maudissant Daniel Bouchard et son incroyable bévue. Il avait oublié dans sa voiture un sac plein d'argent et de documents concernant la campagne, sans surveillance. L'ivrogne voudrait sûrement une récompense. À la vue des documents comptables mélangés aux liasses de billets de banque, il souffla en constatant que l'argent était propre et accompagné des reçus officiels. Il sortit son propre chéquier et commença à le remplir.

– Madame, je vous remercie au nom de tous nos sympathisants et de tous ceux qui vont nous élire à la tête de la province. Vous allez accepter cette compensation personnelle et je vais faire le nécessaire pour qu'on débourse l'argent nécessaire pour que vous retrouviez votre maison.

– Mon chez-moi ?

Elle avait avalé son verre d'une seule gorgée et le tendait au garde du corps qui, après l'acquiescement de Drouin, le remplit à nouveau.

– Je n'ai pas de chez-moi. À l'heure qu'il est, ma fille a dû vendre la roulotte pour partir à New York. Elle m'avait menacée de le faire quand j'aurais le dos tourné. Son héritage, qu'elle disait, la part que son père lui avait laissée, paraît-il, dans le temps. Elle racontait cette histoire folle à ses amis, comme si je connaissais vraiment son père, que je lui avais caché qui il était, pour l'empêcher de le retrouver. Vous savez, quelquefois, l'histoire vous revient d'un seul coup à la mémoire. Vous êtes convaincu que vous êtes quelqu'un, et pouf ! plus rien, vous êtes un autre. J'ai même un voisin qui croyait avoir été torturé dans les prisons soviétiques, alors, vous pensez...

Elle dodelina de la tête et sembla s'endormir avant qu'un hoquet ne la réveille.

– Vous savez pourquoi je n'aime pas les hommes politiques comme vous, monsieur Gilles Drouin? Ils croient à leurs mensonges et finissent par nous forcer la main en nous volant nos votes par de belles phrases. Ensuite, après avoir profité de nous, ils nous oublient. Ma fille, elle, croit en un rêve qui la condamne à errer. Son père, c'est l'un des cinq ou six hommes que j'ai connus durant le mois de sa conception. Pas un seul ne voudrait aujourd'hui la reconnaître, et ils sont peut-être déjà morts et enterrés! Votre belle histoire d'indépendance, vos guerres idéologiques entre Anglais et Français, c'est fait pour cacher votre incapacité à respecter des promesses jamais tenues. Mes ancêtres ont été déportés d'Acadie, mais ils avaient auparavant été vendus par les Français. Et maintenant, à coup de fast-food et de séries américaines, nos enfants préfèrent rêver de vivre à New York plutôt que mourir en massacrant des phoques en Gaspésie ou vivre dans l'odeur de poisson des usines fermées du Nouveau-Brunswick, à mendier leur assurance-emploi.

Drouin était devenu blême. Avec la tension de la campagne, la concentration de toute une vie soudain explosait. Un détail du discours de l'ivrogne avait fait disparaître une barrière mentale qui le protégeait des souvenirs. La traversée vers Berlin, l'accueil du Conseiller, celui-là même qui le pilotait aujourd'hui. Il pensa qu'il était Russe. Il sut qu'il pouvait tout abandonner et rentrer.

Il fit signe au garde du corps de la laisser continuer. L'homme aurait voulu éviter d'avoir à expliquer à son patron qu'il avait fait entrer cette femme contre une forte somme d'argent issue du trésor du parti. La femme pleurait. Elle venait de se rappeler qui était l'homme qu'elle avait croisé sur le perron de l'hôtel.

– Le plus fou, c'est que j'ai vu l'homme qui a fouillé dans le sac, tantôt. Je l'ai croisé avec un autre, un grand et gros qui s'est fait appeler « général » par le chasseur. Des Français. Mais il n'a rien pris, il est entré, est resté quelques secondes dans la voiture de Daniel, puis est reparti. Un cinglé. Je voulais le dire à Daniel. C'est pour ça que je suis revenue. Et puis, ce fric, je n'en voulais plus. Il m'a donné déjà ce que je voulais, juste de quoi me souvenir, sans aucune contrepartie.

Le cellulaire avait sonné et Drouin avait écouté un instant avant de raccrocher. Ensuite, il n'avait plus regardé la femme et s'était levé. Le garde du corps s'était rapproché, intéressé aussi par les dernières paroles de l'ivrogne. Ils se regardaient pendant que la femme continuait à marmonner, de grosses larmes lui coulant sur les joues. Le candidat s'approcha du garde et lui indiqua de surveiller la femme et, surtout, de ne pas bouger jusqu'à son retour.

45

Château Frontenac, vingt heures
avant la fermeture des listes électorales

J'avais accompagné le major jusqu'à l'étage en prenant l'escalier ouest. Nous nous étions assurés qu'il n'y avait pas de caméra autre que celle de l'ascenseur. Avant que nous quittions le manoir, il m'avait démontré, en quelques manipulations expertes, qu'il n'avait pas perdu la main pour monter un système de déclenchement à distance. Un peu de plastic de chantier et un téléphone portable, le sien, un objet russe au mécanisme sûr et simple, préparé à l'avance par le département technique de son service. La technologie avait fait des progrès depuis mon départ de Russie, et une prise avait été prévue sur le côté de l'appareil pour y insérer le jack qui relierait le téléphone à la charge, comme l'on pique un pin sur de la pâte à modeler. Je n'avais aucune envie de pétrir la bombe pour lui donner une figure amusante. Je fis mine de réfléchir, puis l'arrêtai. Daniel était sorti.

– J'ai réfléchi. On change de technique. Plus de déclenchement à distance. Tu installes la charge sur la porte, à l'intérieur de la chambre, pour qu'elle explose quand l'homme ouvrira la porte. N'oublie pas de suspendre l'affichette «Ne pas déranger» à la poignée. Une femme de chambre aurait vite fait de se faire sauter. Moi, je condamne l'ascenseur, le temps de ton travail. *Davaï*, camarade!

Je me suis souvent demandé pourquoi je n'aimais pas ce genre de meurtre. J'y suis pourtant plus habitué que mes autres collègues, après mes années à soudoyer les partisans de l'Irlande ou les terroristes fidèles à la reine. La technique est trop brouillonne, peut-être, pour mon esprit aimant la finesse du jeu et craignant que les dommages collatéraux d'une explosion ne détruisent le message que le terroriste veut transmettre. Une exécution ciblée engendre une controverse politique, alors qu'un assassinat par explosifs crée une situation de rejet populaire autour de la minorité ou des minorités touchées. Je crois plus à la terreur contre les décideurs, faite pour engendrer un soutien ou un vivier futur de partisans, tout simplement parce que nos causes n'offrent pas un paradis automatique pour celui qui explosera avec sa charge.

Taurenis me rejoignit au bout de quelques minutes, un grand sourire fendu jusqu'aux oreilles. Je savais que la personne qui ouvrirait perdrait la vie, sans aucune chance d'en réchapper. Il fallait maintenant que nous rejoignions rapidement la voiture conduite par Bouchard. Il était temps. En descendant vers le lobby, nous entendîmes Carignac qui descendait l'escalier vers l'étage que nous venions de quitter, en râlant au sujet des ascenseurs qui tombaient en panne, toujours aux derniers étages des immeubles. Nous l'avions pourtant vu quitter l'hôtel. À quelques secondes près, il nous surprenait en flagrant délit.

L'explosion retentit alors que nous arrivions au premier étage. Les lumières s'éteignirent et j'entendis le major Taurenis jurer contre les Français trop zélés qui croyaient pouvoir arrêter la grande marche de l'Union et du parti. Peut-être était-ce là l'une de ses prières, récitées rituellement, depuis ses débuts dans l'entreprise de grande démolition, après avoir envoyé dans l'autre monde un ennemi accompagné de quelques innocents. Je le poussai devant pour sortir. Quelques secondes plus tard, refoulés par la foule qui s'enfuyait, nous retrouvions Bouchard et retournions vers Château-Richer. Il avait fallu moins de cinq minutes pour faire disparaître à jamais, aux yeux de mes deux hommes, le général Carignac et son adjoint, le commandant Jean Lefort.

46

Château Frontenac, dix-neuf heures
avant la fermeture des listes électorales

La femme ouvrit les yeux. Elle pensa instinctivement que l'explosion l'avait réveillée, puis elle remarqua que l'anarchie régnait déjà autour d'elle. Elle s'était endormie avant que la bombe ne fasse tout disparaître. Elle chercha la bouteille qu'elle se souvenait avoir vue à ses côtés avant de tomber dans ses rêves alcoolisés et ne la trouva pas. Elle tenta de se repérer au milieu des gravats et chercha tout simplement à déterminer où se trouvaient le haut et le bas, dans cette ombre qui l'entourait. L'explosion avait coupé l'électricité.

Elle rit doucement d'un souvenir lointain et extravagant, celui d'un amant qui était artisan «lestricien» et qui disait travailler dans «lestricité». Un gentil, un tout doux qui venait s'encanailler chez elle, chaque trimestre, quand il venait faire ses commandes de fournitures électriques à l'usine d'Hampton.

La poussière était avalée par le courant d'air froid venant de la façade éventrée, et peu à peu la visibilité revenait. Le garde du corps geignait non loin d'elle, mais elle ne le voyait pas encore. Elle voulut bouger sans y parvenir, un poids la maintenant sur le dos. Une odeur de brûlé et de poussière de ciment se mélangeait avec celle de pourriture qu'exhalait l'eau stagnante que crachaient les gicleurs du plafond, qui arrosaient l'étage. La douche lui faisait du bien et elle tenta d'ouvrir la bouche pour attraper quelques gouttes. Elle comprit soudain, comme réveillée d'un cauchemar, qu'elle était sur la scène d'un attentat.

On avait fait exploser l'appartement du candidat Drouin et il avait fallu qu'elle se trouve sur place au même instant, en train de cuver son gin. L'alcool tue, disent les docteurs. Ils ont raison.

Elle essaya à nouveau de bouger, se souvenant qu'elle était auparavant assise dans le salon de la suite, sur un magnifique fauteuil de cuir au grain si fin qu'elle n'arrêtait pas de le caresser. Le club, aussi, avait disparu. Elle ouvrit les yeux et vit le bras mutilé du garde. Plus aucun bruit ne venait du corps. Il pendait au-dessus d'elle, accroché bizarrement au bord d'un trou béant dans le plafond. La charge avait explosé sous l'appartement de Drouin et avait fait tomber le plancher sur l'étage inférieur. Elle sourit. Elle n'avait pas eu de chance dans sa vie, mais là, c'était le comble. Sa fille profiterait de la petite assurance vie à laquelle elle avait souscrite il y avait longtemps, non pas pour décès par maladie, aucune société d'assurance ne la prenait déjà plus comme cliente, mais pour cet accident dont elle avait rêvé depuis si longtemps et qui n'était jamais survenu. Venir au Québec pour exploser au Château Frontenac. Elle savait qu'elle ne sortirait pas vivante de cette aventure.

Elle tourna la tête. Peut-être que la bouteille de whisky était tombée à l'étage du dessous avec elle. Elle avait terriblement soif. À moins d'un mètre, Drouin la regardait, les yeux ouverts et morts. Il n'avait pas eu le temps de visiter l'appartement de Carignac et s'était fait sauter en ouvrant la porte. Son corps était horriblement déchiqueté, les morceaux éparpillés dans tous les coins de l'appartement et du couloir. Pourtant sa tête était relativement propre. Elle lui sourit.

– Sauriez pas où se trouve ma bouteille ? Je pense qu'elle a dû prendre la même trajectoire, verticale, que moi.

Les mots ne sortaient pas et pourtant elle était certaine de les avoir prononcés. Elle réfléchit à sa vie, essayant d'en déterminer le sens, vertical ou horizontal, justement. Un fou rire la secoua. Quelle semaine! Elle avait fait un beau voyage, rencontré un semblant de tendresse et vécu une nuit d'amour, très satisfaisante. Elle avait participé à la marche de l'histoire et avait hérité, d'un coup, de tout l'argent qu'elle avait bu durant sa longue et triste vie. À cause d'une bombe et de quelques millisecondes d'inconscience alcoolique, un gros assureur dépenserait trois cent mille dollars. Un hoquet supplémentaire, et la douleur arriva. Elle lui ordonnait de fermer les yeux. Ce pouvait être le manque, ou la vie qui s'en allait. Elle ne parvint pas à bouger ses paupières.

La tête de ce général français qu'elle avait croisé en arrivant et qui avait tellement intéressé Gilles Drouin apparut dans son champ visuel, ainsi que celle de son compagnon, celui qui entrait dans les voitures pour n'y rien chaparder. Ils avaient tous les deux les cheveux blancs de poussière et une sorte de masque de ciment sur le visage. Leurs yeux apparaissaient, détachés, comme ceux de clowns tristes. Le plus vieux prit le pouls de l'ivrogne et secoua doucement la tête. Elle sut alors qu'elle était morte.

47

Résultat des élections

Je me suis souvent interrogé au sujet de ce momentum historique que décortiquent les stratèges de la politique et qui est devenu, dans nos contrées nord-américaines, une science nouvellement étudiée dans les universités.

Dans notre métier d'espion, c'est en effet souvent le bon rythme trouvé dans l'impulsion de la mission qui entraînera ce minime changement de l'histoire pouvant profiter aux nations qui nous paient. Cette aventure incroyable et la fin tragique du candidat Gilles Drouin étaient la démonstration qu'une accumulation de faits indépendants et sans grande importance aurait pu changer l'histoire du Canada, mais le momentum, sans doute, n'était pas le bon. Il avait créé une autre dynamique que celle souhaitée par Vladimir Poutine, mon ami.

Il y avait, en effet, la préparation de la mission lancée par Vladimir Poutine et pensée par les cerveaux du Centre à Moscou. Il y avait cet équipage d'un chalutier fou qui traversa les tempêtes d'hiver malgré sa condition, proche de celle d'une épave. Il y avait aussi l'équipe soudée des illégaux que j'avais installés au Québec, qui ne pouvaient que finir par se séparer comme un vieux couple, parce que les désirs et les vocations des uns affrontaient les inclinations et les espérances des autres. J'avais analysé ma part d'erreurs trop tardivement, parce que je me sentais alors comme un dieu manipulant mes marionnettes humaines.

Le Centre à Moscou avait remarqué, dans son rapport d'enquête, qu'il y avait aussi l'impondérable et folle dernière action du candidat au poste de premier ministre. Pourquoi Drouin avait-il soudain eu l'idée saugrenue d'aller ouvrir, seul, la porte piégée de la chambre d'un général français, ancien patron de la DGSE, sous l'effet d'une impulsion de curiosité que personne n'aurait pu prévenir? Il aurait dû, selon l'hypothèse des survivants, m'en référer et, au moins, envoyer l'un de ses gardes du corps. Il avait pris ce risque insensé, en pleine journée, quelques secondes seulement avant que les Français ne parviennent au même endroit et lancent par eux-mêmes le processus de déclenchement de la bombe qui leur était destinée.

Daniel Bouchard m'avait raconté l'histoire de cette femme, morte sur le lieu de l'attentat, et qui avait certainement cherché à le retrouver au bureau du chef du parti. Le faux maçon m'avait tout révélé de leur rencontre dans le bar de Québec et de la nuit qui avait suivi.

– Pourquoi a-t-elle lancé Drouin vers l'appartement sans attendre? C'est inexplicable. Comment a-t-elle pu le convaincre? A-t-il imaginé qu'elle pouvait être, elle aussi, un agent secondaire envoyé par le général Carignac pour faire rater le complot? Je l'ai vue sur les marches de l'hôtel en train de croiser Carignac et Lefort! Les connaissait-elle?

Daniel Bouchard n'avait pas de réponses, et trop de questions restaient en suspens quand il m'avait interrogé, paniqué à l'idée d'être le seul responsable, convaincu que sans sa rencontre avec cette femme en bout de vie, Gilles Drouin serait encore vivant. Je n'avais pas à répondre à ses incertitudes, je savais intimement que la mort de l'un d'entre nous, le meneur qui plus est, offrait maintenant la liberté aux autres, et que le syndrome du survivant, une forme de culpabilité à l'idée d'être indemne, le poursuivrait toute sa vie. Je lui démontrai que sa théorie était tirée par les cheveux et qu'il n'y avait pas de réseau français au Québec. Nous savions que ce n'était que le destin qui avait mené le candidat jusqu'à cette bombe.

Un destin français, aurais-je pu ajouter. Mais je ne poursuivis pas dans ce sens, laissant Bouchard croire, encore, à ce facteur causal entraînant le chaos politique qui avait suivi l'attentat.

Bien entendu, nous avons, Bouchard, le major Taurenis et moi-même, gardé le silence sur notre action ratée, même devant Irina, même devant Vladimir Poutine. Nous n'aurions rien pu expliquer.

Le soir de notre expédition, après avoir constaté l'explosion, nous étions heureux d'un travail bien accompli. Nous avions attendu les nouvelles sur Radio-Canada en sirotant un excellent cognac et en fumant les cigares cubains que je réserve aux grandes occasions. Nous ne pouvions penser à autre chose qu'aux lauriers que nous offriraient nos supérieurs quand nous rentrerions à Moscou. Nous étions sereins, l'esprit reposé. J'envisageais sérieusement de m'installer au manoir définitivement, Bouchard, de rentrer en Russie. Le major Taurenis, comme d'habitude, ne pensait pas, il buvait en chantonnant avec en tête la seule perspective acceptable en territoire ennemi : finir la soirée sous la table, entre amis.

Le journal de vingt-deux heures leur donna un tel choc que je crus que le major Taurenis allait faire une attaque cardiaque, tant il était rouge et suait soudain abondamment. Daniel Bouchard s'était levé en face de lui, prêt au meurtre, et l'avait regardé comme un père qui soupçonne que son enfant est responsable d'une farce cruelle dont a été victime le chat du voisin, sans pouvoir le prouver. Nous n'avons pas échangé un seul mot, puis, à mon ordre, chacun est retourné chez lui, prestement et en silence.

Depuis, les choses sont rentrées dans l'ordre. Le major Taurenis est rentré en Russie, avec la ferme intention d'oublier jusqu'à la moindre des pensées perverses qui nous avaient laissés supposer que nous pourrions faire exploser le général Carignac et le commandant Lefort, et qui finalement avaient fait disparaître l'homme que Poutine avait mis vingt ans à installer au cœur de la vie québécoise, au prix de tant d'hommes et à l'aide d'énormes sommes d'argent. Le grand homme avait dû, en tout temps, rêver à son succès, jusqu'à ces quelques heures maudites précédant la fin espérée.

Comment le major aurait-il pu faire comprendre à Moscou que nous avions mis une bombe au bon endroit, que Carignac n'avait raté la décapitation que de quelques secondes, et que Drouin n'aurait jamais dû écouter cette ivrogne que notre Bouchard n'avait vue que deux fois dans sa vie, pour la mettre dans son lit sans connaître la raison de sa folie ? Comment pouvait-on expliquer à nos supérieurs que nous avions pulvérisé, en des centaines de morceaux éparpillés dans les moulures du Frontenac, notre belle mission si bien maîtrisée durant toutes ces années ? Vingt ans à casser des cailloux, pour Bouchard. Le bagne de sa jeunesse contre un petit kilogramme de semtex.

Vu ma position, je n'eus aucune difficulté à faire prendre à l'enquête policière québécoise une direction prudente. Les enquêteurs déterminèrent que la femme trouvée dans les décombres était une folle qui avait fait le voyage jusqu'à Québec pour s'immoler avec son héros. De nombreux témoignages faisaient référence à son allure de droguée, au vol d'un véhicule pick-up appartenant à l'équipe de campagne, et à la façon dont elle avait séduit un proche de Drouin pour pouvoir être mise plus tard en sa présence, sous le prétexte de rendre un sac qu'elle avait auparavant volé. Les photographies trouvées par les journalistes d'enquête la montraient plus jeune, assez jolie bien qu'outrageusement maquillée. Une traînée, pensèrent les bonnes gens, une pauvre déséquilibrée mal entourée, conclurent les spécialistes du terrorisme en imaginant le profit qu'ils auraient pu tirer d'elle.

Sa fille fut retrouvée plus tard par des journalistes, à New York où, avec son chèque d'assurance, elle allait acheter un petit appartement qu'elle utiliserait comme atelier de peinture pour artistes engagés. Interrogée, elle répondit qu'elle n'était pas sûre d'être la fille de sa mère, mais qu'au moins elle était persuadée d'être celle de son père, qui qu'il soit réellement. La jolie phrase fit le tour des rédactions.

Je sais que le faux Daniel Bouchard n'a jamais véritablement cru que ma cible était Carignac, malgré et peut-être à cause des explications confuses que le major du GRU lui avait rapportées sur notre changement de technique de sabotage de dernier instant, sans sa présence. Il avait repensé à la chronologie de l'attentat et, planqué dans notre voiture, il avait vu Carignac et Lefort prendre la décision de retourner vers l'appartement, après avoir croisé la femme sur le perron de l'hôtel.

Carignac avait répondu à un appel téléphonique avant de demander à Lefort de le suivre. Le maçon n'avait rien trouvé pour prouver que Drouin était ma victime programmée. Quand il me serra la main, plus tard, à la veille de l'élection, avec un billet d'avion pour Saint-Pétersbourg dans la poche, il laissa entendre que toute cette histoire était mieux ainsi, plus à sa place dans la grande marche de l'histoire dialectique. Pour un croyant orthodoxe et anticommuniste, il gardait quelques références qui me rappelèrent que la Russie de Poutine n'était que la suite maquillée de cette Russie de Staline qu'il avait quittée vingt ans plus tôt.

Je lui avais obtenu l'autorisation du FSB de rentrer en Russie pour retrouver sa ferme familiale et ses bottes de cosaque. Il serait employé pour enseigner aux recrues du FSB les arcanes du métier d'illégal. Je voulais une autre équipe, sans aucun lien avec mes élèves du cours de théâtre de l'École supérieure du KGB. Je ne parlai pas au président Poutine de mes autres projets, de ce changement de cap qui m'avait fait basculer dans le camp des Québécois, du plan que j'avais élaboré pour me retirer de la politique une fois mon équipe en place, ni des accords secrets que j'avais déjà signés avec les grands partis favorables à un recentrage de la politique canadienne vers la réalité québécoise.

Irina, libérée du joug de Drouin, m'aida à canaliser les électeurs potentiels du parti, choqués de la mort tragique de leur champion, pendant que je faisais le tour de mes amis et relations de Montréal et d'Ottawa pour leur expliquer mon idée d'une realpolitik qui pousserait le pays à se sortir de son isolement de suiveur des États-Unis. J'avais été leur défenseur et leur porte-parole trop longtemps, et je connaissais si précisément tous leurs petits secrets qu'ils m'apportèrent leur soutien après quelques réunions discrètes durant lesquelles ils constatèrent à quel point j'étais bien documenté. Je fus, sans hésitation, et avec quelques promesses de discrétion, promu à la tête du nouveau parti.

ÉPILOGUE

Momentum

Je vais refermer pour toujours la lourde et précise narration de ces événements qui deviendront plus tard une grande quantité de secrets d'État. Auparavant, je voudrais vous conter cette dernière surprise que j'ai eue lors de la soirée électorale.

C'était après de mon dernier discours, alors que je descendais de l'estrade pour rejoindre ma loge, sous les vivats et les applaudissements des milliers d'admirateurs qui m'avaient suivi, depuis Québec et Montréal, jusqu'au plus loin de la Gaspésie. M'arrêtant un instant pour serrer quelques-unes des mains anonymes tendues vers moi et esquisser de larges sourires pour les photographes de la presse, j'aperçus, dans un espace dégagé par les agents de sécurité, le visage hilare du général François Carignac. Le Français était assis au premier rang, rond et imposant, dans la lumière éclatante des projecteurs, qui entourait alors le podium. Il avait l'air d'un diable échappé d'une fête païenne, les dents blanches, indifférent au chaos qui l'entourait, un coin de chemise sortant de son pantalon tendu autour de ses cuisses largement ouvertes. Je remarquai les badges de toutes tailles qui brillaient et encombraient les revers de la veste ouverte sur sa large poitrine. Ils vantaient, dans les deux langues, les slogans qui avaient précédé ma candidature au poste suprême.

Carignac ne s'est pas levé. Il m'a fait un petit signe de la main, suivi d'un grand clin d'œil de ses billes couleur d'acier. Calme au milieu de la foule en liesse, il avait encore sa manie de nettoyer ses lunettes pour ralentir l'Histoire. Il les polissait avec un grand mouchoir blanc, tandis que ses épaules se secouaient doucement du rire assurément causé par sa bonne farce. J'ai alors cru entendre, fait impossible dans le contexte si bruyant de la foule et de la musique assourdissante de la grande salle des fêtes, le murmure de son rire, celui qu'il réserve à une amusante histoire, ou celui de la confession d'une faiblesse ou d'un secret qu'il serait le seul à savoir faux. Je connais tellement le personnage que je déteste le sentiment de supériorité qui exsude de lui quand il a fait mettre pied à terre à un ennemi difficile ou qu'il range un homme d'État à ses conclusions truquées. Je l'ai entendu raconter un jour que son père avait remplacé, dans les gènes de sa famille, la modestie par le courage. Je l'ai cru volontiers, connaissant ses exploits.

À ses côtés, il y avait Jean Lefort, concentré, blême, dangereux. Toujours aussi mal à l'aise devant l'accord impossible que nous avait concocté son chef. L'ex-commandant de la DGSE n'avait qu'une vue partielle de l'affaire. Il ne connaissait que la responsabilité de Carignac quand il en avait conçu l'épilogue. Il ne me connaissait que sous l'identité de cet homme politique au passé si transparent. Ce que Lefort ignorait, c'est que d'officier traitant, j'étais devenu, ce soir de 1985, sur cette même terre de contrastes, un des agents de Carignac, un Joe, un simple traité, sous la tutelle de sa seule intelligence. Le général vivait exclusivement de l'extase du double jeu, et lui seul pouvait savoir que j'assumais ma nouvelle vie d'agent double avec une facilité qui m'avait tout d'abord surpris, puis rassuré sur mes qualités opérationnelles toujours si bien aiguisées.

Lefort n'aurait pu accepter pleinement qu'il avait été le complice de son chef dans la prise de pouvoir d'un pays ami.

L'ex-commandant n'avait pas compris pourquoi Carignac lui avait ordonné de suivre la femme et non pas Bouchard, alors qu'il l'avait vue partir en laissant le pick-up devant le motel de la route 138. Ensuite, son chef l'avait enjoint de ne voler que quelques papiers sans importance alors que, grâce aux documents qui se trouvaient dans le sac, la totalité de la gestion comptable du parti de Drouin aurait pu être mise au jour, et les montants en liquide auraient forcé la découverte des bénéfices de la campagne mafieuse et russe.

Lefort ruminait tous ces doutes parce qu'il ne m'avait pas vu courir dans les couloirs et les escaliers du Château Frontenac, alors que le major Taurenis posait sa bombe et me croyait en train de bloquer l'ascenseur de l'hôtel. L'ex-commandant de la DGSE n'avait pas su non plus que, juste avant l'explosion, suivant les directives de François Carignac, j'étais en grande discussion avec Gilles Drouin. Je l'avais auparavant appelé au téléphone pour le rencontrer et l'attirer dans le piège fatal.

Lefort ne pouvait savoir que Gilles Drouin avait décidé de couper sa laisse. L'homme était devenu fou quand je lui avais appris la nouvelle du décès de son ami ambassadeur. Il me tint des propos incohérents au sujet d'un passé dans lequel j'étais déjà le diable. Il criait qu'il était un vrai Québécois, ou un Russe illégal, ou les deux. Il ne savait plus, et voulait tout abandonner.

Ce n'était pas la pauvre femme alcoolique qui avait suscité le déplacement du candidat Gilles Drouin, mais mon appel téléphonique, mon ordre direct en tant que chef de la double mission, lancée par François Carignac d'un côté et par Vladimir Poutine de l'autre. Il y avait tout juste vingt-cinq ans de cela.

Quand nous nous étions séparés, et alors que Drouin, sous mon ordre, marchait dans la direction de l'appartement piégé, j'avais prévenu, par téléphone, le général français que la cible allait être détruite comme il l'avait prévu et programmé. Les deux Français étaient alors remontés par l'escalier afin de finir mon travail et d'effacer les traces potentiellement gênantes que l'enquête judiciaire pourrait éventuellement découvrir. Jean Lefort ne pouvait et ne devait pas savoir que j'avais intimé à mon illégal l'ordre de poser une charge explosive dans l'hôtel parce que j'avais accepté de conclure, il y a longtemps, sur le bord du Saint-Laurent, ce pacte avec le diable Carignac. J'assumais les conséquences de cette directive.

Carignac est seul avec notre conscience. Il ne dira jamais qu'il a fait assassiner ou, pire, qu'il a été heureux de la fin tragique de Gilles Drouin. L'homme était fragile, il aurait pu tout avouer. Quand l'équipe du général français avait kidnappé l'ambassadeur, il s'apprêtait à révéler au monde la mission de Gilles Drouin, et c'est pour cela que nous voulions le renvoyer vers Moscou. Carignac s'en doutait, même si le diplomate n'avait pas eu le temps de lui révéler ce qu'il savait.

Gilles Drouin, ce si bon meneur, celui que j'avais formé et suivi pendant des années, avait disparu en croyant aller rencontrer le général.

Sans regret, j'ai envoyé à la mort le poulain de Vladimir Poutine et mis à sac la meilleure de ses machinations internationales. Le décès de l'ivrogne est triste, mais d'après ce que m'a confié Bouchard, cette femme en était à la fin de sa vie. Reste la mort du garde du corps, une tragédie, une perte à mettre sur la liste des innocents assassinés pour la grande cause de la démocratie et, surtout, imputable à l'imbécillité congénitale du major Taurenis. Il avait doublé les charges que je lui avais pourtant précisément ordonnées. Ce spécialiste entretient la détestable habitude de signer ses méfaits par le niveau incroyable des dégâts occasionnés. Presque un étage entier du Château Frontenac est aujourd'hui à reconstruire, en conséquence de ce qui devait être une explosion d'une précision chirurgicale.

Quand Drouin a quitté son bureau, j'ai traversé l'étage, je suis remonté par l'escalier nord, arrivant en même temps que le major dans la cage d'escalier. C'est à ce moment que Carignac et Lefort ont paru descendre vers nous. Dans les faits, ils attendaient, sous mon ordre au général, de constater les effets de l'explosion pour pouvoir achever Drouin, si nécessaire. Il n'était pas question d'en faire un martyr vivant et impotent.

Il n'y a dans cette longue aventure, qu'un François Carignac qui manipule l'histoire. Personne ne saura jamais que le véritable momentum de ma vie fut un agréable instant passé avec lui, à discuter de notre vision du monde futur, fumant un cigare et sirotant un bon cognac.

Vous vous doutez que je suis son principal agent au sein du dispositif russe, depuis cet hiver de 1985 où j'ai signé un pacte avec lui, le cul vissé dans les fauteuils du manoir de la côte de Beaupré.

Le général français m'a protégé face aux Canadiens, comme il le fait depuis toutes ces années. Le jour où ma couverture tombera, il sait qu'il perdra son âme, et moi, la vie. Il sait qu'il ne pourra jamais expliquer à ses supérieurs les compromissions nécessaires à une telle manipulation de l'histoire mondiale, sur une si longue période. Il sait qui je suis et ce que j'ai fait. Il est ma mémoire et je suis sa création.

Mais le plus important n'est pas là.

Tous ces chefs d'État si prompts à manipuler l'histoire seront bientôt surpris de la nature de mes réformes, et ébahis par ce tournant de l'histoire de cette partie du monde. Je ne suis pas ce Canadien, cet ancien Britannique, je ne suis plus ce Russe au passé oublié. Je suis Québécois.

Je vais terminer là mon journal, avant de le brûler. Je vais devenir premier ministre dans quelques heures. Les sondages officieux pronostiquent déjà plus de soixante-dix pour cent de votes favorables à mon parti, avec un taux de participation qui sera historique. Je n'aurais jamais imaginé, moi, le colonel du service de renseignement russe, le fidèle bras droit du tsar Poutine, que je serais l'assassin d'un officier du FSB entré illégalement au Québec avant la chute de l'Union soviétique pour prendre le pouvoir et l'offrir en gage de fidélité au tsar de la nouvelle Russie. Je n'aurais jamais osé rêver d'être le meurtrier d'un futur premier ministre canadien, ni de devenir son successeur désigné. Je n'aurais jamais rêvé de passer mes nuits entre les bras d'une Irina libérée.

Dehors, dans le parking isolé et sécurisé, un mouvement me fit lever les yeux. Symbole de l'espoir d'une nouvelle vie, un vol d'oies sauvages lézarda l'horizon, comme l'incessante quête d'un éternel printemps. Carignac devait sourire en même temps que moi, se rappelant notre soirée au manoir de Château-Richer tant d'années auparavant. Les mêmes oiseaux avaient souligné notre pacte, promesse d'un monde différent.

Le maçon Daniel Bouchard sera bientôt de nouveau le colonel Ivan, il enseignera le théâtre à l'École supérieure du FSB, reproduisant, peut-être, mes intonations de voix et ces rituels depuis longtemps abandonnés. Il fera jouer Tchekhov et écoutera ses élèves déclamer que toute la Russie est notre cerisaie. Il pensera sans aucun doute à moi.

Tout le Canada est ma cerisaie, le francophone et l'anglophone. Je ne rentrerai jamais en Russie. Je serai bientôt premier ministre du Québec.

• • •

L'hélicoptère de combat, sous immatriculation de l'armée de l'air russe, n'était plus qu'un point vrombissant à l'horizon.

La boule de flammes qui avait fait disparaître le navire fantôme en quelques secondes avait fait exploser, en une multitude de morceaux incandescents, jusqu'à la plus petite partie de sa coque. Il fit un tour de sécurité en rase-mottes, prit le vent et lança un appel à sa base pour prévenir les responsables que l'objectif était atteint.

Dans la soirée, une centaine de militaires débarqués des camions de la base navale, protégés par des combinaisons NBC, feraient le ménage, dans le silence de la Sibérie. Il ne resterait rien des villages de pêcheurs, et la zone serait classée militaire pour que personne ne s'avise d'y mettre les pieds pendant la centaine d'années suivantes.

Le dernier débris incandescent plongea sous la surface.

Il ne restait rien du jeune pêcheur, ni une seule trace des ossements de ce capitaine qui avait voulu être riche sans comprendre que la nature aurait le dessus sur sa connaissance de la mer.

L'homme ne raconterait jamais l'histoire de la gigantesque vague à son traitant de Moscou, qu'il avait appelé Conseiller vingt ans plus tôt. Les carcasses des oiseaux de mer avaient été flashées, ainsi que la cargaison empoisonnée.

Il ne restait rien. Rien de visible, seulement le microscopique travail, si lent à l'échelle humaine, si patient à celle de la nature. L'explosion avait amorcé la méthodique transformation du contenu du fût numéro cinq.

Il avait été le mieux scellé, le seul qui n'avait pas subi l'injure du temps et n'avait pas rejoint, pendant la longue traversée, le mélange dangereux qui avait rendu malade une grande partie des habitants de la côte de l'Extrême-Orient russe. Le tir avait eu raison des trois centimètres de blindage.

Le fût avait explosé comme les autres, mais son contenu n'avait pas été détruit par la chaleur. Il se répandit dans les vagues déjà hautes de la tempête qui s'amorçait en laissant échapper une légère vapeur aux contours rosés, suspendue à la surface de l'océan. Ce nuage, grandissant, mettrait vingt ans à suivre le courant, petite nappe vivante qui doucement se nourrirait de son milieu pour grandir, grandir toujours, patiemment. Un virus ne mute pas pour tuer son hôte trop vite, il mute pour acclimater sa proie, pour l'asservir.

Les côtes américaines seraient atteintes le 6 janvier 2034. Le jour de la fin du monde.

REMERCIEMENTS

J'ai reçu un courriel d'un ami du Québec, le critique Norbert Spehner. Avec son humour habituel, il me faisait le commentaire du roman *Le Dossier Déïsis*, tellement parfait quand il était né, tellement perfectible quand il a grandi.

C'est peut-être pour cela que je me suis lancé dans cette nouvelle aventure, travaillant différemment cette énigme dont je connaissais déjà la conclusion, enquêtant auprès de sources gouvernementales et des agences de renseignement sur les usages et les savoir-faire en «illégalité». Un ami Letton me remit un jour le dossier que son oncle, ancien général du KGB, avait voulu, sans succès, monnayer dans les années 1980. Une fiche m'intéressa plus particulièrement. Elle rapportait un rendez-vous de contrôle entre un diplomate canadien et son traitant du KGB. L'illégal se posait des questions sur son retour : mon histoire était née. Il ne comprenait pas ce monde soviétique qui l'avait abandonné, ces dirigeants qui l'avaient pourtant commandé qui sortaient les drapeaux des tsars et priaient dans les églises rouvertes.

Ce roman, si l'on peut considérer que la vérité est romanesque, s'adresse à ceux, toujours plus nombreux, qui pensent que les démocraties sont des laboratoires de pouvoirs et de richesses. J'aurais tant aimé que mon Carignac inventât cette phrase de Georges Clemenceau :

« On ne ment jamais tant qu'avant les élections, pendant la guerre et après la chasse. »

L'utilisation de 4 636 lb de Rolland Enviro Antique 100M plutôt
que du papier vierge réduit votre empreinte écologique de :
Arbre(s) : 56
Eau : 174 359 L
Émissions atmosphériques : 5 717 kg
Déchets solides : 2 201 kg

C'est l'équivalent de :
Arbre(s) : 1,1 terrain(s) de football américain
Eau : douche de 8,1 jour(s)
Émissions atmosphériques : émissions de 1,1 voiture(s) par année